Le
CANCER
est un *mot*, pas une *condamnation*

Dᵣ Robert Buckman

Avec la participation généreuse de la Dʳᵉ Pamela Catton
et du personnel médical de l'hôpital Princess Margaret de Toronto

Le CANCER

est un *mot*, pas une *condamnation*

 Broquet

97-B, Montée des Bouleaux, Saint-Constant, Qc, Canada J5A 1A9,
Tél.: (450) 638-3338 Fax: (450) 638-4338 Internet: http://www.broquet.qc.ca
Email: info@broquet.qc.ca

Catalogage avant publication de Bibliothèque et Archives Canada

Buckman, Rob

    Le cancer est un mot, pas une condamnation

    (Guide de survie)

    Traduction de: Cancer is a word, not a sentence.

    ISBN-13: 978-2-89000-772-7

    ISBN-10: 2-89000-772-3

    1. Cancer - Ouvrages de vulgarisation. 2. Cancer - Traitement - Ouvrages de vulgarisation. 3. Guide de survie (Saint-Constant, Québec). I. Titre.

RC263.B8214 2006   616.99'4   C2006-941321-5

POUR L'AIDE À LA RÉALISATION DE SON PROGRAMME ÉDITORIAL, L'ÉDITEUR REMERCIE :

Le Gouvernement du Canada par l'entremise du Programme d'Aide au Développement de l'Industrie de l'Édition (PADIÉ) ; La Société de Développement des Entreprises Culturelles (SODEC) ; L'Association pour l'Exportation du Livre Canadien (AELC).
Le Gouvernement du Québec - Programme de crédit d'impôt pour l'édition de livres - Gestion SODEC.

Traduction : Érika Duchesne
Révision : Denis Poulet, Marcel Broquet
Direction artistique : Brigit Levesque
Infographie : Sandra Martel
Photographie de la page couverture : Marie-Claude Levesque

Titre original : Cancer is a word, not a sentence.
Copyright © 2006 par Robert Buckman
Publié par Key Porter Books Limited, Toronto, Canada, 2006

Pour l'édition en langue française :
Copyright © Ottawa 2006
Broquet Inc.
Dépôt légal — Bibliothèque nationale du Québec
3e trimestre 2006

ISBN-13: 978-2-89000-772-7
ISBN-10: 2-89000-772-3

Imprimé au Canada

Note : *Ce livre ne vise pas à se substituer à un diagnostic médical et nous vous conseillons de toujours consulter un professionnel de la santé pour des renseignements sur des problèmes de santé spécifiques vous concernant. Les organismes, produits, ressources ou thérapies alternatives dont il est ici fait mention n'impliquent aucun cautionnement de l'auteur ni de l'éditeur. L'éditeur et l'auteur déclinent toute responsabilité découlant d'erreurs ou d'omissions dans ce livre, ou d'une quelconque utilisation faite des renseignements qu'il contient.*

Ce livre est dédié avec un profond respect et une admiration sincère à un homme qui a su allier la vision et le discernement du chercheur à une compassion et à une humanité extraordinaires : Dr Judah Folkman

NOTE DE L'AUTEUR

Je suis redevable au Macmillan Cancer Relief de Grande-Bretagne où j'ai entendu pour la première fois en 2002 la phrase « Le cancer est un mot, pas une condamnation ». En y réfléchissant par la suite, il m'est venu à l'esprit que cette phrase cernait bien tout le problème posé par les connotations et les nuances associées au mot cancer. — RB

TABLE DES MATIÈRES

I

Un mot, pas une condamnation

Une introduction pour vous aider à retrouver votre équilibre

Si vous lisez ce livre, c'est que vous êtes probablement ébranlé.

Presque tout le monde est ébranlé et désarçonné devant un diagnostic de cancer. C'est une réaction normale, partagée par tous. C'est pourquoi j'ai voulu écrire ce livre en collaboration avec mon amie et collègue, la D^re Pam Catton, et plusieurs membres de l'équipe médicale de l'hôpital Princess Margaret.

Ce livre a un but très précis : vous aider à rétablir votre équilibre. Il vous donnera un solide coup de main en vous guidant et en vous aidant à retrouver votre sens de l'orientation.

Le problème commence avec le mot *cancer*. Tant de connotations et d'associations y sont rattachées que c'est probablement le mot le plus redouté de la langue française. Il évoque des sentiments troublants et universels de peur et de condamnation. Plusieurs personnes décrivent leur réaction comme une sensation de froid dans le dos, une grande impuissance ou même de la confusion s'apparentant à une paralysie mentale. Elles disent avoir ressenti une sorte d'irréalité, comme si cela ne pouvait pas leur arriver.

C'est ce qui m'a motivé à écrire ce livre. J'espère vous aider à vous remettre du choc initial, ainsi qu'à bien saisir tous les aspects de votre situation et à y faire face. En résumé, j'ai écrit ce livre pour vous aider à retrouver votre équilibre.

Un fait tout simple d'une importance capitale

Abordons ce retour vers l'équilibre avec un fait tout simple, une information que tout le monde *devrait* connaître, mais que la plupart des gens ignorent.

C'est peut-être la statistique médicale la moins connue et la moins médiatisée au monde !

La voici : *parmi tous ceux chez qui on diagnostiquera un cancer cette année, un peu plus de la moitié survivront et n'auront plus aucun problème en rapport avec ce cancer le reste de leur vie.*

Je crois que cela vaut la peine de le répéter. Si vous avez un des cancers diagnostiqués cette année au pays, vos chances de survivre (et, dans la plupart des définitions de ce mot, d'être guéri) sont d'environ 50 pour cent.

Ce n'est pas un pourcentage aussi élevé qu'on le souhaiterait, une proportion de 90 ou même 100 pour cent serait préférable. Mais ce chiffre, qui augmente régulièrement depuis une cinquantaine d'années, est considérablement plus élevé que ce que croient ou craignent la majorité des gens.

Même à notre époque où les informations abondent, ce fait tout simple semble ne pas vouloir s'imposer. Bien des personnes croient encore qu'un diagnostic de cancer *équivaut* à une condamnation.

L'un de mes patients a parfaitement résumé cette idée : « On a tous le sentiment que si l'on nous apprend qu'on a le cancer un lundi, on sera mort le mercredi, ou le jeudi si on a de la chance. » C'est ce que les gens pressentent en général, et c'est la raison pour laquelle on est si démuni devant un diagnostic de cancer. Même si on vous confirme que le pronostic est bon (un cancer du sein qui ne s'est pas propagé aux ganglions lymphatiques, par exemple), vous conserverez probablement des doutes bien enracinés, et une tendance à ne pas croire ce que l'on vous dit.

C'est pourquoi ce livre est nécessaire et qu'il porte ce titre particulier. Tout le problème réside dans le fait qu'on parle d'un mot, d'un simple mot qui (comme vous le verrez) englobe plus de deux cents maladies différentes. Ce mot ne devrait pas constituer la fin de la discussion, mais plutôt le point de départ d'une mission de recherche d'informations. Comme vous le découvrirez dans cet ouvrage, ce qui importe, ce n'est pas seulement le diagnostic ; bien d'autres aspects de votre situation sont beaucoup plus pertinents et importants pour vous et votre avenir.

Vous devrez vous poser des questions comme celles-ci :

De quelle maladie précise (duquel des deux cents cancers) s'agit-il ?
Qu'est-ce que cela signifie pour mon avenir ?
Comment ce cancer particulier se comporte-t-il ?
Quelles sont les options de traitement ?

En trouvant peu à peu des réponses à ces questions, vous commencerez à avoir une meilleure idée de ce qui se passe, et c'est exactement ce dont vous avez besoin pour faire face à la situation.

Le mot *cancer* doit vous pousser à découvrir avec le plus de précision possible, et avec de plus en plus d'exactitude au fil du temps, ce qui se passe.

Comme le titre de ce livre le révèle dès le début : le *cancer* est un mot, pas une condamnation.

Une carte avec l'inscription « Vous êtes ici »

Vous devez également retrouver votre sens de l'orientation.

Le sens de l'orientation (connaître la disposition du territoire et la position des choses) vous aidera à reprendre un certain contrôle sur votre vie.

La plupart des gens, pas tout le monde, mais la majorité, estiment que l'un des aspects pénibles d'un diagnostic de cancer est le sentiment de perte de contrôle. Vous n'avez pas une bonne vue d'ensemble de la situation, vous vous sentez inquiet et incompétent. Ce qui n'aide pas les choses, c'est que les membres de l'équipe soignante n'ont peut-être pas le temps de vous dresser un portrait général. Parfois ils le font, et dans ce cas il faut vous compter chanceux. C'est qu'il y a fort à faire au moment du diagnostic, de la stadification et du début du traitement, et les cliniques sont généralement très occupées. Dans la plupart des cas, on manque de temps pour bien expliquer les choses. C'est une autre raison qui justifie l'écriture de ce livre.

D'une certaine manière, dans ce livre, je dessine une carte du traitement du cancer, comme les plans que l'on retrouve à l'entrée des centres commerciaux et qui ont une inscription jaune vif indiquant « Vous êtes ici », afin que vous retrouviez votre sens de l'orientation. J'espère que cet ouvrage vous permettra de trouver votre petite inscription jaune et qu'il vous guidera dans ce territoire complexe et obscur afin que vous puissiez vous situer et savoir où mènent les diverses avenues et options.

L'objectif de ce livre est de combler un vide. Sur le marché, la plupart des livres sur le cancer décrivent les faits pertinents et traitent des options de traitement. Évidemment, vous aurez également besoin de ce type d'information. Cependant, lorsque vous êtes confronté pour la première fois à l'un des cancers, vous avez aussi besoin d'autre chose. Vous avez besoin d'un guide pratique qui reflète votre expérience au quotidien.

J'espère que ce livre répondra à ce besoin. C'est le premier guide pratique « étape par étape » écrit précisément pour vous aider à traverser ces premières semaines déconcertantes ainsi que les étapes du diagnostic et du traitement. Il vous propose des moyens simples et concrets pour composer avec la situation.

Vous ne trouverez pas dans cet ouvrage une compilation exhaustive d'informations sur le cancer, sa biologie et les traitements. Il s'agit plutôt d'un guide clair et compréhensible qui reflète la réalité. Il vous indiquera ce que signifie exactement le diagnostic, à quoi servent les examens, de quoi dépend votre avenir, comment juger les avantages des diverses options de traitement, et de quelle manière composer avec les effets secondaires des traitements ainsi qu'avec les incertitudes et les hauts et les bas associés aux visites de suivi. Dans un langage simple, ce livre vous explique ce qui vous arrive et vous présente les moyens pour vous y adapter.

Vous avez besoin que l'on vous montre comment ce nouveau territoire inconnu se dessine et que l'on vous oriente à mesure que vous le découvrez.

Lorsqu'on est perdu en forêt, on n'a pas besoin d'un répertoire des arbres. Ce qu'il faut, c'est une carte de la forêt.

L'essentiel du livre dès le début

En introduction, je vous propose quelques conseils utiles; je m'y attarderai plus en profondeur par la suite. Généralement, les gens aiment bien avoir une idée de l'essentiel dès le début. Voici donc ces recommandations.

À FAIRE	À NE PAS FAIRE
Essayez d'avoir un aperçu raisonnable de votre type de cancer.	N'associez pas uniquement le mot « cancer » à un signe de mauvais augure.
Recueillez quelques informations fiables et à jour: consultez quelques sites Internet réputés sur le cancer (voir l'annexe B, page 245).	N'allez pas sur Internet pour réunir une myriade de points de vue, d'opinions ou d'informations sur les remèdes maison et les médicaments expérimentaux. Généralement, si une percée majeure se produit dans le domaine, pratiquement tous les professionnels du milieu seront au courant.
Acceptez, c'est-à-dire admettez et reconnaissez les incertitudes qui existent quant au diagnostic ou au traitement à ce stade. L'incertitude est toujours désagréable, mais il est plus facile de composer avec ce sentiment lorsqu'on le reconnaît.	Ne croyez pas que les choses ne changeront plus après avoir entendu les premières explications sur le diagnostic ou le traitement. Les perspectives peuvent très bien changer avec le temps, alors essayez de rester aussi flexible que possible.

À FAIRE	À NE PAS FAIRE
Posez des questions précises à votre équipe soignante dès que vous avez une vue générale de la situation.	Évitez de poser les mêmes questions trop souvent. Deux ou trois fois, c'est généralement suffisant. Lorsqu'on pose toujours les mêmes questions, cela signifie habituellement qu'on a du mal à accepter les réponses.
Sollicitez un deuxième avis si vous pensez vraiment que c'est nécessaire.	Ne sollicitez pas de troisième avis (ou plus!) si le deuxième est identique au premier.
Réfléchissez à ce qui vous pousse à avoir recours à un remède ou à un établissement en médecine complémentaire et clarifiez vos attentes.	Ne faites aucun investissement majeur (de temps, d'argent ou d'espoir) dans un remède ou un établissement en médecine complémentaire sans prendre le temps d'y penser et d'en discuter.
Prenez quelques minutes pour réfléchir à la manière de communiquer avec votre équipe soignante et vos amis.	Ne criez pas après vos amis ou votre famille, et ne les blâmez pas. (Essayez, du moins.) Il vaut mieux tenter d'expliquer ce qu'on ressent plutôt que de l'exprimer violemment, bien qu'il y ait toujours des moments où l'on ne peut que faire sortir la pression.
Parlez à vos amis et à votre famille.	N'allez pas croire que vous devez garder toutes vos inquiétudes pour vous tant que vous ne connaissez pas toutes les réponses.
Dites aux gens que vous aimez que vous les aimez. Personne ne se plaindra d'entendre de belles choses!	Ne rompez pas les liens avec les gens que vous aimez vraiment. On a tous tendance à se sentir mal à l'aise et vulnérable lorsque ça ne va pas bien ou que l'on est bouleversé. Les vrais amis sont ceux avec qui vous pouvez parler de ces sentiments.
Respirez! Lorsqu'ils entendent le mot «cancer», la plupart des gens ont l'impression que le ciel va leur tomber sur la tête le lendemain. Ce livre veut dissiper cette illusion.	Ne paniquez pas! Le mot «cancer» évoque chez presque tout le monde un sentiment d'urgence et de panique. Dans la plupart des situations, même si c'est difficile à croire, il y a amplement de temps pour se renseigner et prendre des décisions éclairées.
Réservez du temps chaque jour à une activité qui vous plaît et que vous aurez hâte de faire. Il peut s'agir simplement de votre émission de télévision préférée ou d'un moment passé à écouter de la musique.	Ne vendez pas vos meubles! C'est la même idée que «Ne paniquez pas!» Ce conseil est si important qu'il vaut la peine de le répéter.

«Je me demande toujours si...»

Bien des gens ont la tête remplie d'interrogations lorsqu'on leur apprend qu'ils ont un cancer. Les deux questions qui reviennent le plus fréquemment sont :

Qu'est-ce que ce diagnostic signifie *réellement* dans mon cas ?
Qu'est-ce qui va arriver ? (Autrement dit : que me réserve l'avenir ?)

Souvent, on ne peut répondre à ces questions avec certitude. Même avec la meilleure volonté du monde, le clinicien le plus expérimenté ne peut prédire ce qui va arriver précisément à chaque personne atteinte de cancer, ni comment chaque cas va évoluer.

Mais il est souvent possible d'expliquer la situation en termes généraux et de déterminer quels aspects de la tumeur peuvent influencer le plus l'issue du cancer.

L'objectif de ce livre est de vous montrer l'itinéraire que vous emprunterez au cours des premières semaines et de vous décrire les divers examens ainsi que les nombreuses incertitudes que vous rencontrez en chemin. J'espère que ce guide vous aidera à mieux comprendre ce qui vous arrive.

Avec la compréhension commence l'adaptation

Lorsque vous retrouvez votre équilibre, vous amorcez le processus au cours duquel vous élaborez vos propres stratégies d'adaptation, soit les mécanismes psychologiques et les moyens auxquels vous faites appel (comme nous le faisons tous) pour composer avec les chocs et les mauvaises nouvelles.

Quand vous aurez terminé ce livre, vous serez en mesure de mettre votre diagnostic et votre plan de soins en contexte. Un diagnostic de cancer entraîne toujours un sentiment d'accablement, de l'impuissance parfois et même une quasi-paralysie au début. Les informations, les conseils et les trucs présentés dans ce guide faciliteront votre compréhension de la situation et des moyens pour y faire face.

Lorsqu'il faut faire face au cancer, le meilleur remède contre cet affreux sentiment de paralysie est la compréhension. C'est l'idée derrière ce livre, qui se veut la première étape pour mettre votre situation en contexte et placer l'inscription « Vous êtes ici » sur la carte.

Guide pour ce guide

Ce livre comprend un chapitre d'introduction, six parties, une section de tableaux et une autre annexe.

La première partie, « Que va-t-il m'arriver ? », est l'équivalent d'une carte à grande échelle des autoroutes principales. Elle présente de manière générale le fonctionnement et le déroulement des choses.

Dans la première partie, je commence par des données de base. J'explique ce qu'est le cancer (ou plutôt ce qu'est le processus du cancer) et le fait que ce processus est une caractéristique commune à plus de deux cents maladies différentes qu'on appelle *les cancers*. Je précise que la plupart de ces maladies ont peu de choses en commun, à part le processus de base du cancer.

Ensuite, je présente six étapes fondamentales de planification et d'adaptation, à partir du moment du diagnostic. Dans cette section, j'explique comment les cancers sont diagnostiqués, évalués et traités. J'insiste également sur l'importance du suivi et sur les moyens pour composer avec l'anxiété qu'il génère souvent.

Vous y trouverez des explications simples et claires sur les divers examens, résultats, discussions, méthodes de traitement et autres (qui s'avèrent souvent déroutants et déconcertants). De plus, j'y présente une stratégie pour poser les bonnes questions de manière à bien comprendre votre situation.

La deuxième partie, « Comment les traitements se déroulent-ils ? », décrit les quatre principaux types de traitements du cancer — la chirurgie, la radiothérapie, la chimiothérapie et les agents biologiques — et comment ces traitements sont constamment améliorés grâce à des études appelées *essais cliniques*. Je conclus cette partie par des conseils pratiques sur la communication avec votre équipe soignante. Vous y trouverez la description de ses membres et des recommandations pour aborder des sujets potentiellement délicats, ayant trait à vos sentiments ou par exemple à votre désir de solliciter un deuxième avis.

La troisième partie, « Existe-t-il une voie plus simple ? », traite de la médecine complémentaire. Elle vous aidera à peser et à évaluer les nombreuses allégations séduisantes à propos de remèdes supposés traiter efficacement le cancer sans effets secondaires. Je crois qu'il est d'une importance capitale de réfléchir aux *raisons* qui vous poussent vers ces remèdes complémentaires et aux attentes qu'ils suscitent chez vous.

La quatrième partie, « Comment revenir sur la bonne voie ? », est incontournable. Elle est consacrée au rétablissement, c'est-à-dire au retour à la normale (ou presque) pendant le traitement et après. Vous y trouverez des indications générales pour vous aider à remettre de l'ordre dans votre vie et à retrouver votre équilibre. Une section traite de la communication avec les autres, y compris avec vos amis et votre famille. J'y ai inclus des conseils qui s'adressent à ces derniers sur la façon de vous parler.

La quatrième partie se poursuit avec des réflexions sur la spiritualité, la religion et la sexualité, ainsi que sur la manière d'aborder les problèmes sexuels qui sont courants après un diagnostic de cancer ou un traitement. Cette section se termine sur le thème de l'espoir : sa signification et les diverses formes qu'il peut prendre.

La cinquième partie, « Dois-je conserver une attitude positive en tout temps ? », aborde un sujet très controversé : le cancer et l'esprit. J'y traite des nombreuses allégations et affirmations à propos de l'influence de l'esprit sur le processus du cancer, et je passe en revue plusieurs études importantes sur ce sujet.

La sixième partie s'intitule « Qu'est-ce que je peux faire de mon côté ? ». Vous serez heureux d'apprendre que la première section s'intitule « Vous êtes sur la bonne voie ». Dans cette partie, je fais un résumé du processus de reprise de contrôle sur une situation qui peut sembler arbitraire et incontrôlable de prime abord, et je conclus par une affirmation cruciale sur la valeur du soutien : *vous n'êtes pas seul.*

Ensuite, la section des tableaux fournit une description détaillée de divers médicaments, examens, techniques et interventions.

Finalement, dans l'annexe B, vous trouverez une liste de divers organismes avec leurs coordonnées, ainsi que d'autres ressources sur Internet, fiables et crédibles.

PARTIE 1

« Que va-t-il m'arriver ? »

Un guide étape par étape

Commençons par le commencement : le cancer, c'est quoi ?

Curieusement, le cancer n'est pas une maladie.

Tout le monde utilise ce mot comme s'il désignait une maladie, de la même manière dont on se réfère au diabète, à la sclérose en plaques ou à la maladie d'Alzheimer. Mais le cancer ne représente pas du tout une seule maladie, car c'est un *processus*. C'est un processus par lequel des maladies différentes, les cancers, se développent. Cette réalité, comme vous le verrez, change tout.

Le cancer ou les cancers ? Une différence de taille

Je veux commencer en répétant ce fait primordial : le cancer n'est pas une maladie, c'est un processus. De plus, ce processus est commun à plus de deux cents maladies très différentes, telles que le cancer du sein, le cancer du poumon et le cancer de l'intestin, qui composent un groupe fort disparate que nous devrions plutôt nommer *les cancers*. L'essentiel à retenir, c'est que la plupart des cancers ont très peu de choses en commun, à part le processus fondamental du cancer.

Voyons quelques exemples pour illustrer l'étendue des états qui constituent des cancers. (Cela vous paraîtra peut-être simpliste, mais je veux vraiment mettre l'accent sur ce point.)

Si vous avez l'un des types courants de cancer de la peau : le carcinome baso-cellulaire ou le carcinome spinocellulaire, lorsque la lésion a été enlevée, il est peu probable que ce cancer particulier cause à nouveau des problèmes. Vous pourriez développer d'autres cancers de la peau sur d'autres parties du corps, et, à l'occasion, le cancer pourrait revenir au même endroit, mais ce n'est qu'exceptionnellement qu'une personne puisse être affectée gravement par l'un de ces types de cancer de la peau. Ces cancers ne se propagent jamais ailleurs ou à des organes importants du corps, ils ne menacent donc jamais votre vie. C'est aussi simple que ça.

En fait, quant au risque pour votre santé ou votre vie, comme l'a si bien souligné un patient, on pourrait voir ces types de cancer comme des verrues, qui sont des tumeurs bénignes, c'est-à-dire des excroissances qui n'envahissent pas l'organisme et ne se propagent pas.

C'est pour cette raison que ces types de cancer de la peau — contrairement au mélanome, beaucoup plus rare, qui peut dans certaines circonstances réapparaître ou se propager — ne sont pas inclus dans les statistiques sur le cancer. Alors, quand on dit qu'il y a eu environ 150 000 nouveaux cas de tous les types de cancer confondus cette année au Canada, et environ 1,2 million aux États-Unis, ces chiffrent n'incluent *pas* les cancers de la peau les plus courants, qui se chiffrent probablement à plusieurs millions de cas. À bien des égards, les cancers courants de la peau représentent une extrémité de l'éventail, ce sont des cancers, mais une fois qu'ils ont été enlevés, les risques de conséquences graves sont nuls.

En revanche, si vous êtes atteint d'un cancer du pancréas avancé, par exemple, les chances de guérison sont très minces. Le cancer du pancréas est toujours très grave et les risques pour votre vie sont élevés.

Ces deux exemples — cancers de la peau et du pancréas — représentent les deux extrémités de l'éventail sous plusieurs aspects. Leur comportement est entièrement différent et ils n'ont rien en commun à part le processus du cancer. Il ne s'agit pas du tout de la même maladie.

Il ne s'agit pas non plus d'une question de sémantique ou de grammaire. Les mots que l'on choisit et la façon de les utiliser influencent grandement notre mode de pensée. Et *cela* change ce que nous ressentons ainsi que le degré d'inquiétude ou de peur qui nous envahit lorsque ce sujet est abordé. Cet effet est particulièrement manifeste et très puissant lorsqu'on parle des cancers. En général, la façon de penser à ce groupe de maladies et la manière d'en parler affectent grandement notre réaction lorsqu'un diagnostic inclut le mot *cancer*.

Ce point est si important que je veux le développer plus à fond. Cette idée générale que le cancer est une seule maladie terrible est si enracinée dans nos esprits qu'il est très difficile de penser autrement. Cependant, comme il est primordial pour vous de vous débarrasser du concept de « cancer égale maladie unique », j'utiliserai une analogie pour bien illustrer ce point. Voyons ce qui arriverait si on prenait un autre grand groupe de maladies, les maladies infectieuses, et qu'on les regroupait *toutes* en une seule entité, comme si c'était une maladie unique.

Comparaison des mots « cancer » et « infection »

Comme chacun le sait, la gravité des maladies infectieuses va de totalement bénigne à mortelle. À l'extrémité inoffensive, on retrouve le rhume. Tout le monde a déjà eu un rhume. On sait que le rhume est causé par un virus du type rhinovirus qui infecte les parois du nez. On renifle et notre voix devient nasillarde pendant quelques jours, puis le rhume disparaît et on n'y pense plus.

Prenons un autre exemple de virus qui infecte un organe et cause des problèmes : l'hépatite B. L'hépatite B est une infection du foie désagréable, qui peut s'avérer dangereuse à l'occasion. Il y a des virus qui sont encore plus dangereux, comme le virus Ebola ou le virus de Marburg (qui présentent tous deux un très haut taux de mortalité), le VIH/sida ou la grippe aviaire. Il ne nous viendrait jamais à l'idée de regrouper ces maladies si différentes (le rhume, l'hépatite B, le virus Ebola et le VIH/sida) sous un diagnostic unique d'*infection*. Mais réfléchissez une minute à ce qui se passerait si c'était le cas.

Imaginons ce que serait le monde si on regroupait toutes ces maladies, les plus terribles comme les plus inoffensives, sous la seule étiquette « infection ».

Un monde avec une seule maladie appelée infection serait des plus effrayants. Chez tous ceux qui auraient le nez qui coule, on ne diagnostiquerait pas un rhume, parce que dans ce monde imaginaire ce mot n'existerait pas. On leur dirait plutôt qu'ils souffrent d'une « infection ».

Une infection ! Comme les épidémies d'infection qui surviennent en Afrique et en Inde et qui font tant de victimes ! Le patient paniquerait et aurait peur que l'*infection* se propage au foie, au système sanguin ou au système immunitaire, ou encore partout à la fois ! Cet écoulement nasal pourrait être le signe avant-coureur de l'un de *ces* types d'*infections,* celles qui terrassent et constituent un risque sérieux pour la santé, et même la vie !

Cette analogie est pertinente, même si je l'ai poussée un peu vers le ridicule. Lorsqu'on regroupe diverses maladies en y incluant des maladies qui ont des comportements diamétralement différents sous une seule étiquette, on intensifie la peur et la crainte associées à l'étiquette.

C'est ce qui s'est passé avec les cancers. En se référant constamment à ce grand ensemble de maladies différentes par l'appellation générique de *cancer*, on réveille — même si ce n'est que dans le subconscient — des peurs et des craintes profondément enracinées, et on suscite une espèce de pressentiment selon lequel n'importe laquelle de ces deux cents maladies différentes, même une qui est facilement guérissable, pourrait mystérieusement se transformer en l'une des plus agressives.

En apposant l'étiquette *cancer* à toutes ces maladies différentes, on les lie subtilement entre elles. Le *problème* de base que cela occasionne, c'est qu'en les liant entre elles et en les regroupant sous une même étiquette, on fait *disparaître la prévisibilité* des maladies individuelles au profit du mythe d'une seule super-maladie imprévisible et changeante, qui peut mystérieusement passer d'un type à un autre. Je vais maintenant vous démontrer que le cancer est un processus, tout comme l'*infection*, l'*inflammation* et la *dégénérescence*, et non une maladie.

Notre réaction à un diagnostic de rhume ou de grippe serait la peur et la frayeur si on pensait que le pronostic pouvait s'avérer inquiétant, parce que « tout le monde sait qu'une infection peut se propager au foie, au sang ou au système immunitaire ensuite ». Le regroupement de toutes ces maladies qui ont un comportement très différent créerait le mythe d'une seule maladie imprévisible. La seule mention de la super-maladie *infection* paralyserait et terroriserait tous ceux qui attraperaient un rhume.

C'est ce qui se passe avec les cancers.

Lorsqu'on regroupe tous les cancers en une seule maladie mystérieuse qu'on appelle *cancer*, la prévisibilité des divers types de cancer disparaît. Il y a donc une tendance à redouter *n'importe lequel* des cancers avec la même peur et le même sentiment de mort imminente associés aux plus graves d'entre eux. Le cancer de la peau se retrouve lié dans l'esprit au cancer du pancréas.

Lorsque la prévisibilité disparaît, la peur et la panique se précipitent pour combler le vide.

Toutefois, ce n'est pas tout à fait aussi simple avec les cancers qu'avec les maladies infectieuses. Chacun des cancers présente un certain degré d'imprévisibilité, bien que celle-ci soit généralement assez limitée. Même si on ne peut pas prédire entièrement le comportement de la plupart des cancers, il y a des limites bien connues à cette imprévisibilité. On ne peut pas tout prédire, mais cela ne signifie pas qu'on ne puisse rien prédire ! Finalement la comparaison avec les infections n'est peut-être pas si mal. On sait qu'un rhume ne durera pas six mois, mais on ne peut prédire s'il durera cinq ou dix jours.

Alors, maintenant que nous avons établi que les deux cents cancers (ou plus) partagent le même processus, examinons-le.

Le processus du cancer

On parle de cancer lorsqu'un groupe de cellules normales croît de façon anarchique et incontrôlable et peut se propager dans les tissus environnants ou à d'autres parties du corps. En fait, le processus du cancer se déroule en trois phases.

PREMIÈREMENT, UN GROUPE PRÉCIS DE CELLULES, DANS UN CANAL DU SEIN PAR EXEMPLE, COMMENCE À CROÎTRE DE FAÇON ANARCHIQUE ET INCONTRÔLABLE, DE TELLE SORTE QU'IL EST POSSIBLE DE LE DÉCELER AU MICROSCOPE. Les cellules ne s'alignent pas normalement, leur noyau semble bizarre et leur apparence générale — pour l'œil expert d'un pathologiste — semble indiquer que les cellules ne répondent plus aux mécanismes normaux qui régulent et contrôlent la croissance cellulaire.

DEUXIÈMEMENT, CES CELLULES QUI PROLIFÈRENT ENVAHISSENT LES TISSUS QUI LES ENTOURENT. Lorsque les tissus sont normaux, les limites entre un type de tissu et ses voisins sont strictement délimitées, et les tissus de part et d'autre de cette frontière restent dans le territoire qui leur est imparti. Lorsqu'il y a cancer, les cellules cancéreuses ne respectent pas ces limites et traversent les frontières.

Si tous les cancers avaient *seulement* ces deux caractéristiques, c'est-à-dire la croissance incontrôlable et l'invasion locale, les cancers ne présenteraient pas un grand risque pour la santé ou la vie. On compterait très peu de décès chaque année. Dans la plupart des types de cancer, la tumeur primitive ne constitue pas le principal problème.

LE PROBLÈME AVEC LA PLUPART DES CANCERS COURANTS EST QU'ILS ONT UNE TROISIÈME CARACTÉRISTIQUE : ils peuvent se propager dans d'autres parties du corps, parfois éloignées. C'est ce qu'on appelle la *métastase*. Lorsqu'un cancer agit ainsi, les autres cancers qui se développent à distance dans le corps — par exemple, dans le foie ou les poumons — sont qualifiés de *méta-*

statiques ou de *secondaires*. Ce sont bien souvent les métastases qui menacent plus sérieusement la santé ou la vie. (Dans un petit nombre de situations, le cancer primitif peut causer une maladie grave ou la mort. Cela peut arriver, mais c'est rare.)

Donc, le processus de la métastase est extrêmement important, et la recherche s'est beaucoup penchée sur ce phénomène depuis cinquante ans. On croit aujourd'hui que certaines cellules cancéreuses manifestent une forte tendance à métastaser, alors que d'autres ne le font pas. On connaît maintenant quelques-unes des caractéristiques des cellules à potentiel métastatique élevé ; ce sont les marqueurs, si on veut, de leur agressivité et de leur tendance à se propager.

Pour plusieurs cancers, le pathologiste peut nous dire, dans une certaine mesure, si le risque qu'il se propage ailleurs dans le corps est élevé, faible ou moyen. Pour l'instant, cependant, on ne peut pas prédire si un cancer *précis* chez une personne en particulier se propagera ou non. On peut dire, à titre d'exemple, que certains cancers du sein présentent un risque élevé de métastase, mais on ne peut confirmer à madame Bruno si le sien métastasera ou non.

C'est une précision très importante. En effet, *si* on était certain que le cancer du sein de madame Bruno ne se propagerait *pas*, on ne lui recommanderait aucun traitement après la chirurgie dans son cas. Et si on était certain que le cancer de l'intestin de monsieur Simard se *propagerait*, alors on recommanderait dans son cas une série de traitements après la chirurgie. Ensuite, après quelques années, si monsieur Simard ne développait pas de métastases, on pourrait dire avec certitude que le traitement a fonctionné.

Malheureusement, nous n'en sommes pas là. Aujourd'hui, on ne peut prédire en toute assurance qu'une *fourchette* de probabilité de métastase, puis recommander les options de traitement pour diminuer le risque.

Prenons comme exemple le cancer du sein. Si une femme a un petit cancer du sein (disons d'environ un centimètre) qui s'est propagé seulement à l'un des ganglions lymphatiques de l'aisselle, et que les tests montrent qu'il est probable qu'il répondrait à l'hormonothérapie, alors on peut faire des prédictions assez précises sur son comportement et sur le degré de risque pour la patiente.

Dans ce cas-ci, on peut dire que pour un cancer moyen de ce type présentant ces caractéristiques, le risque qu'il se propage ailleurs dans le corps n'est pas élevé. En fait, le risque de mourir d'un cancer du sein comme celui-ci au cours de la décennie, si la patiente ne reçoit aucun traitement après la chirurgie, est d'environ 15 pour cent. Mais si la patiente prend des comprimés d'hormones pendant cinq ans après la chirurgie, le risque est réduit d'un tiers (donc, environ 10 pour cent). Bien entendu, même un risque de récidive de 10 pour cent n'est pas à prendre à la légère, mais si on le compare à la perception générale associée au cancer du sein, c'est étonnamment faible (pour la plupart des gens).

Ces explications sont assez faciles à comprendre. Ce qui est parfois difficile à saisir, c'est que personne ne sait ce qui va arriver *dans chaque cas individuel*. On connaît les risques généraux, mais pas l'issue pour chaque patient.

Alors personne ne peut prédire si un cancer particulier se propagera. Par conséquent, personne ne peut confirmer, dans chaque cas individuel, si le traitement a contré une récidive ou si le cancer n'aurait pas réapparu de toute façon.

Présentement, dans la majorité des cas où nous recommandons un traitement après la chirurgie (comme nous le verrons en détail à la troisième étape, page 43), nous ne pouvons parler que de la *probabilité* que le cancer se propage et de la *probabilité* que le traitement prévienne la propagation. Ce ne sont pas des conditions idéales pour formuler des recommandations, mais pour le moment, c'est le mieux que l'on puisse faire.

Dans l'avenir, nous serons peut-être en mesure de reconnaître « les empreintes » des cellules cancéreuses avec beaucoup de précision et nous arriverons peut-être à distinguer les cancers qui ne se propageront pas de ceux qui le feront. Lorsque nous aurons atteint ce stade, les bases sur lesquelles nous recommanderons les traitements seront beaucoup plus rationnelles et compréhensibles. On pourrait atteindre ce stade pour certains cancers dans cinq ou dix ans.

C'est donc la troisième étape du processus du cancer — lorsque le cancer se propage ailleurs dans le corps — qui représente la menace la plus sérieuse pour la santé et la vie.

En résumé, les cancers constituent un groupe de maladies qui ont en commun de croître de façon anarchique et incontrôlable, et de se propager potentiellement à d'autres parties du corps. Si vous gardez ce principe à l'esprit, la section suivante, qui traite des six étapes pour faire face à un diagnostic de cancer, vous paraîtra plus claire.

Première étape

«Docteur, êtes-vous certain que c'est le cancer?»

Le diagnostic

Le diagnostic cause toujours un choc.

De plus, il arrive souvent que le diagnostic initial soit *préliminaire*, et non pas définitif ou entièrement sûr. Dans ces situations, l'incertitude rend presque toujours les choses plus difficiles pour vous, ainsi que pour les personnes de votre entourage qui veulent savoir ce qui se passe et connaître les soins que vous recevrez. Il est presque toujours plus difficile de faire face à l'adversité lorsqu'on ne sait pas exactement à quoi on a affaire.

Dans cette section, nous verrons de quoi dépend le diagnostic, soit à quel moment il devrait être définitif et quand il ne l'est pas, et quels types d'examens supplémentaires sont importants.

Fondamentalement, il y a trois manières de déceler et de diagnostiquer un cancer. Naturellement, il s'agira ici d'une simplification considérable, mais il est utile d'examiner le processus du diagnostic sous ces trois rubriques générales, parce que cela vous éclairera sur votre cas. Nous sommes dans la situation où une carte de la forêt est utile avant la consultation du répertoire des arbres.

Les voies qui mènent à un premier diagnostic

Bien qu'il existe littéralement des centaines de symptômes et d'examens qui peuvent mener éventuellement au diagnostic d'un cancer, pour simplifier les choses, on peut diviser ces situations en trois grandes catégories. En fait, cette façon de voir le processus du diagnostic peut vous aider à déterminer où vous vous situez en ce moment et quelles sont vos options pour l'avenir, alors que vous avancez sur un sentier sinueux et glissant.

Grosso modo, les voies principales vers un diagnostic sont les suivantes :

PREMIÈREMENT, LE DIAGNOSTIC À PARTIR D'UN EXAMEN POUR UN SYMPTÔME OU UN PROBLÈME (OU PLUSIEURS SYMPTÔMES OU PROBLÈMES) QUE VOUS AVEZ REMARQUÉ. Un symptôme est quelque chose d'inhabituel que vous remarquez vous-même, comme une bosse dans un sein, une douleur à la poitrine, ou du sang dans vos crachats ou dans vos selles. Vous allez chez le médecin, qui recommande un examen ou une batterie d'examens.

Dans votre cas, si un examen a mené à une *biopsie* — le prélèvement d'un fragment ou d'un échantillon de tissu —, vous pouvez aller directement à la page 32 où l'on explique ce que nous apprend une biopsie.

Si vous avez passé des examens, mais pas encore de biopsie, vous pouvez aller à la page 34, où l'on traite des divers degrés de certitude et de doute engendrés par presque tous les examens.

Deuxièmement, le diagnostic à partir d'un test de dépistage qui présente un résultat anormal. Par définition, les tests de dépistage sont des examens que l'on fait passer à des gens qui ne présentent pas de symptôme ou de problème lié à la maladie que le test cherche à dépister. Les examens de ce genre — qui font un dépistage chez des individus qui ne présentent pas de symptômes — comprennent les mammographies, les tests Pap, les coloscopies et les tests de l'antigène prostatique spécifique (APS). L'objectif d'un test de dépistage est de déceler une affection — et certains cancers en sont un bon exemple — à un stade précoce, au moment où le traitement peut être plus efficace que s'il est administré lorsque les symptômes apparaissent.

Par exemple, toutes les femmes qui sont actives sexuellement devraient subir un test Pap régulièrement; toutes les personnes de cinquante ans et plus devraient subir un toucher rectal ainsi qu'une coloscopie; et les femmes devraient passer une mammographie tous les ans à partir de cinquante ans. Ces examens, qui ont fait l'objet de recherches, augmentent les chances qu'un cancer soit décelé à un stade précoce, avant de produire des symptômes. Pour ces cancers en particulier, et pour certains autres, les études démontrent qu'en détectant les cancers à un stade précoce, les traitements sont plus efficaces, et on peut ainsi sauver des vies.

C'est l'idée derrière ces tests, et c'est une excellente idée. Cela fonctionne très bien pour plusieurs affections, dont un bon nombre de cancers. Toutefois, certains problèmes sont associés à tous les tests de dépistage et méritent qu'on les aborde, parce que vous êtes peut-être assis près du téléphone dans l'attente des résultats d'un de ces tests. Ou alors, on vous a peut-être dit que le résultat d'un test de dépistage est anormal ou incertain, et vous vous demandez pourquoi l'on fait passer ces tests de dépistage si les résultats ne permettent pas de dire si vous avez ou non un cancer.

La plupart du temps, les tests de dépistage donnent des résultats clairs et fiables. Mais il arrive que les résultats soient incertains ou troublants. Voyons pourquoi.

Tous les tests de dépistage produisent parfois des résultats incertains (le terme exact est *équivoque*) parce qu'il n'existe aucun test offrant invariablement cent pour cent de succès et de fiabilité. Toutes les populations biologiques varient. Tous les aspects de la vie de chaque humain varient, que ce soit la taille, l'intelligence ou les aptitudes athlétiques. C'est la même chose pour la plupart des maladies. Il y a un grand nombre de situations où l'on ne peut dire avec certitude si un résultat particulier est normal ou anormal.

En plus d'être parfois équivoques, les résultats peuvent aussi être faux, c'est-à-dire qu'ils indiquent que vous avez une maladie alors que ce n'est pas vrai, et vice versa. Cela signifie que, quel que soit le test de dépistage, certaines personnes seront déçues de ne pas avoir de résultat sûr, certaines seront exagérément alarmées et d'autres rassurées à tort. C'est une situation déplaisante, mais inévitable. Pour le moment, nous n'avons pas les connaissances pour éliminer ces résultats incertains et perturbants, qui sont malgré tout plutôt rares.

TROISIÈMEMENT, LE DIAGNOSTIC PAR DÉCOUVERTE FORTUITE AU COURS D'UNE INTERVENTION POUR AUTRE CHOSE. Il arrive parfois, et ce n'est pas rare du tout, qu'on procède à une intervention pour un problème qui n'est pas lié au cancer (sans même qu'on soupçonne un cancer) et qu'on découvre un cancer pendant l'intervention. Alors que vous subissez une hystérectomie pour des fibromes, par exemple, on pourrait découvrir un cancer.

Si c'est ce qui vous est arrivé — une découverte fortuite et inattendue au cours d'une intervention pour autre chose —, la stupeur est plus grande (comme vous le ressentez peut-être actuellement).

Mais courage ! C'est généralement une bonne chose lorsqu'on découvre un cancer de manière fortuite. En général, les cancers qui ne provoquent aucun problème ou symptôme présentent un meilleur pronostic que ceux qui attirent l'attention sur eux en provoquant des symptômes ou des problèmes.

Cependant, cette absence de symptôme aggrave souvent le choc intellectuel. Presque tous les patients qui le vivent disent : « Mais je me sentais en si bonne forme. » Et c'est vrai. Si vous ne vous sentez pas bien, vous pouvez vous préparer mentalement à recevoir un diagnostic grave. Par contre, si vous n'avez aucun problème et que l'idée d'un cancer ne vous a pas traversé l'esprit, le choc sera bien plus grand.

Le secret pour vous remettre de ce choc — et qui correspond au message central de cet ouvrage — consiste à vous informer. Il vaut la peine de passer un peu de temps pour tenter d'avoir une vue d'ensemble de votre cancer. Comme je l'ai mentionné précédemment, de rares cancers peuvent vous menacer immédiatement (et parfois sérieusement), mais pour la plupart, le temps ne joue pas contre vous. Il est donc très important de comprendre ce qu'on a découvert dans votre cas. Ces informations — la carte de la forêt — vous aideront grandement à organiser vos stratégies d'adaptation. Alors, même si un diagnostic qui tombe du ciel vous ébranle sérieusement, vous pouvez retrouver l'équilibre en circonscrivant le problème auquel vous devez faire face.

Guide concis du diagnostic histologique

Dans la plupart des cas, l'une des trois voies vers le diagnostic que l'on vient de décrire mènera votre équipe soignante à faire une biopsie, soit à prélever un échantillon du tissu suspect ou une partie de l'organe dans lequel l'anomalie a été décelée. Les biopsies sont relativement simples.

Le mot *biopsie* signifie « prélèvement d'un fragment de tissu ». Il y a des douzaines de façons de le faire, et cela dépend en grande partie de l'endroit du corps où se situe le problème. Par exemple, en cas de bosse dans un sein, la biopsie peut se faire avec une aiguille fine sous anesthésie locale. C'est une intervention mineure qui ne prend que quelques minutes. En revanche, une biopsie pour examiner un problème au cerveau sera beaucoup plus complexe. Il faut alors une opération en règle sous anesthésie générale. L'intervention peut durer une heure ou plus.

Pour plusieurs organes de l'abdomen, on peut faire la biopsie en effectuant une laparoscopie. Habituellement, elle se pratique sous anesthésie générale et ne requiert pas de grande incision. On insert simplement un télescope extrêmement fin à travers la paroi abdominale, qui sert également au prélèvement. Plusieurs interventions similaires peuvent se faire selon la partie du corps à examiner. À titre d'exemple, au cours d'une *bronchoscopie*, le chirurgien examinera vos poumons et votre arbre bronchique à l'aide d'un télescope effilé appelé *bronchoscope*. Il y insérera ensuite de fines pinces pour détacher un fragment de tissu de la paroi d'une *bronche*, l'un des conduits qui acheminent l'air dans vos poumons. Au cours d'une *coloscopie*, on utilise une méthode similaire pour prélever un échantillon du côlon (gros intestin) ou du rectum. De la même façon, on peut faire un examen et une biopsie de la structure située au milieu de la poitrine, entre les poumons et autour du cœur, qu'on appelle le médiastin. On parlera alors de *médiastinoscopie*.

Selon l'endroit exact où se trouve la zone suspecte, il se peut que le médecin ait recours à la chirurgie pour prélever un échantillon adéquat de cette zone. Vous pourriez subir une *laparotomie* (une opération où l'on ouvre l'abdomen), une *thoracotomie* (ouverture de la cage thoracique pour accéder aux poumons, au cœur ou au médiastin) ou, lorsqu'on soupçonne une tumeur cérébrale, une *craniotomie* (ouverture de la boîte crânienne pour atteindre certaines parties du cerveau).

Dans certaines parties du corps, on peut obtenir suffisamment d'informations sur une zone suspecte ou une lésion en utilisant une aiguille fine pour prélever un minuscule fragment de tissu. C'est ce qu'on appelle une *biopsie par aspiration*. On peut également utiliser une aiguille encore plus fine pour aspirer quelques cellules de la tumeur, on parle alors de *cytoponction*. Dans certains cas, on peut ainsi obtenir assez d'informations pour planifier les examens subséquents, qui peuvent prendre la forme d'une biopsie plus importante.

Sous plusieurs aspects, la *moelle osseuse* constitue un cas spécial. La moelle osseuse est l'endroit où les cellules présentes dans la circulation sanguine sont produites. Lorsqu'il y a des cellules malignes dans le sang, comme cela se produit dans divers types de leucémie et dans d'autres affections, on prélève un échantillon de la moelle osseuse. Parfois, l'intervention consiste à insérer une aiguille fine dans la moelle osseuse en passant par le bassin. On insère l'aiguille, sous anesthésie, bien entendu, près de la partie supérieure interne de la région du bassin, et un échantillon de cellules est aspiré. Dans d'autres circonstances, il faut extraire un fragment de la moelle osseuse comprenant la surface interne de l'os. On procède alors au même type d'intervention, mais avec une aiguille différente. Peu importe le cas, on peut considérer ces examens de la moelle osseuse comme des biopsies à l'endroit où le sang est produit.

Qu'est-ce qu'un diagnostic histologique?

Dans la grande majorité des cas, et les exceptions sont rares, tout le plan de traitement et les discussions sur votre état reposent sur l'examen au microscope de la biopsie par le pathologiste. C'est ce que l'expression *diagnostic histologique* signifie, c'est-à-dire l'examen des cellules cancéreuses proprement dites au microscope. On peut dégager sommairement quatre situations cliniques possibles en ce qui a trait aux biopsies.

Premièrement, une biopsie a été effectuée et les résultats sont concluants. C'est la situation la plus fréquente. Vous aviez une bosse dans un sein. Ou encore, une bronchoscopie a été pratiquée pour évaluer une ombre sur une radiographie de la cage thoracique et une anomalie a été détectée. Le pathologiste examine l'échantillon de la zone anormale. Dans la plupart des cas, ce processus prend quelques jours. Rappelez-vous ce que j'ai mentionné plus tôt sur la façon dont les cancers se comportent et sur la lenteur de leur croissance. Ces quelques jours peuvent vous paraître une éternité, mais il est d'une importance capitale que l'échantillon de tissu soit examiné très attentivement. Et il vaut vraiment la peine de s'assurer que les résultats sont fiables. Pour reprendre les mots d'un de mes patients sur les compétences du pathologiste : « Il faut un excellent lecteur de cartes pour se fier à l'inscription "Vous êtes ici". »

Dans la majorité des cas, les résultats d'une biopsie sont concluants. Dans son rapport, le pathologiste analyse littéralement des douzaines de caractéristiques des cellules et peut confirmer avec certitude la présence ou non de cellules cancéreuses ainsi que leur agencement s'il y a lieu. Le pathologiste analyse de nombreuses particularités de l'apparence des cellules, des caractéristiques importantes dont on a démontré qu'elles pouvaient en partie prédire le comportement du cancer.

Les caractéristiques les plus fondamentales sont les suivantes :

Le *type* de cancer, c'est-à-dire dans quel tissu il s'est développé. C'est une information cruciale. En effet, si un cancer du sein s'est propagé aux poumons, il se comportera quand même comme un cancer du sein et répondra aux types de traitements utilisés pour combattre le cancer du sein.

La *taille* du cancer et — pour certains cancers comme le cancer de l'utérus ou de l'intestin — la profondeur à laquelle il a envahi les tissus sains environnants.

Le *grade* du cancer, qui est son degré d'agressivité décelé au microscope. La manière de déterminer le grade varie d'un lieu d'origine à l'autre. Les pathologistes du monde entier observent certaines caractéristiques standards des cellules cancéreuses qu'ils peuvent mettre en corrélation avec la manière dont le cancer se comporte, en se basant sur un grand nombre d'études sur ces caractéristiques et sur leurs effets. Certaines caractéristiques sont communes à la plupart des cancers ; par exemple, un très gros noyau qui occupe la majeure partie de la cellule et l'observation d'un grand nombre de cellules en train de se reproduire. Cependant, certaines caractéristiques sont liées à un cancer spécifique. Ainsi, le système de graduation pour le cancer du sein, par exemple, est similaire à celui des tumeurs cérébrales, mais pas identique.

Généralement, le pathologiste peut déterminer beaucoup plus que cela. Il ou elle peut faire des coupes de la tumeur et les colorer avec divers anticorps qui se lient à des modèles moléculaires différents dans les cellules cancéreuses. Par exemple, une coloration spécifique peut être utilisée pour le cancer du sein afin de déceler la présence des récepteurs des œstrogènes ou de la progestérone sur les cellules, ou encore d'un antigène (une molécule) appelé *her2/neu* qui rend les cellules cancéreuses sensibles au médicament Herceptine (trastuzumab). (Voir le tableau 1, Caractéristiques d'un cancer évaluées par les pathologistes, page 217 ; et le tableau 2, Colorations pouvant être effectuées sur certains cancers, page 221.)

Avec la plupart des biopsies, donc, le pathologiste peut déterminer avec précision le type de cancer et son agressivité, c'est-à-dire son grade. Cependant, il arrive que les résultats ne soient pas concluants. Lorsque c'est le cas, c'est très bouleversant pour vous et pour votre famille. Prenons le temps de voir ce que signifie l'énoncé « Nous n'avons pas encore toutes les réponses ». C'est la deuxième situation clinique après une biopsie.

DEUXIÈMEMENT, UNE BIOPSIE A ÉTÉ EFFECTUÉE, MAIS LES RÉSULTATS NE SONT PAS CONCLUANTS. « Vous avez un fragment du tissu anormal sur la lame de votre microscope, pourquoi n'arrivez-vous pas à trouver ce que c'est ? » À première vue, il semble qu'une biopsie devrait toujours fournir des résultats définitifs et concluants. Mais il y a plusieurs situations où on ne peut pas obtenir de réponse définitive. Comparons avec l'analyse de l'écriture. Si un échantillon d'écriture comporte diverses lettres et fioritures, l'analyste sera en mesure d'identifier l'écrivain. En revanche, si l'échantillon est fragmentaire, ce sera beaucoup plus difficile.

Il convient d'examiner quelques exemples, car ce type de résultat entraîne une grande détresse, ce qui est bien naturel.

Au microscope, certains cancers semblent dormants et ont une croissance si lente qu'il est très difficile de déterminer si ce sont effectivement des cancers. La tumeur ovarienne à la limite de la malignité en est un bon exemple.

Dans d'autres cas, les cellules cancéreuses peuvent avoir perdu tellement de caractéristiques de leurs cellules d'origine qu'il est impossible de déterminer avec certitude où est née la tumeur. En fait, entre 5 et 10 pour cent de tous les cancers sont compris dans cette catégorie, certains d'entre eux étant regroupés sous l'appellation *cancers de siège primitif inconnu*. On peut voir que les cellules cancéreuses sont regroupées en forme de petites glandes ou présentent d'autres particularités, mais elles ont perdu toutes les caractéristiques les identifiant au tissu où elles sont apparues (p. ex. : le poumon, l'intestin ou le sein). C'est une information importante, car de nombreuses personnes croient que leur pathologiste n'est pas compétent lorsqu'elles entendent l'expression « siège primitif inconnu » dans leur diagnostic.

Aujourd'hui, dans plus en plus de cas, beaucoup plus d'informations peuvent être obtenues grâce à la coloration. Si les cellules ont des récepteurs des œstrogènes, par exemple, il est fort probable que le cancer provient du sein.

TROISIÈMEMENT, UNE BIOPSIE N'A PAS ENCORE ÉTÉ EFFECTUÉE ET LE DIAGNOSTIC EST BASÉ SUR LE RÉSULTAT D'UN EXAMEN. Si l'un des examens que vous avez passés semble indiquer un diagnostic de cancer, mais qu'il n'y a pas encore eu de biopsie, naturellement la période d'attente sera empreinte d'anxiété. Ce peut difficilement ne pas être le cas. Comme le disait un de mes patients : « C'est le sentiment de ne rien savoir qui noue l'estomac. On a presque hâte d'avoir des nouvelles, qu'elles soient bonnes ou mauvaises, parce qu'il vaut mieux savoir que de rester dans l'ignorance. »

Tout le monde peut comprendre ce genre de sentiment. Quand vous ignorez si c'est grave, vous ne savez pas comment vous préparer pour ce qui vous attend. C'est un peu comme être dans les limbes.

Il n'y a que deux questions qui peuvent vous aider à mettre la situation en contexte.

La première : le résultat du test (radiographie, scintigramme, analyses sanguines) semble-t-il indiquer fortement ou non un diagnostic de cancer ?

La deuxième : à quel moment l'étape suivante (la biopsie ou un autre test) s'effectuera-t-elle ?

Si vous pouvez vous concentrer sur les réponses à ces deux questions, vous aurez plus de facilité à composer avec le malaise causé par l'incertitude que vous éprouverez pendant cette période.

Il vaut mieux vivre au jour le jour à ce stade au lieu de vous inquiéter ou de passer votre temps à surfer sur Internet pour savoir comment le cancer sera traité *si* c'est effectivement le bon diagnostic. Si l'incertitude vous ronge, et l'on sait à quel point ce peut être déplaisant, alors, il vaudrait mieux reconnaître cette incertitude au lieu de vous rendre fou à échafauder des plans pour toutes les éventualités. C'est certain, l'attente n'a rien d'agréable, mais si vous êtes capable de reconnaître à quel point cela vous rend mal à l'aise, vous pourrez, dans une certaine mesure, atténuer l'anxiété ou à tout le moins la contenir. Reconnaître l'incertitude favorise généralement les stratégies d'adaptation. Nier ce sentiment ne vous apportera aucun réconfort.

QUATRIÈMEMENT, ON NE PEUT EFFECTUER DE BIOPSIE. Il y a très peu d'endroits dans le corps où la ponction d'un échantillon de tissu est trop dangereuse pour qu'on effectue une biopsie en toute sécurité. Cependant, c'est le cas pour certaines régions délicates du cerveau, en particulier au niveau du tronc cérébral, qui est l'espèce de tige à la base du cerveau abritant les voies principales qui contrôlent et conduisent presque toutes les informations du corps vers le cerveau. Des lésions au tronc cérébral seraient tellement dévastatrices que la plupart des types de biopsie s'avèrent trop dangereux. S'il y a une lésion suspecte dans cette région, on la traitera habituellement comme une tumeur cérébrale, même sans diagnostic histologique. Il existe d'autres situations comme celle-là, mais elles sont très rares. Dans ces circonstances, le plan de traitement doit souvent être basé sur l'imagerie (tomographie, IRM, scintigraphie) sans diagnostic histologique.

Et ensuite ?

Il serait bon de savoir comment votre équipe soignante prévoit établir un diagnostic définitif si ce n'est pas encore fait. Vous pourriez demander s'il y aura une autre biopsie (et si c'est le cas, à quel moment), s'il y aura des analyses par coloration des échantillons de tissu, si d'autres analyses sanguines seront nécessaires ou encore si l'échantillon de la tumeur, comme c'est souvent le cas, sera examiné par d'autres pathologistes ou envoyé dans un autre laboratoire. Ce sont des questions simples à poser et auxquelles il est facile de répondre. Vous vous sentirez mieux si vous savez ce qui se passera par la suite.

Les deux questions les plus fréquemment posées

C'est probablement le moment approprié pour parler des deux questions qui occupent l'esprit de la plupart des gens lors du diagnostic. Je les mentionne pour vous rassurer, car vous devez probablement vous sentir embarrassé ou perplexe à ce sujet. Mais vous n'êtes pas seul, un grand nombre de personnes, des patients comme des amis, partagent ces incertitudes.

PREMIÈRE QUESTION : *est-ce que le diagnostic dans mon cas est* définitif *ou* non ?

À première vue, cela peut paraître une évidence, mais pour bien des gens, il faut y réfléchir.

Chaque fois qu'on entend le mot *cancer* prononcé par un médecin ou par un professionnel de la santé, on a l'impression à tout coup, comme l'a illustré un patient : « … que le jury est de retour avec un verdict sans appel. »

Parfois, le diagnostic est définitif. Toutefois, comme il est expliqué dans ce livre, ce qui se passera par la suite ne dépend pas uniquement du mot *cancer*, mais aussi du *type* de cancer, de son *stade* et des *options de traitement* disponibles pour le cancer en question.

Alors, prenez le temps de poser cette première question : est-ce que le diagnostic dans mon cas est *définitif* ou *non* ? Parfois, on ne comprend pas tout ce que le médecin dit (ou ce que cela signifie), et il faut y réfléchir et poser des questions à l'équipe soignante pour savoir si le diagnostic est provisoire ou définitif.

C'est probablement difficile pour vous. Malgré tout, cela peut vous aider de revoir ce qui a été présenté à la Première étape jusqu'à maintenant, avant de demander à votre médecin ou à un autre membre de l'équipe soignante où en est rendu votre cas. En ayant une meilleure idée de ce qui suscite les incertitudes, vous comprendrez mieux les réponses que vous entendrez.

DEUXIÈME QUESTION : *pourquoi ne l'a-t-on pas décelé avant ?*

Rétrospectivement, tout paraît évident.

Lorsque survient un événement majeur, il n'y a rien d'inhabituel à se demander pourquoi est-ce arrivé et qu'est-ce qu'on aurait pu faire différemment pour changer le cours des choses. C'est une réaction normale. La réaction « si seulement… » est quasi universelle, en fait.

Devant le diagnostic de l'un des cancers, la réaction « si seulement… » est encore plus intense, en partie à cause de la peur universelle associée au mot *cancer*. Et plus la peur est grande, plus le sentiment qu'on aurait pu éviter le problème est tenace.

Il y a trois aspects du développement du cancer qui peuvent expliquer en partie (et vous aider à comprendre) son diagnostic apparemment tardif. Les trois facteurs sont : le siège du cancer (où il apparaît), la vitesse (ou la lenteur) de croissance du cancer et le degré de banalité des symptômes. Voyons chacun de ces aspects en détail.

PREMIÈREMENT : L'ENDROIT OÙ LE PROBLÈME APPARAÎT. Dans de nombreuses parties du corps, un groupe de cellules qui se développent de façon anarchique et incontrôlable causera des symptômes que vous allez remarquer. L'étendue de la croissance qui peut survenir *avant que vous ne le remarquiez* dépend de la partie du corps où le processus s'est déclenché. À certains endroits vous remarquerez un problème très tôt, tandis qu'ailleurs cela peut prendre plus de temps.

Par exemple, il est fort probable que vous remarquiez un changement sur la peau de votre visage à un stade précoce. La peau à cet endroit est tendue et il n'y a pas beaucoup de tissu en dessous ; de plus, on se regarde le visage souvent. C'est pour cette raison que les cancers de la peau sur le visage (qu'il s'agisse des plus courants et des plus bénins — le carcinome basocellulaire ou le carcinome spinocellulaire — ou des plus rares et des plus agressifs — les mélanomes) sont souvent détectés à un stade précoce. Mais si le même genre de cancer apparaît à un endroit où la peau est moins tendue et qu'on examine rarement (le milieu du dos, l'arrière du mollet ou la plante du pied, par exemple), il aura le temps de se développer plus longtemps avant qu'on ne le remarque. Cet exemple illustre comment le lieu d'origine (le siège) d'un problème, à l'intérieur du corps ou à sa surface, peut faire une différence quant au moment de la détection.

Le sein en est un autre exemple. Une bosse peut facilement y être détectée par une mammographie de routine, parce que le tissu mammaire s'avère relativement perméable aux rayons X. Même si la mammographie n'est pas ce qu'il y a de plus amusant, comme vous le diront presque toutes les femmes, c'est un examen assez facile à réaliser du point de vue technique.

Donc, le sein est perméable aux rayons X, mais les ovaires, qui sont logés dans le bassin, le sont beaucoup moins. Le bassin des femmes est un résultat brillant de l'évolution pour protéger le fœtus pendant la grossesse. L'utérus et les ovaires sont parfaitement protégés par cette cage d'os rigide, mais ils sont ainsi plus inaccessibles. Alors, le désavantage de la conception du bassin est que les organes pelviens sont si protégés qu'ils ne révéleront pas de symptômes précoces. Si une masse se développe sur un ovaire, la femme ne le remarquera pas avant un long moment (contrairement à une bosse dans un sein) ; c'est pourquoi le cancer de l'ovaire se sera propagé au reste de l'abdomen dans les deux tiers des cas environ avant qu'il ne soit diagnostiqué.

Donc, la position de la tumeur dans le corps influence radicalement la précocité du diagnostic.

DEUXIÈMEMENT : LA VITESSE DE CROISSANCE DU CANCER. Contrairement à ce que croient la plupart des gens, la vaste majorité des cancers ont une croissance assez lente. En fait, une cellule cancéreuse moyenne se divise en deux à peu près une fois par mois. Il y a des tumeurs où la vitesse de multiplication est beaucoup plus grande, particulièrement dans les cancers chez les enfants, et il y a certaines tumeurs qui se développent beaucoup plus lentement, mais c'est une moyenne raisonnable.

Les répercussions de cette réalité sont significatives. Imaginez un groupe de cellules qui se divisent chaque mois (cela ne se passe pas exactement comme ça, mais l'analogie est utile). Après un an, une cellule aura produit environ quatre mille cellules. À ce rythme de multiplication, il faudrait deux ans et demi pour que la masse de cellules atteigne la taille d'un petit raisin, soit environ un milliard de cellules. Autrement dit, même si on était en mesure de détecter chaque tumeur de la grosseur d'un raisin, la tumeur aurait quand même eu deux ans et demi pour se développer avant d'être détectée. On peut en conclure que la plupart des cancers n'ont pas une croissance rapide.

La réalité est bien différente de ce que s'imaginent la plupart des gens, et c'est une autre conséquence malheureuse du regroupement des deux cents cancers sous une même étiquette. Si on se fie aux médias, on a l'impression que chaque cas de cancer constitue une urgence. Cette impression est aussi, en partie, due au fait que l'on donne souvent priorité aux patients qui reçoivent un traitement pour le cancer. Plusieurs types de traitements doivent suivre un calendrier très précis. C'est le cas de la chimiothérapie et de la radiothérapie, par exemple, qui doivent être administrées très précisément. Sauter des séances ou des doses peut s'avérer dangereux en termes de perte d'efficacité et d'effets secondaires éventuels. Or, même si les patients qui reçoivent un traitement pour un cancer doivent avoir priorité, cela ne signifie pas que le *cancer lui-même* constitue une urgence, comme le croient bien des gens.

Il en découle, dans l'opinion populaire, l'idée que tous les cas de cancer entraînent des problèmes médicaux graves très rapidement et que lorsqu'un cancer se développe, il cause des symptômes détectables en quelques jours ou en quelques semaines.

Dans la grande majorité des cas, et c'est important de le souligner de nouveau, la réalité est tout autre. En fait, il y a très peu de situations où le cancer peut causer des problèmes à brève échéance. Toutefois, la peur que l'on ressent est amplifiée par le sentiment d'urgence qui y est associé. Dans bien des cas, la réponse à la question « Pourquoi ne l'a-t-on pas décelé avant ? » est liée à l'échelle de temps des cancers et non pas au fait qu'on n'a pas passé d'examens assez souvent.

Troisièmement : à quelle fréquence le même symptôme peut-il revenir lorsqu'il n'y a rien de grave ? Comme on le sait, les maux de tête sont courants et les tumeurs au cerveau plutôt rares. Certains cancers, un bon nombre en fait, peuvent d'abord causer des symptômes qui sont très communs.

Cela signifie qu'il peut être très difficile de distinguer les quelques cas où il y a un problème grave du grand nombre de cas bénins où il n'y a rien de très sérieux. C'est pourquoi les symptômes qui *pourraient* être associés à un cancer devraient être examinés par un médecin. C'est particulièrement vrai pour les maux de tête. Votre médecin, en vous posant des questions sur vos maux de tête, peut déterminer quelles situations demandent des examens plus approfondis et quelles autres n'indiquent rien de grave. Le sang dans les selles constitue un autre bon exemple. Là aussi, les hémorroïdes sont courantes et le cancer colorectal est beaucoup plus rare, mais si vous avez des saignements et que le médecin ne voit pas d'hémorroïdes, des examens approfondis peuvent s'avérer d'une importance capitale.

Ces deux exemples illustrent la difficulté de déceler les rares cas de cancer. Je n'essaie pas d'excuser la profession médicale, je veux simplement souligner qu'en général nous faisons de notre mieux et que tous les problèmes biologiques, y compris les symptômes et les cancers, sont très variables.

Comme je l'ai dit précédemment, rétrospectivement tout paraît évident. En revenant sur le passé, on peut presque toujours discerner le moment où un symptôme est apparu, et il est très tentant de vous reprocher de ne pas être allé chez le médecin plus rapidement ou de blâmer le docteur parce qu'il n'a pas posé le bon diagnostic du premier coup.

Comme spécialiste du cancer, je suis souvent témoin de cette réaction, qu'on nomme parfois *culpabilité rétrospective* ou *reproches rétrospectifs*.

En présence d'un mot aussi effrayant que *cancer*, on a souvent l'impression que toute période de temps qui s'est écoulée pendant le processus du diagnostic nous a mis en péril d'une certaine façon. En réalité, c'est très rare. Ces sentiments font partie du bagage qu'entraînent toutes les réactions au mot *cancer*.

Deuxième étape

« Est-ce que tous ces examens sont vraiment nécessaires ? »

La stadification

Les examens pour établir la stadification sont, selon certains, « la goutte qui fait déborder le vase ». Souvent, ils semblent n'être utiles qu'à retarder le début du traitement. Malgré tout, ils sont importants et nous verrons pourquoi dans cette section.

Il faut se rappeler que la manière dont on planifie le traitement d'un cancer dépend largement du stade qu'il a atteint. À un stade précoce, on le traite souvent d'une autre manière que s'il a atteint un stade subséquent.

Cette section vous aidera à comprendre pourquoi les examens de stadification sont si importants, même s'ils paraissent agaçants ou irritants.

Les principes qui sous-tendent les examens de stadification

Un patient a comparé les examens pour établir la stadification à « une patrouille des lieux par des gardiens de sécurité ; généralement ils ne trouvent rien, mais ils savent sonner l'alarme s'il y a un problème ».

Certains cancers peuvent s'être étendus sur une plus grande surface que ce qui était apparent au moment de l'examen par le médecin, ou encore ils peuvent s'être disséminés dans d'autres régions du corps sans causer de symptômes ou de problèmes évidents. Si l'une de ces deux situations est survenue, le plan de traitement devra être modifié en conséquence. Les tests de dépistage sont donc effectués pour déterminer s'il se passe quelque chose d'imprévu. Cela signifie qu'un grand nombre de personnes subiront des examens qui ne révéleront *rien* de neuf. C'est irritant, mais c'est capital.

Les examens pour établir la stadification sont choisis selon deux principes de base très simples qu'on peut illustrer en répondant à deux questions cruciales.

Si ce cancer particulier devait se disséminer, à quelles parties du corps serait-il le plus probable qu'il se propage ?

Quels examens peuvent à la fois assurer une probabilité élevée de déceler un problème à un stade précoce et générer peu de fausses alarmes ou de faux positifs ? Ce qui signifie qu'ils ne donneront pas l'impression qu'il y a une anomalie grave lorsque tout est normal.

Ces deux principes peuvent être illustrés par deux examens pour le cancer du sein : la scintigraphie osseuse et une analyse sanguine appelée antigène carcino-embryonnaire (ACE).

La *scintigraphie osseuse* est un test très utile et très ingénieux. Une petite dose d'un isotope radioactif inoffensif, le *technétium*, est injectée par intraveineuse. Lorsque le technétium circule dans le corps, il est absorbé quasi exclusivement par les cellules de l'os qui composent le tissu osseux. Ces cellules sont les *ostéoblastes*, et là où elles absorbent l'isotope, un motif de points noirs fins apparaît sur la scintigraphie.

Dans plusieurs cancers, des cellules cancéreuses s'installent dans l'os et détruisent peu à peu des fragments d'os autour d'elles. Cette destruction provoque une réaction par les défenseurs, les ostéoblastes.

Cette réaction survient presque toujours quand un groupe de cellules du cancer du sein se loge dans l'os. Avec les autres cancers, cette réaction ne se produit pas toujours. Mais avec le cancer du sein, même s'il n'y a qu'un groupe assez restreint de cellules cancéreuses qui se propagent et se logent dans un os (la colonne vertébrale ou les longs os des bras et des jambes, par exemple), la scintigraphie osseuse révélera fort probablement une tache noire plus grande que la moyenne; on parle alors de *zone chaude*.

Il peut aussi arriver que d'autres problèmes, comme l'arthrite dans les articulations, génèrent des zones chaudes sur la scintigraphie osseuse, mais l'arthrite et la plupart des problèmes non cancéreux n'ont pas le même aspect (ils apparaissent avec un motif différent et ailleurs sur l'os) que les métastases du cancer. Alors, dans la grande majorité des cas, un radiologue expérimenté peut examiner une scintigraphie osseuse et déterminer avec une bonne dose de certitude s'il y a des cancers secondaires. Dans certaines situations, la scintigraphie osseuse ne permet pas de distinguer s'il s'agit d'un problème bénin comme l'arthrite ou de métastases. Dans ces circonstances, une radiographie ou un tomodensitogramme sera nécessaire.

Donc, même si la patiente n'a aucun symptôme lié à cette région du corps (aucune douleur, aucun malaise), la scintigraphie osseuse décèlera probablement un cancer secondaire ou métastatique à un stade précoce. C'est pour cette raison qu'elle est si utile pour la stadification, et c'est pourquoi il vaut la peine de s'y prêter lorsqu'on vous le recommande, même si vous n'avez observé aucun symptôme ou problème relié à vos os.

Voilà comment fonctionne la scintigraphie osseuse. Et comme le cancer du sein montre une grande tendance à se propager aux os, dans toutes les situations où le cancer du sein a démontré un risque de propagation — si les ganglions lymphatiques sont touchés, par exemple —, la scintigraphie osseuse vaut la peine d'être effectuée.

Ce n'est pas la même chose pour l'antigène carcino-embryonnaire (ACE). L'ACE est une substance sécrétée par diverses cellules cancéreuses, dont celles des cancers colorectal et du sein, ainsi que certains cancers du poumon. Dans le cancer du sein, le niveau d'ACE est généralement normal lorsque le cancer ne s'est pas propagé. Le niveau monte au-dessus de la normale seulement lorsque le cancer s'est développé considérablement. De plus, le taux d'ACE augmente souvent pour d'autres raisons. En fait, les gros fumeurs présentent un niveau élevé d'ACE même s'ils ne souffrent d'aucune maladie. Donc, étant donné le faible taux de succès pour détecter de petites quantités de métastases et le taux élevé de faux positifs, l'ACE n'est pas utile pour la stadification du cancer du sein.

De manière générale, ces deux principes servent à déterminer quels examens de stadification devraient être effectués pour chaque type de cancer après le diagnostic.

Ce qui nous ramène à la question : « Est-ce que tous ces examens sont vraiment nécessaires ? » Aucun de ces examens n'est obligatoire. Personne ne vous y oblige. *Cependant*, pour chaque type de cancer, il y a un ensemble d'examens qui offre une grande probabilité de détecter les problèmes insoupçonnés. Si le cancer dont vous êtes atteint présente un risque modéré à élevé de propagation, le fait que votre médecin vous suggère une batterie de tests pour examiner vos os, votre foie et vos poumons, par exemple, ne signifie *pas* qu'il croit qu'il y a quelque chose qui cloche à ces endroits. Cela veut dire qu'il désire prouver de façon concluante qu'il n'y a aucun problème.

En résumé, ces examens pour établir la stadification, aussi irritants soient-ils, garantissent la pertinence des données sur lesquelles se basera votre plan de traitement (le tableau 3, à la page 222, répertorie les types d'examens les plus courants et leurs fonctions).

Troisième étape

« Pourquoi dois-je suivre plus d'un type de traitement ? »

Les types de traitements et leur action

Cette partie consistera en une brève introduction aux principes des quatre principaux types de traitements du cancer : la chirurgie, la radiothérapie (radio-oncologie), la chimiothérapie et la thérapie biologique (y compris l'hormonothérapie).

Dans cette présentation générale, j'expliquerai en quelques paragraphes comment fonctionnent ces quatre types de traitements. Peut-être savez-vous déjà tout cela, mais il arrive qu'on soit un peu perdu, lorsqu'on parle de radiothérapie par exemple. Cette troisième étape vous donnera une vue d'ensemble des approches thérapeutiques.

Dans la deuxième partie, j'exposerai avec plus de détails ce qu'implique chacun des traitements, leurs actions spécifiques ainsi que leurs effets secondaires.

Existe-t-il un meilleur traitement?

Les plans thérapeutiques sont souvent déroutants.

Le problème, c'est que chacun des quatre types de traitements agit différemment. Et dans certaines situations, il faut avoir recours à plusieurs approches pour cibler divers aspects du cancer.

Cette simple réalité cause parfois de la confusion.

Certains patients ne comprennent pas pourquoi ils ont besoin de traitement après une chirurgie; certains encore se demandent pourquoi ils doivent subir deux types de traitements (comme une radiothérapie locale et de la chimiothérapie); d'autres s'inquiètent s'ils ne reçoivent pas les quatre types de traitements et se demandent s'ils ne se font pas rouler («Est-ce que je reçois un traitement de seconde classe? Est-ce que mes médecins savent quelque chose que j'ignore?»); d'autres encore peuvent avoir l'impression d'être *surtraités* et de ne pas avoir besoin de tous les traitements qu'on leur propose.

À dire vrai, c'est déroutant.

C'est déroutant aussi parce qu'il n'y pas un «meilleur type» de traitement pour chaque siège de cancer. À titre d'exemple, certains cancers du sein demandent de la chimiothérapie et de la radiothérapie, alors que d'autres réagissent mieux à l'hormonothérapie.

La raison en est bien simple — et elle sera évidente pour ceux qui ont lu les sections précédentes du livre —, c'est que le cancer n'est pas une maladie unique. Il n'y a donc pas de traitement unique. Dans ce domaine, l'uniformité n'existe *pas*.

Comme je l'ai mentionné à plusieurs reprises, les cancers constituent un groupe de plus de deux cents maladies qui doivent être traitées à divers stades de leur développement. De plus, les patients ne sont pas tous pareils — certains sont jeunes, d'autres vieux; certains souffrent d'autres problèmes médicaux, d'autres non —, et cela signifie que les risques et les effets secondaires des diverses méthodes de traitement ne seront pas les mêmes pour monsieur Simard et madame Bruno.

Donc, tous ces facteurs (le type de cancer, son stade, l'âge et l'état de santé du patient) engendrent un large éventail de combinaisons. Par conséquent, le type de traitement le plus approprié ou le meilleur pour vous sera, dans une certaine mesure, adapté à votre cas, et dépendra de la tumeur, de son stade et de votre état de santé.

Les membres de votre équipe soignante vous proposeront le traitement ou la combinaison de traitements qui offre le plus de chances de succès et le moins d'effets secondaires dans votre cas. Ainsi, même si vous avez des amis ou des voisins qui ont reçu le même diagnostic que vous, il se peut qu'ils reçoivent des traitements différents. Si vous avez un cancer du sein, il est possible et pour diverses raisons, que l'hormonothérapie ne soit pas recommandée dans votre cas, alors que votre voisine y a recours pour soigner le sien.

Cette section présente certains des critères sur lesquels les médecins se basent pour recommander un traitement.

Quel est le meilleur type de traitement du cancer ? Cela dépend entièrement de votre situation. Comme il existe des centaines de situations cliniques, selon le type de cancer, son stade, la partie du corps dans laquelle loge la tumeur, etc., il y a des centaines de données qui doivent être prises en considération lorsqu'on choisit un traitement pour une personne donnée.

Dans votre cas, votre équipe soignante peut recommander l'une de ces méthodes de traitement, plusieurs ou toutes. C'est pourquoi il est primordial de parler avec votre équipe soignante de l'approche conçue spécifiquement pour vous.

La chirurgie

La chirurgie est la plus ancienne méthode de traitement de tout type de cancer ; on trouve des documents sur les techniques chirurgicales qui datent de plusieurs centaines d'années.

Ce qu'il faut retenir, c'est que la chirurgie constitue un *traitement localisé de la maladie,* c'est-à-dire qu'elle s'attaque à la maladie dans une région particulière du corps. Parfois, c'est tout ce qui est nécessaire, mais il arrive que ce ne soit pas suffisant. Les quatre éléments suivants vous aideront à formuler les bonnes questions quant à votre situation.

Quelle partie du corps est-elle atteinte ? Cela influence grandement le genre d'opération qu'il faut pratiquer. Est-ce que ce sera une intervention chirurgicale majeure ou mineure ? Quels seront les effets sur les organes environnants ? Après une chirurgie à l'abdomen, par exemple, quand les intestins recommenceront-ils à fonctionner ? Si on vous opère aux poumons, comment sera votre respiration par la suite ?

Après la chirurgie, est-ce qu'un traitement local sera nécessaire ? Autrement dit, est-ce que le risque de récidive du cancer dans la même région est élevé, faible ou modéré ? S'il est modéré ou élevé, on recommandera souvent la radiothérapie pour réduire le risque de récidive locale.

Après la chirurgie, est-ce qu'on recommandera un traitement systémique, tel que la chimiothérapie, l'hormonothérapie ou la thérapie biologique, pour atteindre toutes les régions du corps ?

Y a-t-il des solutions de rechange à la chirurgie ou à une chirurgie majeure ? Par exemple, pour le cancer de la prostate, quels sont les risques et les avantages de la radiothérapie comparés à ceux de la chirurgie ? Pour le cancer du sein, quels sont les risques et les avantages de la radiothérapie après une tumorectomie comparés à ceux d'une mastectomie, soit l'ablation de tout le sein ?

En discutant de ces sujets avec l'équipe chirurgicale, rappelez-vous ce point important (une source fréquente de confusion et même de doute) : que des traitements supplémentaires soient requis ou non après la chirurgie dépend du *type de cancer* et de la façon dont il est le plus probable qu'il se comporte ; cela ne dépend pas de l'habileté de votre chirurgien !

Autrement dit, le recours à la chimiothérapie et/ou à la radiothérapie après une chirurgie ne signifie *pas* que votre chirurgien n'a pas réussi ou qu'il n'a pas effectué l'intervention correctement. Cela veut dire que, dans votre cas, le cancer présente un risque significatif de récidive ou de prolifération. Il arrive très souvent que les chirurgies réussissent parfaitement, c'est-à-dire que toute la tumeur visible a été retirée et que l'énoncé « Nous avons tout enlevé » est exact quant au cancer local, mais il peut quand même y avoir un risque significatif de récidive ou de prolifération. C'est pour cette raison qu'on recommande souvent d'autres traitements après la chirurgie.

Cette situation est très fréquente et peut créer de la confusion chez le patient quant à la pertinence de l'intervention chirurgicale et au succès de son déroulement. J'espère que ces explications éclaireront ceux qui se reconnaissent dans ce cas.

La radiothérapie (radio-oncologie)

La radiothérapie est un traitement qui consiste à administrer des rayonnements à forte dose. Ces rayonnements s'apparentent aux rayons X, mais ils sont produits avec l'intention d'endommager toutes les cellules en croissance dans la région exposée.

Ces rayonnements sont produits par un appareil appelé *accélérateur linéaire,* et sont surveillés et contrôlés très étroitement par des systèmes hautement spécialisés.

Il faut comprendre que la radiothérapie, tout comme la chirurgie, est un *traitement local.* Autrement dit, elle traite seulement la région qui reçoit les rayonnements et a peu ou pas d'effet sur les cellules cancéreuses à l'extérieur de cette zone. Bien des gens savent cela, mais certains patients sont déroutés lorsqu'on leur recommande une radiothérapie après une chimiothérapie, à la suite d'une tumorectomie pour un cancer du sein, par exemple.

La caractéristique la plus importante de la radiothérapie est que le rayonnement passe à travers les structures normales du corps, comme la peau, les poumons, les intestins ou la moelle épinière, selon la partie du corps traitée.

De nos jours, on peut « concentrer » très précisément les rayonnements dans la région atteinte du cancer et réduire les dommages aux structures saines devant et derrière la zone. Il existe plusieurs moyens d'y parvenir.

En multipliant les directions (champs) de rayonnement, de sorte que toutes ciblent le cancer mais affectent des zones différentes (de la peau ou des intestins, par exemple).

En utilisant un rayonnement approprié pour un cancer particulier. Par exemple, un rayonnement qui libère son énergie près de la surface de la peau et ne pénètre pas profondément est à privilégier pour les cancers superficiels, alors qu'un rayonnement qui libère la majeure partie de son énergie dans les profondeurs des tissus cause moins de dommages à la peau.

Finalement, en se servant de champs de rayonnement qui sont découpés pour inclure toute la masse cancéreuse et très peu des tissus sains avoisinants.

À l'évidence, la planification d'un traitement par radiothérapie est un processus complexe. Aujourd'hui, les techniques d'imagerie permettent de « voir » le cancer avec de plus en plus de précision. Bien que la préparation soit assez délicate et quelque peu astreignante, et probablement très ennuyeuse pour vous, elle est d'une importance cruciale, car elle affecte radicalement l'étendue des dommages que peuvent subir les cellules cancéreuses et la préservation des cellules saines dans la région ciblée.

La chimiothérapie

La chimiothérapie consiste à traiter les cancers avec des médicaments qui, dans une certaine mesure, endommagent toutes les cellules en croissance. Les médicaments chimiothérapeutiques sont efficaces dans le traitement des cancers parce qu'ils font plus de dommages globalement aux cellules cancéreuses qu'aux cellules normales.

Une masse cancéreuse contient beaucoup plus de cellules en croissance qu'un tissu normal, et c'est pourquoi les agents chimiothérapeutiques endommagent beaucoup plus les masses cancéreuses que les tissus normaux.

Cependant, par leur nature même, la plupart des agents chimiothérapeutiques causent certains dommages à toutes les cellules en croissance. C'est pourquoi plusieurs d'entre eux provoquent la perte (temporaire) des cheveux et des poils, puisqu'ils endommagent les cellules en croissance à leur racine. De manière similaire, ils peuvent causer des irritations buccales parce qu'ils endommagent les cellules en croissance dans la bouche. Ce qui est plus grave, c'est qu'ils peuvent affecter les cellules en croissance dans la moelle osseuse, qui forment les divers composants sanguins. Ainsi, de nombreux agents chimiothérapeutiques (mais pas tous) peuvent réduire votre taux de globules blancs (une affection appelée *neutropénie*), ce qui vous rend plus vulnérable aux infections et aux fièvres. Ils peuvent également réduire votre taux de plaquettes (une affection appelée *thrombocytopénie*), qui jouent un rôle important dans la coagulation, ce qui vous prédispose aux ecchymoses et aux saignements. La chimiothérapie peut aussi affecter les globules rouges (on parle alors d'anémie) qui contiennent l'hémoglobine, ce qui fait pâlir le teint et raccourcir le souffle.

La plupart des agents chimiothérapeutiques peuvent aussi provoquer des nausées et des vomissements. Même si c'est un effet secondaire courant associé à la plupart des médicaments, ce n'est pas lié directement à leur capacité d'endommager les cellules qui se développent. En fait, il semble que certains centres nerveux dans le cerveau sont particulièrement sensibles à certains types de substances chimiques qui se retrouvent dans le sang. Ces centres nerveux sont la zone de déclenchement des chimiorécepteurs et le centre du vomissement.

La thérapie biologique (incluant l'hormonothérapie)

Alors que les agents chimiothérapeutiques sont des médicaments qui endommagent toutes les cellules en développement (à des degrés divers), les agents biologiques sont des médicaments (généralement des protéines synthétiques complexes) qui recherchent des cibles spécifiques à la surface des cellules cancéreuses et s'y lient. Pour employer une analogie guerrière, ce sont des « bombes intelligentes » qui ciblent des caractéristiques spécifiques des cellules cancéreuses tout en évitant, il faut l'espérer, les cellules normales qui ne présentent pas les cibles recherchées à leur surface. Lorsqu'ils fonctionnent bien, les agents biologiques provoquent beaucoup moins de « dommages collatéraux ».

Les premiers médicaments à action biologique, qui ciblaient spécifiquement les cellules cancéreuses en altérant un aspect de leur environnement interne, ont été les hormones. L'hormonothérapie est encore très souvent mise à contribution dans le traitement de certains cancers, notamment les cancers du sein et de la prostate.

J'exposerai plus loin comment l'hormonothérapie et les thérapies biologiques continuent à se développer. Il faut garder à l'esprit que ce ne sont pas tous les cancers qui peuvent être traités par ces thérapies. Des hormones et des agents biologiques sont disponibles aujourd'hui pour un grand nombre de cancers, mais pas pour tous. Par exemple, si vous êtes atteinte d'un cancer du sein et que ses cellules ont des récepteurs des œstrogènes, l'hormonothérapie (avec du tamoxifène ou du létrolzol) peut être efficace. Si elles ne présentent pas de récepteurs des œstrogènes, alors ce traitement ne servira à rien. Si les cellules cancéreuses ont un marqueur appelé *her2/neu* (voir page 61), alors un médicament appelé trastuzumab (Herceptine) peut être administré en complément de la chimiothérapie. Cependant, si les cellules cancéreuses ne présentent pas ce marqueur, l'Herceptine ne servira à rien.

Ce ne sont que quelques exemples. La thérapie biologique évolue rapidement, et de nouveaux agents biologiques sont constamment développés pour traiter d'autres types de tumeurs. Vous aurez donc à discuter de ces nouveaux agents avec votre équipe soignante à mesure qu'ils apparaîtront.

Les options de traitement — Quand peut-on choisir?

Dans certaines situations, diverses approches équivalentes pour traiter le cancer coexistent. Lorsque c'est le cas, le choix du traitement vous revient.

Dans d'autres situations, une seule approche a fait ses preuves ou s'est montrée plus efficace que toutes les autres. Dans ce cas, vous devez déterminer si le plan thérapeutique que l'on vous recommande est acceptable pour vous.

Lorsqu'il existe plusieurs options équivalentes, vos préférences sont des plus pertinentes. Voici un exemple pour illustrer cette situation. Dans certains cas de cancer du sein, on sait qu'après avoir fait l'ablation du sein (mastectomie), la radiothérapie n'est habituellement *pas* requise, parce qu'il n'y a pas de bienfaits supplémentaires avec la radiothérapie dans la majorité des cas. En revanche, il y a de nombreux cas où on a recours à une chirurgie plus mineure, soit la tumorectomie ou son équivalent, au lieu d'enlever tout le sein. Dans ces cas, les études démontrent clairement que la radiothérapie après l'opération *est* nécessaire. Sans radiothérapie après une chirurgie partielle, l'incidence d'une récidive locale (le cancer revient dans le sein ou dans la cicatrice) est significative. Avec la radiothérapie, le risque de récidive locale est grandement réduit. Il ne disparaît pas complètement, mais il est beaucoup moins élevé qu'il l'aurait été autrement.

Donc, dans la plupart des cas de cancer du sein où la tumeur n'est pas très grosse, on peut dire qu'une chirurgie partielle associée à la radiothérapie est l'équivalent d'une mastectomie en termes de traitement local. Autrement dit, les deux approches donnent le même résultat quant à la réduction des risques que le cancer revienne dans le sein ou près de la cicatrice.

C'est là que vos préférences entrent en ligne de compte.

Disons, par exemple, que vous vivez loin du centre de radiothérapie ou que c'est compliqué pour vous de vous y rendre chaque jour. Vous pouvez également ne pas accorder une grande importance à l'aspect esthétique. Dans ce cas, vous pourriez choisir (comme le font plusieurs femmes) de subir une mastectomie « une fois pour toutes », et ainsi éviter la radiothérapie.

En revanche, si l'aspect esthétique est important pour vous, si vous êtes prête à consacrer du temps à la radiothérapie et que le risque légèrement plus élevé de récidive locale ne vous fait pas peur, vous pourriez choisir de subir une tumorectomie associée à la radiothérapie comme traitement local au lieu de la mastectomie.

Au fond, la question est simple : quel traitement ou quelle combinaison de traitements présente le plus haut taux de succès pour traiter ce cancer particulier dans cette situation particulière ?

S'il y a plus d'une combinaison de traitements qui présente un taux de succès équivalent, il s'agit alors de choisir celle qui a le moins d'incidence d'effets secondaires et de conséquences à long terme.

Quatrième étape

« Faut-il que je me fasse traiter maintenant ? »

Prendre le temps d'évaluer la situation et d'envisager l'avenir

Le fait de voir les cancers comme une maladie unique qui progresse rapidement entraîne un autre problème. Réfléchir calmement aux options de traitement et prendre des décisions dans ce contexte n'est pas facile.

Si vous associez le cancer à une seule maladie qui est universellement et rapidement fatale — comme bien des gens le font encore —, alors vous désirez sûrement très fort commencer les traitements aussi vite que possible. De plus, si vous croyez que tous les cancers constituent une menace immédiate et sérieuse à votre santé et à votre vie, vous aurez tendance à minimiser la gravité des conséquences des effets secondaires des traitements ou même à en faire fi, parce que vous aurez l'impression que la fin justifie les moyens. Si c'est le cas dans quelques situations, ce n'est pas ainsi qu'il faut aborder les traitements en général.

Cette section vous aidera à vous faire une idée des options de traitement en les associant autant que possible au degré de risque dans votre cas.

Dans cette section, vous prendrez le temps de respirer et de réfléchir à votre situation ainsi qu'aux options de traitement qui s'offrent à vous pour l'améliorer.

Chez la plupart des gens, le diagnostic cause un véritable choc. Et ce choc est d'autant plus grand, comme je l'ai déjà expliqué, si vous croyez que tous les cancers constituent une seule maladie grave qui exige un traitement urgent.

C'est pourquoi j'insiste dans cette section sur l'idée qu'il faut comparer les bienfaits et les risques des options *particulières* de traitement dans *votre* cas.

Il n'existe pas de règle universelle voulant qu'un cancer doive être traité *sur-le-champ*, peu importe la toxicité du traitement.

Ce qui importe, c'est d'avoir une idée précise de la situation en discutant avec votre équipe soignante pour opposer le traitement aux risques qui y sont associés.

Comme vous le verrez, dans certaines situations il vaut mieux retarder le traitement, alors que dans d'autres une administration rapide est préférable. Dans certains cas, il faut discuter longuement avant de pouvoir prendre une décision.

Prenez le temps de bien lire cette section. J'espère qu'elle vous apportera une compréhension générale des enjeux qui vous aidera à vous concentrer sur les détails de votre cas lorsque vous en discuterez avec votre équipe soignante.

Comparer les bienfaits potentiels et les risques potentiels

Cette question préoccupe presque toutes les personnes chez qui on diagnostique un cancer : « Faut-il que je me fasse traiter maintenant ? » (Ou plus précisément : « Est-il urgent que je me fasse traiter *à nouveau*, après la chirurgie initiale ou la biopsie ? »)

Comme il y a un grand nombre de cancers distincts, qui peuvent être diagnostiqués à des stades divers chez des personnes différentes, il n'est pas aisé de rassembler toutes les options de traitement dans un système complet et cohérent. Néanmoins, c'est ce que je tenterai de faire. J'exposerai un système en sept catégories regroupant diverses situations selon l'objectif ou le but premier du traitement.

Cette approche est inédite et, à première vue, vous jugerez peut-être que je regroupe des tumeurs très différentes dans une même catégorie.

En fait, c'est exactement ce que je fais, car je crois que cela peut vous être très utile.

En effet, cela peut vous aider à comprendre le but du traitement de votre tumeur si on le compare avec le traitement d'un autre type de tumeur. Il est souvent plus facile de comprendre un plan thérapeutique lorsqu'on nous présente une variété de situations pour lesquelles on a recours au même plan.

Ce sera, bien entendu, une présentation simplifiée. C'est presque inévitable. Néanmoins, dans les paragraphes qui suivent, j'exposerai les aspects principaux de la question de manière à ce que vous puissiez organiser les options de traitement dans votre esprit pour en discuter plus aisément avec votre équipe soignante.

Aide-mémoire pour l'analyse des risques et des bienfaits

Pour traiter n'importe quel cancer, il s'agit avant tout de comparer les bienfaits potentiels d'un traitement avec les risques potentiels qui comprennent les conséquences ou les effets secondaires du traitement, ainsi que les risques encourus si vous ne recevez *pas* ce traitement.

Pour vous aider dans cette analyse, vous pouvez poser les questions suivantes, qui sont au centre des décisions concernant le traitement de *votre* cancer.

PREMIÈREMENT : QU'EST-CE QUE CE CANCER PARTICULIER DEVRAIT PRODUIRE COMME EFFET DANS MON CAS ? À plusieurs égards, c'est la question la plus importante pour arriver à bien cerner votre situation particulière ainsi que les options de traitement les plus appropriées dans ce cas.

Pour mieux connaître votre cancer, vous devez préciser les trois aspects suivants :

a. Est-ce qu'il peut récidiver ? Est-ce que le risque de récidive de ce cancer est élevé, faible ou moyen ?

b. Peut-il se propager ? Ce cancer peut-il se métastaser à d'autres régions du corps (les os ou les poumons, par exemple) ? Si c'est une possibilité, le risque de propagation est-il élevé, faible ou moyen ?

c. Peut-il menacer ma santé ou ma vie ? Est-ce que ce cancer particulier représente une menace pour votre vie ou votre santé ? Si c'est le cas, est-ce que la menace est grande, faible ou moyenne ? Quand pourrait-il deve-nir menaçant ? À court terme, à long terme ou à moyen terme ?

DEUXIÈMEMENT : QUELLES SONT LES OPTIONS DE TRAITEMENT ET LESQUELLES LAISSENT PRÉSAGER LE MEILLEUR AVENIR DANS MON CAS ? Le premier objectif est de se faire une idée des options éventuelles de traitement. On veut répon-dre à la question « *Que pourrions-nous* faire ? » avant de répondre à la ques-tion « *Qu'allons-nous* faire ? ». Le système des sept catégories présenté ici vous aidera dans votre réflexion. De plus, dans la deuxième partie du livre, les divers types de traitements seront expliqués en détail.

TROISIÈMEMENT : QUELS SONT LES RISQUES, LES CONSÉQUENCES OU LES EFFETS SECONDAIRES ASSOCIÉS À CES OPTIONS DE TRAITEMENT ? Il s'agit ici de déter-miner dans quelle mesure les options de traitement proposées sont suscepti-bles d'affecter votre qualité de vie, et ce, pour combien de temps.

Lorsque vous rassemblerez les informations obtenues de votre équipe soi-gnante, de votre pharmacien ou du personnel de la clinique, rappelez-vous les notions générales suivantes.

Certains effets secondaires des traitements varient. Certains effets secondai-res sont universels et inévitables. Par exemple, si on vous administre un médicament de chimiothérapie appelé Adriamycin, vous allez perdre vos cheveux, c'est certain, *et* ils vont repousser, c'est garanti. Mais pour plu-sieurs traitements — la radiothérapie en est un bon exemple —, vous pouvez avoir des réactions cutanées importantes ou aucune réaction. On peut pré-dire dans une certaine mesure la réaction de votre peau selon votre degré de sensibilité au soleil. Malgré tout, l'effet peut varier.

Ces variations signifient que vous devez vous poser la question suivante : dans quelle mesure ces effets secondaires particuliers vont-ils affecter ma qualité de vie ?

Les réponses à cette question sont très personnelles. Il faut que vous réflé-chissiez à ce que vous faites au quotidien et aux activités que vous aimez. Ensuite, vous devrez évaluer la façon dont cela vous affectera et à quel degré cela vous importe. La meilleure manière de s'y prendre est d'envisager le pire des scénarios. Si vous subissez l'effet secondaire, quelles seront ses pires con-séquences sur votre qualité de vie ? Ensuite, pensez à ces conséquences en termes de durée estimée (qui est toujours une approximation). Cela vous donnera une bonne idée du risque le plus sérieux, ce qui facilitera la comparaison avec les bienfaits potentiels du traitement.

Gardez cela à l'esprit en examinant les objectifs — les bienfaits prévus — du plan de traitement. Voici donc le système des sept catégories.

Les sept principaux plans de traitement

Dans cette section, j'ai rassemblé toutes les options afin de vous aider à évaluer les risques et les bienfaits des traitements dans *votre* cas. Pour ce faire, vous devez d'abord comprendre l'objectif thérapeutique et poser des questions déterminantes. Je sais que les questions semblent infinies. D'une certaine manière, c'est vrai. Mais chaque question, et surtout chaque réponse, vous amène un peu plus loin dans la connaissance et, par le fait même, vers un meilleur contrôle.

> Quel est l'objectif principal du traitement ?
> Est-ce que la guérison est un objectif réaliste ?
> Veut-on tenter de réduire le risque de récidive ou de propagation du cancer ?
> L'objectif est-il de contrôler la maladie en tant que telle ?
> L'objectif est-il de réduire les symptômes causés par la maladie ?

Pour vous aider à vous retrouver dans tout cela, les principaux objectifs de traitement ont été divisés en sept grandes catégories. Pour chacune, je donnerai quelques exemples de situations pour lesquelles cette approche serait envisagée.

Même si je dois simplifier la gamme très diversifiée des plans de traitement, cela vaut la peine de faire l'exercice. Les détails d'un plan de traitement sont souvent si compliqués qu'on peut facilement perdre de vue l'objectif global. Un rappel du plan de match général peut être d'une grande utilité. C'est la carte de la forêt au moment où vous devez consulter le répertoire des arbres.

D'un point de vue pratique, on peut dire que l'objectif principal du plan de traitement appartient à l'une des sept catégories suivantes :

1. La biopsie ou la chirurgie initiale est suffisante.

Il y a quelques cancers où la masse cancéreuse est circonscrite à une petite zone ; la biopsie ou la chirurgie initiale est le seul traitement nécessaire dans ce cas. Dans ces situations, le cancer est de très petite taille et est englobé entièrement dans le tissu qui a été excisé. Pour certains cancers à ce stade précis, le risque de propagation est nul. Autrement dit, la biopsie ou la chirurgie a fait disparaître tout risque.

Ce n'est pas une situation qui se produit souvent, mais cela arrive.

La plupart des gens sont soulagés et heureux d'apprendre qu'ils n'ont pas à subir d'autres traitements. Mais certains peuvent se demander s'ils ont reçu des soins adéquats ou s'ils n'ont pas tout simplement été renvoyés chez eux sans avoir reçu le traitement dont ils avaient besoin. Il est bon de savoir que c'est une forme de traitement standard et adéquate pour des situations très précises. En voici quelques exemples :

CANCER PRÉINVASIF DU COL DE L'UTÉRUS (lorsque la conisation a permis d'extirper toutes les cellules malignes) ;

CANCER DU CÔLON OU DU RECTUM À UN STADE PRÉCOCE (lorsque le cancer n'a pas franchi la couche de la paroi intestinale appelée *muscularis mucosæ*) ;

CANCER DU TESTICULE À UN STADE PRÉCOCE (dans des cas précis autant de séminome que de non-séminome, s'il n'y a aucun signe de propagation, y compris une analyse des marqueurs tumoraux normale, certains centres n'administrent pas d'autres traitements) ;

MÉLANOME DE LA PEAU TRÈS MINCE (lorsqu'il est très superficiel et n'a pas pénétré dans plusieurs couches de la peau) ;

TOUS LES CANCERS DE LA PEAU COURANTS (Je les ai ajoutés seulement pour présenter une liste complète. Comme je l'ai expliqué au début du livre, les cancers courants de la peau — le carcinome basocellulaire ou le carcinome spinocellulaire — ne sont pas inclus dans les statistiques annuelles sur le cancer. Mais il est important de savoir que des centaines de milliers de cas de ces cancers courants sont traités chaque année par la biopsie initiale ou un traitement local tel que le gel des cellules à l'azote liquide.)

2. Une partie de la tumeur est encore présente et une nouvelle chirurgie est requise.

La biopsie a décelé un cancer, et après avoir effectué les tests de stadification, on recommande une nouvelle chirurgie pour extirper la tumeur primitive, et, dans plusieurs cas, pour retirer également les ganglions lymphatiques avoisinants afin de vérifier si la tumeur s'y est propagée. Cette situation survient fréquemment, et même si elle est assez simple, il convient de signaler que dans bien des cas, la seconde intervention chirurgicale a deux fonctions : la *stadification* et le *traitement*.

La seconde intervention, qui est définitive, peut servir à déterminer à quel endroit le cancer s'est propagé et où il ne s'est pas disséminé (*stadification*), mais également être le *traitement* définitif complet ou partiel. L'importance de ces deux fonctions distinctes ne dépend pas des capacités ou de la persévérance du chirurgien, mais du type de cancer traité. Autrement dit, l'angle sous lequel on traite la situation *locale* dépend du comportement *général* du cancer en question.

Prenons comme exemple le cancer du sein. Si une femme a un cancer du sein de quatre centimètres de diamètre (ce qui n'est pas petit, mais pas trop gros non plus), et si le sein lui-même n'est pas très gros, la patiente pourrait accepter de subir une mastectomie simple (ablation de la totalité du sein), qui est le *traitement* définitif pour la masse cancéreuse locale, en plus de l'ablation des ganglions axillaires, qui est essentielle pour la *stadification* du cancer initial et la planification du traitement. Les deux parties de l'opération ont des fonctions différentes. L'ablation des tissus mammaires traite la masse dans le sein (même si la radiothérapie peut être recommandée par la suite pour irradier la cicatrice), alors que l'ablation des ganglions lymphatiques permettra à l'équipe soignante de déterminer si un traitement systémique (comme la chimiothérapie) sera nécessaire après la chirurgie. Voici d'autres exemples :

CANCER DE L'ENDOMÈTRE. Le cancer de l'utérus est généralement traité par une hystérectomie (ablation de l'utérus), et dans la grande majorité des cas, aucun autre traitement n'est nécessaire.

SARCOMES. Il existe de nombreux types de sarcomes, et lorsqu'ils se développent dans les muscles d'une jambe ou d'un bras, par exemple, l'approche courante consiste à pratiquer une seconde intervention chirurgicale au cours de laquelle une plus grande quantité de tissu est excisée (*compartimentectomie*). La plupart des hôpitaux ne recommandent pas systématiquement de chimiothérapie adjuvante. Toutefois, des études sur ce sujet sont en cours.

CANCER DU SEIN (QUELQUES CAS). Il y a quelques situations où le risque de récidive est considéré comme très faible après une mastectomie. Dans ces situations plutôt rares, on ne recommandera pas de traitement adjuvant.

CANCER DE L'INTESTIN (CÔLON OU RECTUM) (CERTAINS CAS). Il y a des situations où la biopsie (lors de la coloscopie, par exemple) montre un petit cancer, qu'on retire lors d'une chirurgie pendant laquelle on détermine également qu'il n'y a pas eu de propagation aux ganglions lymphatiques. Dans de tels cas, la chimiothérapie adjuvante ne serait pas nécessaire, et seul un suivi serait requis.

3. La tumeur est encore présente : la radiothérapie et/ou la chimiothérapie sont requises.

Cette troisième catégorie se divise en deux processus distincts : (a) la radiothérapie avec ou sans chimiothérapie, et (b) la chimiothérapie comme forme principale de traitement.

a. La radiothérapie avec ou sans chimiothérapie. Il y a un bon nombre de cancers qui peuvent être traités avec plus d'efficacité par la radiothérapie, la chimiothérapie ou une association des deux, parce que ces approches donnent de *meilleurs* résultats à long terme que la chirurgie, ou donnent des résultats *équivalents* sans les risques associés à l'opération ou à la perte d'une fonction organique. Dans certains cas, le traitement consistera en une radiothérapie, dans d'autres, en une chimiothérapie, ou, bien souvent, en une combinaison des deux types de traitements.

Comme pour bien d'autres plans de traitement, de nombreux détails entrent en ligne de compte. Tâchez de bien comprendre le cancer dont vous êtes atteint ainsi que votre situation en sachant comment la tumeur devrait se comporter, comment les options de traitement peuvent changer le cours des choses et quels sont les effets probables du traitement. Par exemple, si on vous recommande une combinaison de chimiothérapie et de radiothérapie, il faut que vous connaissiez la durée de chacun des traitements. Parfois, dans certains cas, des médicaments chimiothérapeutiques sont utilisés comme *radiosensibilisants* pour amplifier l'effet de la radiothérapie sur le cancer. Vous devez connaître l'échéancier de chaque traitement et savoir s'ils se chevauchent.

Voici quelques exemples de cancers pour lesquels on a souvent recours à la radiothérapie (avec ou sans chimiothérapie comme stratégie pour amplifier l'effet du rayonnement) :

CERTAINS CANCERS DE LA TÊTE ET DU COU, en particulier les cancers du naso-
pharynx, du larynx et de l'hypopharynx ;

CANCER DU CANAL ANAL ;

CANCER DU COL DE L'UTÉRUS ;

CANCER DU POUMON NON À PETITES CELLULES ;

PLUSIEURS CAS DE cancers de l'œsophage, du rectum, de la vulve, du vagin et
du pénis, ainsi que de séminomes, de la maladie de Hodgkin et de lymphome
non hodgkinien (certains cas localisés).

b. La chimiothérapie comme forme principale de traitement. Pour certains
cancers, particulièrement quand le cancer prend naissance dans plusieurs
régions du corps ou les affecte en même temps, on a recours à la chimiothérapie comme forme principale de traitement parce qu'elle fait effet dans tout
le corps. Parmi ces cancers, on retrouve la plupart des types de leucémie,
plusieurs cas de lymphome, de myélome, de cancer du testicule ainsi que certains cancers de l'ovaire.

4. Absence de tumeur, mais la radiothérapie adjuvante est utile.

Dans cette situation, toute la tumeur visible a été extirpée lors de la chirurgie, mais il y a un risque de récidive locale (que la tumeur revienne au même
endroit). On recommande donc une radiothérapie locale pour diminuer le
risque de récidive locale. Cette situation est très fréquente, et cette approche
est extrêmement efficace dans une grande proportion de cas de n'importe
quel type de cancer.

Les chances que la radiothérapie contrôle complètement la croissance du
cancer dans cette région ou prévienne une récidive locale de la tumeur
dépendent de la sensibilité des cellules cancéreuses au rayonnement, de la
taille de la zone à traiter, des structures saines qui se trouvent dans le champ
de rayonnement (comme la moelle épinière ou les intestins), ainsi que de la
sensibilité des tissus sains avoisinants aux atteintes de la radiothérapie.

Dans les situations où des études ont démontré que le risque de récidive
locale peut être réduit par la radiothérapie, celle-ci est souvent recommandée comme traitement adjuvant (traitement après la chirurgie). En voici
quelques exemples :

CANCER DU SEIN (APRÈS UNE TUMORECTOMIE OU MASTECTOMIE PARTIELLE). Lorsque l'intervention chirurgicale a été restreinte (comme lors d'une tumorectomie ou d'une mastectomie partielle), le risque que le cancer récidive dans la cicatrice ou dans les régions voisines du sein peut être réduit par la radiothérapie.

CANCERS DE LA TÊTE ET DU COU. Il existe de nombreuses situations dans les cancers de la tête et du cou (les cancers du plancher buccal et de la langue, par exemple) pour lesquels le traitement de routine inclut une radiothérapie après la chirurgie.

CANCER DU CERVEAU (GLIOMES). La radiothérapie après l'ablation de la tumeur (même si toute la tumeur détectable a été excisée) est le traitement standard dans la plupart des cas.

AUTRES SITES : pour d'autres exemples, consultez le tableau 5 aux pages 232-233.

5. Absence de tumeur, mais la pharmacothérapie adjuvante est utile (chimiothérapie, hormonothérapie ou thérapie biologique).

Quand toute la tumeur visible a été extirpée, mais qu'il y a un risque de récidive ou de propagation ultérieure, il a été démontré qu'un traitement administré après la chirurgie et qui atteint toutes les parties du corps (*traitement systémique adjuvant*, tel que la chimiothérapie, l'hormonothérapie ou la thérapie biologique) diminue le risque de récidive. C'est un sujet important, car de plus en plus de patients se font offrir un traitement adjuvant, et il est primordial de comprendre en quoi cela consiste.

En résumé, un traitement adjuvant signifie qu'on traite *maintenant*, après la chirurgie, pour diminuer le risque de récidive du cancer *plus tard*. Le traitement adjuvant comprend souvent de la chimiothérapie, et peut provoquer de la fatigue, des nausées ou des malaises. Comme l'un de mes patients l'a observé : « Vous me rendez malade aujourd'hui, alors que je vais bien, pour augmenter mes chances de bien me porter et de ne pas être malade plus tard. » Il avait raison. Il a passé plusieurs semaines pénibles pendant son traitement adjuvant, mais il va très bien aujourd'hui. Il n'a pas renié sa description de ce traitement pour autant ! Voici quelques exemples où un traitement adjuvant peut s'avérer utile :

CANCER DU SEIN. La toute première recherche qui a démontré les bénéfices du traitement adjuvant a été effectuée pour le cancer du sein. En examinant si les ganglions lymphatiques sont touchés ou non, si le cancer est susceptible ou non de répondre à l'hormonothérapie, dans quelle mesure il est agressif (jusqu'à un certain point) et si les cellules présentent la cible moléculaire appelée *her2/neu*, on recommandera un traitement adjuvant de chimiothérapie (de types divers), d'hormonothérapie (du tamoxifène ou un inhibiteur de l'aromatase, par exemple) ou de thérapie biologique (le trastuzumab [Herceptine] qui se lie à la cible moléculaire *her2/neu* sur la cellule cancéreuse).

CANCER DE L'INTESTIN (CERTAINS CAS). On sait maintenant que si le cancer du côlon ou du rectum a envahi la majeure partie de la paroi intestine ou s'il a atteint quelques ganglions lymphatiques avoisinants, l'administration d'un traitement de chimiothérapie adjuvant (associations médicamenteuses qui incluent souvent le 5-fluorouracile) réduira le risque de récidive du cancer.

CANCER DU TESTICULE. Pour un tératome, un traitement adjuvant est toujours recommandé si les analyses sanguines (marqueurs tumoraux) sont toujours anormales après la chirurgie et, dans certaines situations, même si elles s'avèrent normales.

CANCER DE L'OVAIRE, MÊME SI TOUTE LA TUMEUR DÉTECTABLE A ÉTÉ EXTIRPÉE LORS DE LA CHIRURGIE.

D'autres exemples sont inclus dans le tableau 5 aux pages 232-233.

6. Attente sous surveillance étroite

Il arrive qu'il n'y ait aucun danger immédiat. Au début de cet ouvrage, nous avons évoqué la croyance populaire qui veut que « si c'est un cancer, il faut le traiter sur-le-champ ». En fait, pour plusieurs cancers, on sait maintenant, grâce à de nombreuses recherches, qu'un traitement immédiat n'améliore pas la situation. Dans ces cas précis, les études ont démontré que *l'attente sous surveillance étroite* s'avère sécuritaire et efficace. Étant donné le sentiment d'urgence associé généralement au mot *cancer*, l'idée d'attendre et de ne pas traiter le cancer sur-le-champ peut être difficile à accepter et, chez certains, causer une grande détresse.

Voici quelques exemples de cancers pour lesquels l'attente sous surveillance étroite est sécuritaire et efficace:

LYMPHOME DE GRADE FAIBLE (INDOLENT). Il y a certains types de lymphome (cancer du système lymphatique) qui fluctuent dans leur croissance et leur progression. Ils peuvent ne pas changer du tout pendant une très longue période, qui peut s'étendre sur plusieurs années. Ainsi, par exemple, vous pourriez avoir un ganglion lymphatique touché dans le cou ou l'aisselle qui reste de la même taille et n'évolue pas.

LEUCÉMIE LYMPHOÏDE CHRONIQUE. C'est ce qui se passe également avec la leucémie lymphoïde chronique, un type de leucémie qui se développe très lentement. Certaines personnes n'ont aucun symptôme pendant des années, la seule anormalité étant leur numération globulaire qui présente un taux élevé de lymphocytes.

CANCER DE LA PROSTATE. Le cancer le plus courant dans la catégorie « attente sous surveillance étroite » est le cancer de la prostate. Ironiquement, le problème avec le cancer de la prostate, c'est que dans un très grand nombre de cas il ne causera aucun problème ultérieurement. Le défi consiste à prédire *quels* hommes atteints du cancer de la prostate n'auront *pas* de problème. Si on pouvait les identifier infailliblement, on pourrait leur épargner les désagréments du traitement. Nous ne sommes pas encore parvenus à ce stade, mais nous faisons des progrès. En combinant plusieurs facteurs, comme l'agressivité du cancer (cote de Gleason), le nombre de zones de la prostate touchées, la vitesse d'augmentation de l'APS et l'âge du patient, entre autres, on peut dire avec une certaine certitude quels sont les hommes pour qui l'attente sous surveillance étroite est sécuritaire.

Pour d'autres exemples, consultez le tableau 5 aux pages 232-233.

7. Traitement pour contrôler les symptômes

Dans cette catégorie, j'ai divisé les situations en deux sous-groupes : (a) il y a toujours une tumeur locale et vous devez subir un traitement pour contrôler les symptômes ou les prévenir ; et (b) il y a propagation à distance et vous devez subir un traitement pour contrôler ces symptômes.

a. Il y a toujours une tumeur locale et vous devez subir un traitement pour contrôler les symptômes ou les prévenir. Dans certaines situations, il est tout simplement impossible d'exciser toute la tumeur. Lorsque cela se produit, les patients ont tendance à se décourager, mais il est alors très important d'écouter ce que l'équipe soignante vous explique. Dans certaines situations, le cancer est toujours guérissable à long terme. Dans bien d'autres, il est possible de le contrôler pendant une période de temps variable.

Dans ces circonstances, la biologie du cancer en question (son comportement probable et sa réaction prévue au traitement) influencera beaucoup le cours des choses. Comme cela produit une différence importante dans la manière d'évaluer tous les aspects de la situation (y compris le risque d'effets secondaires graves), il est préférable de diviser ces situations en deux sous-catégories :

premièrement, lorsqu'une guérison ou un contrôle à long terme sont peu probables, mais qu'un contrôle à court ou à moyen terme est fort possible ;

deuxièmement, lorsque le contrôle à long terme est très peu probable et que le contrôle à court ou moyen terme est possible mais peu probable.

Je veux préciser que les choses évoluent rapidement dans ce domaine et que l'on teste constamment de nouveaux traitements ; il faut donc discuter de ce sujet avec votre équipe soignante.

Premièrement, lorsqu'une guérison ou un contrôle à long terme sont peu probables mais qu'un contrôle à court ou à moyen terme est fort possible.

C'est une situation assez fréquente. Le cancer ne peut être extirpé en entier, mais c'est un type de cancer qui réagit bien au traitement, ce qui signifie que les chances de rémission sont assez élevées. Lorsqu'on sait qu'un type de cancer est sensible à la chimiothérapie (c'est-à-dire que la proportion de cas où le cancer diminue ou disparaît est élevée), alors la comparaison des bienfaits potentiels avec les risques potentiels est beaucoup plus simple. Voici quelques exemples pour illustrer ce genre de cas :

CANCER DU POUMON À PETITES CELLULES. Ce cancer manifeste une tendance élevée à se propager à des zones distantes du corps et répond à la chimiothérapie dans la majorité des cas. Donc, dans la plupart des cas de cancer du poumon à petites cellules, la chirurgie initiale peut se limiter à une biopsie, et l'on recommandera une chimiothérapie par la suite. Des études ont démontré que c'est l'approche la plus efficace quand on fait l'analyse risques/bienfaits. Une chirurgie plus radicale au début n'est pas utile, parce que la tumeur s'est déjà propagée ailleurs ou qu'elle le fera probablement. La chimiothérapie est efficace et présente un haut taux de succès, car elle traite tout le corps, y compris les régions où des métastases peuvent s'être développées sans être encore détectables.

CANCER DE L'OVAIRE (LA PLUPART DES CAS). La situation pour le cancer de l'ovaire est similaire. Comme le cancer naît à l'intérieur du bassin et manifeste une tendance élevée à se propager dans l'abdomen, il est presque toujours détecté lorsqu'il est en train de se propager. Au moment de la chirurgie, le médecin extirpe tout le cancer qu'il voit et fait des biopsies aux endroits où il est impossible de le détecter à l'œil nu. Selon la nature du cancer en question (et non pas les qualités du chirurgien), il peut être possible d'enlever tout le cancer ou non. Dans un cas comme dans l'autre, le risque que le cancer récidive ou se propage, s'il ne l'a pas déjà fait, est élevé. Comme pour le cancer du poumon à petites cellules, le taux de réponse à la chimiothérapie est élevé, ce qui signifie qu'on recommande généralement au patient plusieurs cures de chimiothérapie (six en moyenne), même si aucune masse cancéreuse n'est détectable après l'opération.

Deuxièmement, lorsque le contrôle à long terme est très peu probable et que le contrôle à court ou moyen terme est possible mais peu probable.

Lorsqu'on sait que le cancer n'est pas particulièrement sensible au traitement et que les chances de rémission sont faibles, il faut avoir une discussion sérieuse avec l'équipe soignante sur les bienfaits potentiels et les effets secondaires probables de manière à procéder à une analyse réfléchie des risques et des avantages.

Bien entendu, ce sont des circonstances difficiles, mais vous avez le temps de souffler un peu et de réfléchir à ce qui vous convient le mieux. Devant cette situation, vous voudrez comparer votre qualité de vie et la probabilité de la prolonger avec le traitement. Il faut envisager tous les scénarios possibles.

À titre d'exemple, le meilleur scénario serait que le traitement fonctionne et qu'il y ait une rémission de plusieurs mois avec des effets secondaires légers et peu nombreux. Ainsi, ce serait sans nul doute avantageux pour vous, puisque vous auriez gagné du temps et que pourriez en profiter avec une bonne qualité de vie.

En revanche, le pire scénario serait que le traitement n'ait aucun effet sur le cancer, mais provoque malheureusement des effets secondaires graves. Si cela se produisait, vous perdriez la qualité de vie dont vous jouissiez auparavant. Il faut donc envisager votre réaction devant le meilleur et le pire des scénarios.

Votre réaction dépendra en grande partie de vos sentiments face aux effets secondaires potentiels. Par exemple, si les effets secondaires les plus fréquents sont l'épuisement et les nausées, comment cela affecterait-il votre vie ? Pour certains, les nausées ne sont pas particulièrement pénibles, et ils arrivent à faire presque toutes leurs activités pendant les périodes de malaise. Pour d'autres, les nausées occupent toutes leurs pensées, et chaque activité quotidienne devient une épreuve.

C'est pourquoi il faut que votre équipe soignante brosse un portrait réaliste des effets secondaires probables pour que vous puissiez les comparer aux chances que le traitement fonctionne.

Par contre, il y a une bonne mesure d'incertitude dans tous les cas. Personne ne peut garantir que le traitement agira ou que vous ne serez pas ennuyé par les effets secondaires. Mais en prenant un temps de réflexion suffisant et en étant bien informé, il faut espérer que vous prendrez la décision qui vous conviendra le mieux, ce qui vous aidera sans aucun doute à composer avec les conséquences.

Ce genre de situation peut survenir dans plusieurs types de cancer à des stades plus avancés, y compris les cancers du pancréas et de l'œsophage, ainsi que les mélanomes avancés (pour d'autres exemples, consultez le tableau 5 aux pages 232-233).

b. Il y a des symptômes aux sièges secondaires. C'est également une situation difficile. Le cancer s'est propagé à des régions distantes dans le corps, et les métastases (les cancers secondaires) causent plus d'inquiétude que la tumeur primitive. Vous devez alors demander des éclaircissements sur plusieurs aspects de la situation pour prendre une décision éclairée.

Premièrement : où sont les métastases et quels problèmes est-il probable qu'elles causent à court terme ?

C'est une question importante. Dans certaines situations, les métastases sont dans une région du corps où il est probable qu'elles causeront des problèmes rapidement (le cerveau en est un bon exemple). Dans d'autres situations (dans certains os, par exemple, ou lorsqu'il y a de petites tumeurs secondaires dans le foie ou les poumons), il se peut qu'il soit impossible de dire si les métastases causeront des problèmes à court terme ou non. Ainsi, il arrive parfois que l'équipe soignante conseille d'attendre un peu, disons quelques semaines, avant de refaire un tomodensitogramme ou une radiographie pour déterminer la vitesse de croissance des tumeurs. En répondant à cette question, il sera plus facile d'évaluer ce que l'avenir immédiat vous réserve et de prendre une meilleure décision quant à savoir s'il vaut mieux vous faire traiter maintenant ou plus tard.

Deuxièmement : quelles sont les options de traitement pour les métastases ? Les chances de rémission sont-elles élevées ou faibles ?

La réponse à cette question dépend dans une bonne mesure du type de cancer. Par exemple, dans la plupart des cas de cancer du sein, les chances de rémission et de réaction positive au traitement sont assez élevées, alors qu'avec les mélanomes, les chances de rémission sont plus faibles. Vous devez vous faire une idée des chances de succès (partiel ou total) avant de considérer le « prix » que vous aurez à payer en termes d'effets secondaires.

Troisièmement : quels sont les effets secondaires prévus ou probables associés à ce traitement ?

Ce dernier facteur a trait à l'impact du traitement sur votre qualité de vie. Autrement dit, en plus de connaître les effets secondaires potentiels, vous devrez avoir une idée de la manière dont les effets en question affecteront votre vie quotidienne.

En réfléchissant à ces trois aspects du plan de traitement séparément, il sera plus aisé pour vous de peser le pour et le contre dans votre esprit, de manière à effectuer une analyse réaliste des risques et des bienfaits.

Si, par exemple, vous avez des métastases aux os à la suite d'un cancer de la prostate et qu'on vous recommande une hormonothérapie avec peu d'effets secondaires, vous pourriez décider de commencer le traitement rapidement, puisqu'il est peu probable que votre qualité de vie en souffre beaucoup.

En revanche, *si* le cancer en question résiste généralement à la chimiothérapie, *si* les métastases sont petites et ne causent aucun problème actuellement et ne devraient pas vous en causer prochainement, et *si* le traitement est susceptible de causer des effets secondaires, vous pourriez choisir d'attendre avant de vous faire soigner.

Je veux vous rappeler encore une fois que dans la grande majorité des cas, il n'y a pas urgence. Bien entendu, certains cas demandent un traitement immédiat, mais ils sont rares.

Généralement, vous avez le temps de réfléchir aux diverses options qu'on vous propose. Comme un patient me l'a dit un jour : « Le traitement dure plusieurs semaines, ça vaut la peine de prendre un peu de temps pour y penser. »

Combiner plusieurs approches

Pour finir cette section, j'aborderai les nombreuses situations où plus d'un type de traitement est recommandé en même temps (ou à la suite l'un de l'autre).

Comme on l'a vu à la troisième étape, la raison est évidente : les traitements agissent différemment. Par exemple, un cancer particulier peut demander à la fois un traitement local (pour diminuer le risque que le cancer revienne près de la zone de l'intervention) et un traitement systémique (qui atteint toutes les régions du corps) afin de diminuer le risque de propagation.

Le cancer du sein illustre bien cette situation. Disons qu'on a diagnostiqué chez une femme un petit cancer du sein qui s'est propagé à un petit nombre de ganglions lymphatiques de l'aisselle.

Si elle choisit une chirurgie plus restreinte (une tumorectomie au lieu d'une mastectomie), alors la pratique courante serait de lui administrer une radiothérapie par la suite, car on a démontré que cela diminuait le risque de récidive.

Cependant, si en plus le cancer s'est propagé à d'autres ganglions lymphatiques, alors le risque qu'il se propage à des régions distantes dans le corps est assez élevé pour qu'il vaille la peine de procéder également à un traitement systémique adjuvant (la chimiothérapie ou l'hormonothérapie, selon les caractéristiques de la tumeur en question).

Ni la radiothérapie ni la chimiothérapie n'est supérieure, meilleure ou plus efficace. L'irradiation agit sur la situation au niveau *local* (dans le sein et l'aisselle), tandis que la chimiothérapie (ou l'hormonothérapie) diminue le risque de propagation à des *régions distantes* dans le corps.

Cinquième étape

« Pourquoi les visites de suivi sont-elles nécessaires ? »

Comprendre le pronostic et la surveillance

Tout le monde trouve les visites de suivi angoissantes. Et pour la plupart des cancers, les raisons sont évidentes. Vous avez peur que le cancer ait *récidivé*, et si ce n'est pas le cas, vous voulez savoir quand vous pourrez arrêter de vous en faire et vous déclarer *guéri*.

Cette section vous aidera à mieux comprendre l'importance des visites de suivi et à découvrir des moyens pour composer avec l'anxiété qu'elle suscite. Cela vous permettra également de mieux cerner la signification du mot *guérison*. (À la sixième étape, j'explorerai plus en profondeur tout ce qui a trait au mot *récidive*.)

« Quand puis-je affirmer que je suis guéri ? »

Même si la croyance la plus répandue dit que l'on est guéri après cinq ans, ce n'est pas aussi simple et limpide que cela.

La définition la plus courante et la plus usuelle du mot *guérison* est que la maladie « ne reviendra plus jamais ». Selon cette définition, s'il n'y a pas de signe de cancer après cinq ans, on peut parler de guérison véritable pour un nombre restreint de cancers, soit ceux dont on sait grâce à des études à long terme que s'il n'y a pas eu récidive dans les cinq ans, il n'y en aura plus jamais.

Alors, pour ces cancers — comme ceux du col de l'utérus, de l'endomètre et du testicule —, s'il n'y a pas signe de récidive cinq ans après le diagnostic, le cancer ne récidivera pas. Vous êtes donc *guéri* selon la définition usuelle de ce mot.

Pour la plupart des autres cancers cependant, le risque de récidive diminue graduellement, mais ne tombe pas soudainement à zéro après un certain nombre d'années. Le risque diminue progressivement avec les années. De plus, la vitesse à laquelle le risque diminue — *et* le moment où l'on peut dire que « le risque de récidive est près de zéro » — dépend du type de cancer.

Autrement dit, le moment où quelqu'un peut dire « je suis pratiquement guéri » (parce que le risque que le cancer en question revienne est très près de zéro) dépend du type de cancer et ne survient pas nécessairement après cinq ans.

Bien que la situation soit simple pour les cancers du col de l'utérus, de l'endomètre et du testicule, elle est plus complexe pour la plupart des autres cancers.

Par exemple, si vous avez eu un cancer du sein, il n'est *pas* possible de dire que vous êtes guérie cinq ans après le diagnostic. Cependant, dix ans après le diagnostic, s'il n'y a aucun signe de récidive ou de propagation, on peut dire que le risque que le cancer revienne est très mince (près de zéro).

En fait, dans un article, on rapportait que dans une étude de suivi à long terme, la période la plus longue jusqu'à une récidive était de dix-neuf ans après le diagnostic. Ce n'est pas un chiffre magique pour autant. Les récidives dans les quelques années *avant* la marque des dix-neuf ans étaient très rares. Donc, d'un point de vue pratique, on peut dire que dix ans après le diagnostic, le risque de récidive est très faible, que quinze ans après, il est très, très faible, et que dix-neuf ans après, il est à zéro.

Si vous avez eu un cancer de l'intestin qui s'est propagé à un petit nombre de ganglions lymphatiques et qu'il n'a pas récidivé en cinq ans, le risque de récidive ultérieure est faible. Après sept ans, il est très, très faible, et après dix ans, il est très près de zéro.

Pour le cancer du poumon à petites cellules, les récidives ont tendance à survenir dans les cinq ans, mais peuvent toujours survenir plus tard. On peut donc dire qu'après cinq ans, le risque de récidive est faible, mais comme pour plusieurs cancers liés au tabagisme, le risque de développer un nouveau (deuxième) cancer du poumon reste présent.

Je sais que cela paraît bien compliqué si on compare ces statistiques à la croyance générale qui veut qu'après cinq ans on parle de guérison. Malgré tout, c'est un facteur important à prendre en compte selon le cancer dont vous êtes atteint, et c'est surtout un sujet qui devrait faire partie des conversations que vous aurez avec votre équipe soignante lors des nombreuses visites de suivi.

D'autres définitions

Une fois le mot *guérison* défini, d'autres expressions qu'on entend souvent valent la peine d'être explicitées également.

Une *rémission complète* signifie simplement qu'à un moment précis, il n'y a aucun signe de cancer lorsque le médecin vous examine et refait les scintigraphies et les autres examens qui ont permis de déceler le cancer à l'origine.

Autrement dit, cela veut dire qu'à ce moment-ci, tout signe de cancer a disparu. Cela ne signifie pas que le cancer ne reviendra jamais, car tout dépend du type de cancer, comme nous l'avons vu précédemment.

Une *rémission partielle* signifie que le cancer a diminué. Les spécialistes de la santé ont fixé la rémission partielle à une réduction de la moitié ou de 50 pour cent de la mesure initiale du cancer.

Quand on mesure les cancers sur une radiographie ou une scintigraphie, on additionne deux diamètres (un vertical et un horizontal, par exemple) de la tumeur mesurable, et si la *somme* de ces deux mesures a diminué de 50 pour cent ou plus par rapport aux mesures initiales, on peut parler de rémission partielle.

Il se peut que le cancer reste exactement de la même taille. Lorsque la taille de la tumeur n'a pas changé depuis six mois, on parle de *stabilité prolongée*.

Ce sont là des définitions d'expressions que vous pourriez entendre lors des visites de suivi. J'éclaircirai maintenant un autre aspect des discussions de suivi qui cause bien des malentendus et parfois même un certain désarroi : les statistiques.

Qu'est-ce qu'un taux de réponse de 60 pour cent signifie réellement ? — Un petit mot sur les statistiques

Tout le monde sait que les statistiques sont rarement claires comme de l'eau de roche !

Lorsqu'une maladie potentiellement grave se profile à l'horizon, le haut niveau d'anxiété que la situation suscite entrave souvent la compréhension d'énoncés fréquents, tels que « 60 pour cent de taux de réponse » ou « 60 pour cent de chances de rémission partielle ».

Bien des gens croient que cela signifie que tous les patients verront leur tumeur diminuer de 60 pour cent.

Mais ce n'est pas ce que cela veut dire. Cela signifie que pour cent patients traités, soixante auront une rémission. Chez soixante patients, le cancer diminuera dans une certaine mesure, mais malheureusement, chez les quarante autres, le cancer ne sera pas affecté.

C'est une précision importante. Cet énoncé signifie que certaines personnes (quarante patients sur cent dans cet exemple) recevront le traitement et subiront les effets secondaires qui y sont associés, mais que leur cancer ne sera pas affecté par le traitement.

Je mentionne ce point non pas par pessimisme ou négativisme, mais pour que vous ne vous sentiez pas trompé ou dupé.

« Pourquoi n'y a-t-il pas d'examen pour déceler des problèmes futurs ? »

Les cancers sont comme la plupart des problèmes médicaux, en ce sens que l'avenir d'une personne en particulier comporte toujours une part d'incertitude et ne peut être prédit avec une exactitude sans faille.

C'est comme ça pour la plupart des maladies. À titre d'exemple, si vous souffrez d'hypertension et que vous prenez des médicaments, votre tension artérielle peut être normale présentement, et le risque que vous subissiez un accident vasculaire cérébral peut être similaire à celui de la moyenne des gens. Cela ne signifie pas que vous soyez *entièrement à l'abri* d'un AVC. Cela veut simplement dire que le risque n'est que légèrement plus élevé que chez une personne sans hypertension.

On accepte et on comprend plus volontiers ce type d'évaluation des risques pour la plupart des problèmes médicaux, mais dans le cas des cancers, on a tous tendance à être plus inquiets devant ce genre d'incertitude.

De plus, et c'est une grande source de déception pour tout le monde, il n'existe aucune analyse sanguine, ni radiographie, ni scintigraphie (pour le moment, du moins) qui peuvent prédire avec certitude qu'il n'y aura pas de récidive ou de propagation d'un cancer.

Le monde médical se penche sur la question et des recherches poussées se font sur ce sujet. Mais pour la grande majorité des cancers, il n'y a aucun moyen de prédire avec certitude, dans la période qui suit le traitement, qu'il n'y aura pas de problème ultérieurement.

Il y a des examens de routine qui sont effectués régulièrement pour certains cancers (voir le tableau 3, page 222), mais plusieurs personnes comprennent mal que ces examens peuvent seulement déterminer qu'il n'y a rien de menaçant *pour le moment*. Les résultats normaux de ces examens (qu'on qualifie malencontreusement de « résultats négatifs ») signifient simplement que tout va bien pour l'instant, ils ne prédisent pas l'avenir.

L'avenir dépend vraiment du type de cancer, de son stade et d'autres facteurs comme certaines caractéristiques de la tumeur initiale, sa réponse au traitement, etc.

Naturellement, l'incertitude déplaît à tout le monde, mais pour les cancers, comme pour la plupart des maladies courantes, une certaine part d'incertitude existe. Il faut malheureusement composer avec cette réalité et l'accepter.

Dans la suite de cette section, j'aborderai les émotions que les visites de suivi suscitent chez tous les patients et je présenterai une stratégie pour vous aider à y faire face.

L'inquiétude suscitée par les visites de suivi

Il est tout à fait normal de se sentir tendu ou angoissé la veille d'une visite de suivi ou même quelques jours avant. Certaines personnes ne ferment pas l'œil de la nuit qui précède la visite.

C'est tout à fait compréhensible. La clinique ou l'hôpital est associé dans votre esprit au traumatisme du diagnostic et du traitement. Organiser son transport pour se rendre à la visite de suivi peut même suffire à réveiller toutes ces émotions.

On a vu souvent des personnes qui avaient souffert de nausées graves et de vomissements lors de leur chimiothérapie sentir les nausées revenir sur le chemin vers la clinique pour une visite de suivi, même si la chimiothérapie était terminée depuis longtemps. (Heureusement, les nouvelles générations de médicaments antinauséeux sont si efficaces que les nausées d'anticipation sont plus rares et moins sévères.)

Sous certains aspects, l'anxiété que ressentent bien des gens avant chacune des visites de suivi (et pendant) peut se comparer à la peur de l'avion. C'est une émotion (ou un ensemble d'émotions) liée spécifiquement à un événement.

Et comme cet événement (la visite de suivi ou le vol en avion) est prévu d'avance et devra probablement se répéter, l'anticipation est encore pire.

Bien sûr, la menace d'une mauvaise nouvelle plane toujours en arrière-plan, en particulier l'annonce que le cancer a récidivé quelque part dans votre corps.

De plus, bien des gens ont l'impression que n'importe quelle récidive — peu importe sa forme ou son emplacement — est synonyme de fin rapide et iné-vitable. Cette peur est si ancrée et cause tant d'inquiétude que j'y consacre la section suivante, soit la sixième étape.

Voici une approche originale en quatre étapes qui peut vous aider à combat-tre le sentiment d'anxiété croissant que suscitent les visites de suivi.

Stratégie en quatre étapes pour réduire l'anxiété

Voici quelques conseils pour vous aider à faire face à n'importe quel événe-ment prévu qui provoque de la tension. En fait, on peut les considérer com-me des règles d'or pour composer avec quelque chose qui vous effraie.

Un de mes patients a comparé cette stratégie à « la préparation pour une course à laquelle on ne désirait pas s'inscrire et dont les règles pour savoir si on a gagné ou non ne sont pas claires ».

Reconnaître les émotions. Sachez reconnaître les émotions et les sentiments que vous ressentez. Est-ce de la pure nervosité ? Vous sentez-vous agité ? Perdez-vous patience lorsque vous êtes inquiet ? Avez-vous tendance à perdre votre capacité de prendre des décisions ? Vous mettez-vous en colère si vous devez conduire lorsque vous êtes nerveux ?

Admettre ces émotions. Après avoir identifié et nommé les émotions que vous ressentez, il faut admettre que vous les ressentez. Cela peut vous aider de le dire à haute voix (c'est plus simple si vous êtes seul, mais aujourd'hui, si quelqu'un vous entend, il croira que vous utilisez un téléphone cellulaire !). Dites-vous : « Je me sens nerveux parce que je vais à la clinique demain » ou « Ce petit détail m'a agacé parce que la visite de cet après-midi m'inquiète. »

Trouver des moyens pour se calmer. Ayez recours à un ou deux moyens pra-tiques qui vous calmeront. Rendez-vous à la visite avec un ami. Prenez un tranquillisant avant d'y aller. Demandez à quelqu'un de vous y conduire.

Notez les questions importantes que vous voulez poser en laissant de la place pour inscrire les réponses.

Se récompenser par la suite. Faites-vous plaisir après la visite. Allez au cinéma. Allez au restaurant avec un ami, puis courez les magasins. Il est préférable de vous faire plaisir après, parce que si vous le faites avant la visite, vous serez peut-être trop préoccupé pour en profiter.

La force de cette stratégie, c'est qu'elle vous donne quelque chose à faire. C'est une approche qui remplit le vide qui vous rend nerveux. Cela permet de changer l'expérience associée à la visite. Après quelques fois, comme avec la peur de l'avion, la stratégie réduit le sentiment de frayeur et de menace, et, petit à petit, les visites deviennent presque routinières.

Cela ne se fait pas du jour au lendemain, mais c'est possible !

Sixième étape

« Et s'il y a récidive… ? »

Même si l'objectif de ce livre est de vous aider à traverser les premières semaines après un diagnostic de cancer, il peut être utile, même au tout début, d'avoir des informations et des outils pour l'éventualité d'une récidive, malgré qu'il soit peu probable que cela survienne au cours des premières semaines. Je ne cherche donc pas d'excuses pour traiter de la récidive. On peut parler de la manière dont on réagirait s'il y avait un éléphant dans la pièce, même s'il n'y a pas d'éléphant pour l'instant et qu'il n'y en aura peut-être jamais. Planifier en vue d'un événement possible, même s'il est peu probable, peut faciliter les choses.

La récidive est un concept — ou une peur — auquel tout le monde pense à chaque visite chez le médecin et entre les visites. C'est un véritable éléphant dans la pièce.

« La récidive annonce-t-elle la fin de la partie ? »

La possibilité que le cancer réapparaisse cause beaucoup d'anxiété, et c'est bien légitime. *C'est* une inquiétude, surtout qu'on a généralement l'impression que tout type de récidive pour n'importe quel cancer entraînera une dégradation immédiate de l'état et peut-être même la mort.

Presque tout le monde a le sentiment que si le cancer revient, cela signifie que la partie est finie.

À vrai dire, ce n'est pas le cas.

Comme je le dis et le répète tout au long de ce livre, les cancers sont un groupe de maladies, et chacune d'elles a un comportement caractéristique qui diffère de celui des autres. La même idée s'applique aux récidives. Pour certains cancers, une récidive peut s'avérer très significative, alors que pour plusieurs autres, c'est beaucoup moins grave et le cancer peut encore être guéri.

En fait, la portée de la récidive dépend de deux facteurs principaux : le type de cancer et le type de récidive — selon que c'est une récidive *locale,* près de la tumeur initiale, ou une récidive *ailleurs* dans le corps (une métastase).

Ces deux aspects permettent de déterminer en grande partie le type de traitement recommandé, les chances que ce traitement soit efficace contre le cancer et si la guérison ou un contrôle à long terme est encore possible.

L'éventail des situations de récidive est grand, et comme pour tous les cancers, connaître ce que cela signifie pratiquement dans votre cas vous aidera sûrement. Ces informations peuvent atténuer le sentiment d'effroi que la récidive suscite.

« Quand devrais-je me renseigner sur les options futures ? »

En réfléchissant sur ce sujet, vous pourriez vous demander : « Comment devrais-je me préparer à quelque chose qui pourrait ne pas arriver ? » La façon dont vous composez avec une éventualité hypothétique est très personnelle. Elle est liée à la manière dont vous composez généralement avec les choses qui vous menacent et aux stratégies auxquelles vous avez recours pour atténuer l'anxiété et l'inquiétude suscitées par ces menaces.

Autrement dit, la manière dont vous composez avec l'inquiétude dépend de vos stratégies d'adaptation personnelles, c'est-à-dire celles que vous avez déployées par le passé.

Certaines personnes aiment savoir ce qui pourrait être fait dans les pires scénarios, tandis que d'autres préfèrent savoir qu'il y a des options, mais ne veulent en discuter qu'au moment opportun.

Si vous faites partie des gens qui dorment mal quand ils ne savent pas tout, alors je crois qu'il est raisonnable de demander à l'équipe soignante au cours des visites de suivi ce qui arriverait si la tumeur revenait et quelles seraient les options de traitement.

Je vous recommanderais — j'exprime ici une opinion personnelle, il n'y a pas de bonne ou mauvaise façon de procéder — d'en discuter seulement après le traitement initial. Au début du traitement, votre équipe soignante et vous ne manquerez pas de sujets préoccupants. Au cours de la phase de suivi — qui peut durer jusqu'à trente ans et plus, ne l'oubliez pas —, vous serez probablement plus apte à parler de ce sujet.

2

« Comment les traitements se déroulent-ils ? »

Traiter le cancer

Dans cette partie, j'expliquerai de manière générale les principaux types de traitements et leurs effets probables sur vous.

Plus précisément, je décrirai le déroulement du traitement, ses principaux effets secondaires et ce que vous ressentirez. Autrement dit, j'exposerai comment chacun des traitements devrait affecter votre mode de vie.

Bien entendu, l'éventail des approches est très large. Certains cancers sont traités en prenant un comprimé de médicament chaque jour, sans qu'il y ait beaucoup d'effets secondaires. D'autres cancers demandent une chirurgie, suivie d'une chimiothérapie ou d'une radiothérapie, des approches qui ont toutes des effets. Dans de rares cas, certains cancers, comme quelques leucémies et quelques myélomes, exigent des traitements à forte dose, et, à l'occasion, une greffe de moelle osseuse. Cela peut occasionner des séjours de plusieurs semaines à l'hôpital et une convalescence de plusieurs mois. Les traitements varient énormément, et vous ne devriez pas être effrayé ou décontenancé par ce que vous lirez dans cette partie si cela ne vous concerne pas.

Toutefois, si vous saisissez les concepts généraux présentés ici, vous serez mieux préparé pour comprendre les détails propres à votre traitement.

Je ferai la description des quatre types de traitement des cancers : la chirurgie, la radiothérapie, la chimiothérapie et la thérapie biologique. Pour chacun d'eux, je décrirai leur déroulement, leur action ainsi que les effets secondaires les plus courants qui y sont associés. Il faut vous rappeler cependant que les effets secondaires varieront selon les traitements spécifiques qui vous seront recommandés.

Cette partie du livre est plus expérientielle ; vous aurez ainsi une idée de ce que vous ressentirez, de ce qui affectera votre vie et de ce à quoi vous pouvez vous attendre.

La chirurgie

La chirurgie est la forme la plus ancienne de traitement du cancer. On trouve des descriptions de mastectomie pour le cancer du sein dans les hiéroglyphes égyptiens. On a donc recours à la chirurgie pour traiter le cancer depuis plus de cinq mille ans.

« Comment la chirurgie fonctionne-t-elle ? »

L'objectif de la chirurgie est très simple, il s'agit d'exciser un cancer particulier, ou d'en enlever le plus possible, tout en faisant le moins de dommages possible aux tissus et aux organes avoisinants.

« Comment la chirurgie se déroule-t-elle ? »

Bien entendu, vu la grande diversité des interventions chirurgicales, on ne peut donner une seule réponse à cette question.

Dans la plupart des régions du corps, une tumeur peut être excisée totalement ou en partie. Le déroulement de l'opération dépend principalement de trois choses.

Premièrement, de la partie du corps concernée, et par conséquent des organes et des tissus sains qui l'entourent. Deuxièmement, de la manière dont le cancer est rattaché aux tissus avoisinants et de l'ampleur de l'opération pour le retirer. Troisièmement, de la manière et jusqu'à quel point les structures et les fonctions normales pourront être reconstruites ou rétablies une fois la tumeur excisée.

Donc, lorsque l'équipe chirurgicale vous décrira l'opération et en discutera avec vous, assurez-vous de bien comprendre où se trouve la tumeur (tel que les scintigrammes et les autres examens ont permis de le déterminer), quels organes risquent d'être touchés par la chirurgie et quelle restauration des structures et des fonctions peut être réalisée.

La rapidité avec laquelle vous vous remettrez d'une chirurgie ne dépend pas seulement du type d'opération. Elle varie selon les caractéristiques de votre cas et d'autres facteurs médicaux, comme votre âge, votre état de santé général et toutes les autres affections dont vous pouvez souffrir.

Votre chirurgien ne peut qu'*estimer* le temps qu'il vous faudra pour vous rétablir. Il se pourrait qu'on vous donne un nombre approximatif de jours. J'illustrerai ces variations avec quelques exemples.

Du côté des opérations mineures, on retrouve l'ablation d'une tumeur au sein.

L'intervention s'appelle une *tumorectomie,* ou *mastectomie partielle,* et elle est souvent accompagnée d'une autre petite intervention à l'aisselle où l'on excise quelques ganglions lymphatiques pour vérifier si le cancer s'y est répandu. Cette petite opération s'appelle une *dissection axillaire* ou un *évidement ganglionnaire axillaire*, ou encore une *biopsie du ganglion sentinelle*, selon le but et l'étendue de l'opération.

L'intervention complète — la tumorectomie plus l'évidement ganglionnaire axillaire — est généralement considérée comme une opération mineure, parce qu'il n'y a aucun organe ou système majeur dans cette région. Donc, la période de rétablissement (dans le sens de vous remettre sur pied) peut être très courte, parfois de deux ou trois jours seulement. Certaines patientes sont prêtes à retourner chez elles le jour même. Cette intervention représente bien les chirurgies mineures.

À l'autre bout du spectre, il y a les opérations majeures à l'abdomen ou au thorax après lesquelles une convalescence de plusieurs semaines est nécessaire. Après quelques jours, à mesure que l'incision guérit, les mouvements comme des déplacements ou une toux prolongée s'avèrent de moins en moins douloureux et inconfortables. Petit à petit, vous serez en mesure d'en faire un peu plus. Pour une remise sur pied complète, il faut compter trois semaines ou plus. Cela peut aussi prendre deux ou trois fois plus de temps. Le retour au travail dépendra de votre état de santé général, des activités physiques liées à votre emploi et peut-être aussi de facteurs tels que la possibilité ou non de travailler à temps partiel, par exemple.

Voici une liste du temps approximatif nécessaire pour vous remettre sur pied. Pour revenir à la normale et reprendre le travail, il faut souvent beaucoup plus de temps.

Chirurgie mammaire	3-7 jours
Chirurgie pulmonaire	2-4 semaines
Chirurgie abdominale mineure	1-3 semaines
Chirurgie abdominale majeure	2-4 semaines
Chirurgie pelvienne	2-4 semaines
Craniotomie	1-2 semaines

Ces durées sont approximatives. Néanmoins, plus vous en saurez sur la chirurgie qui vous attend, mieux vous serez préparé. Plus vous en saurez sur la nature et le but de l'opération, mieux vous aborderez la convalescence.

Interventions chirurgicales pour la stadification du cancer

Pour plusieurs cancers, il est primordial de savoir jusqu'où le cancer s'est répandu localement et s'il a, par exemple, envahi les ganglions lymphatiques environnants. Dans de nombreux cas, mais pas systématiquement, le traitement pour les cancers plus gros et plus étendus diffère de celui des cancers plus petits et plus localisés.

Alors, dans certains cas, souvent après un tomodensitogramme ou une IRM, il se peut qu'on recommande que la stadification soit précisée par une opération pour mieux planifier le traitement. On n'y a pas recours à la légère. L'équipe chirurgicale devrait être en mesure de vous expliquer clairement pourquoi une chirurgie de stadification est nécessaire dans votre cas.

(Le tableau 4, à la page 230, inventorie les types de cancer les plus courants pour lesquels une chirurgie de stadification est souvent requise.)

« À quels effets secondaires dois-je m'attendre ? »

Les séquelles de la chirurgie dépendent des mêmes facteurs mentionnés plus haut : la région du corps opérée, l'envergure de l'opération (selon la propagation du cancer et s'il affecte ou non des organes avoisinants) et l'ampleur de la reconstruction qui devra être réalisée par la suite.

En interrogeant l'équipe chirurgicale, essayez de vous faire une bonne idée de ce que sera votre vie après deux ou trois semaines, lorsque les tissus auront commencé à guérir.

Presque tout le monde cherche à être meilleur que la moyenne et à se remettre plus vite que les autres. Cependant, je vous suggère de ne pas mettre la barre trop haut. Des attentes irréalistes quant à votre rétablissement ou des objectifs inaccessibles vous mèneront tout droit à la déception. Allez-y graduellement et profitez de chaque amélioration.

« Qu'en est-il des effets à long terme ? »

Après une chirurgie, une partie de votre corps a été prélevée et d'autres ont été modifiées. Les effets à long terme de chaque intervention dépendent des organes affectés et de la reconstruction qui a été réalisée ou qui est à faire.

Voici quelques exemples de chirurgie, accompagnés des conséquences les plus courantes qui y sont associées:

APRÈS UNE CHIRURGIE À L'INTESTIN (CÔLON). Les effets dépendent de la longueur du côlon qui a été prélevée, mais il est très courant de voir un changement dans les selles. Elles tendent à être plus molles et parfois même liquides, et plusieurs patients se rendent compte que leurs intestins sont plus facilement affectés par ce qu'ils mangent (par les variations dans leur régime) qu'avant l'opération.

APRÈS UNE CHIRURGIE À L'ESTOMAC, AU PANCRÉAS OU AU CANAL CHOLÉDOQUE. Une chirurgie dans ces régions peut affecter la manière dont votre système gastro-intestinal réagit aux aliments que vous mangez et les digère. Il arrive souvent que les aliments semblent « passer tout droit », et vous pourriez sentir le besoin d'aller à la selle tout de suite après avoir mangé. Si le canal cholédoque est touché, vous pourriez avoir de la difficulté à digérer les graisses, et vos selles pourraient pâlir, devenir plus volumineuses et même dégager une odeur bizarre. Si le pancréas est touché, vous pourriez aussi avoir de la difficulté à digérer divers types d'aliments — un trouble appelé *malabsorption* — et vous pourriez avoir à prendre des comprimés contenant des enzymes pancréatiques avec vos repas.

APRÈS UNE CHIRURGIE À LA PROSTATE. Selon le type d'opération, un dysfonctionnement érectile à long terme est possible. L'incontinence urinaire est normale à court terme et se résorbe ou s'améliore grandement après quelques semaines. Parfois, l'incontinence urinaire ne survient que lors d'un effort, quand on tousse ou qu'on soulève des objets lourds, par exemple.

APRÈS UNE CHIRURGIE À LA TÊTE ET AU COU. Selon la partie de la bouche, de la gorge ou du cou qui a été opérée, vous pourriez constater des changements dans votre voix ou lorsque vous avalez. Lorsqu'il est probable que la voix sera affectée, on peut vous recommander de voir un orthophoniste avant même l'intervention.

APRÈS UNE CHIRURGIE MAMMAIRE. La plupart des patientes qui subissent une dissection axillaire souffriront à des degrés divers d'un blocage à l'épaule. On vous recommandera des exercices pour restaurer complètement la mobilité de votre épaule. Il vaut la peine de les faire avec sérieux.

« Qu'est-ce que cela signifie lorsque le médecin dit : "Nous avons tout enlevé" ? »

Dans le domaine du traitement du cancer, la raison pour laquelle des traitements additionnels sont requis après une chirurgie est probablement la source la plus courante de malentendu.

En général, le public est de mieux en mieux informé sur le cancer, et de plus en plus de gens comprennent qu'un autre traitement peut s'avérer nécessaire après une chirurgie, mais il vaut quand même la peine de clarifier les choses.

Essentiellement, il faut se rappeler que le recours ou non à un autre traitement après une chirurgie dépend du type et du stade du cancer, non pas des compétences du chirurgien !

À titre d'exemple, si un cancer de l'intestin (côlon) s'est propagé aux ganglions lymphatiques qui se trouvent dans les environs de l'intestin, cela signifie que ce type précis de cancer a tendance à se propager à d'autres parties du corps, en particulier le foie. Depuis deux décennies, de nombreuses études cliniques ont démontré que si l'on administre un traitement après l'intervention comme assurance — un traitement adjuvant —, le risque que le cancer se propage est considérablement réduit.

Cela n'a rien à voir avec l'opération ou le chirurgien. Tous les ganglions lymphatiques ont été (généralement) enlevés, mais le fait que le cancer les a envahis indique que le cancer en question manifeste une tendance élevée à la propagation. Les études cliniques ont démontré que le traitement adjuvant réduit le risque d'apparition de nouvelles tumeurs.

Donc, si le chirurgien vous dit « Nous avons tout enlevé », il n'a pas tort dans la mesure où toute la tumeur visible a été excisée. Malgré tout, il y a un risque de récidive ou de propagation (à partir de cellules cancéreuses qui ne sont pas encore détectables par les moyens actuels), et *pour cette raison*, qui n'a rien à voir avec la nature de la chirurgie, on recommande d'autres traitements.

Plusieurs types de traitements, comme la radiothérapie et la chimiothérapie, peuvent être administrés après une chirurgie. Pour plusieurs cancers — les cancers du sein, du côlon et de l'ovaire, par exemple —, on a démontré que, même après une excellente intervention au cours de laquelle toutes les parties visibles de la tumeur ont été enlevées, il y a encore un risque considérable de récidive, et qu'un traitement administré après la chirurgie peut faire diminuer ce risque. Je veux préciser encore une fois (et le plus clairement possible) que cela ne veut pas dire que la chirurgie était inutile ou qu'elle a été mal exécutée. Cela signifie qu'après une chirurgie normale (et même exemplaire), il y a encore un risque que le cancer revienne, et les recherches ont démontré que ce risque peut être réduit en administrant un traitement adjuvant. Le traitement adjuvant est déterminé par le type particulier de cancer et sa réponse au traitement après la chirurgie, il n'a strictement rien à voir avec la qualité de l'intervention ou la compétence du chirurgien.

Lorsque la chirurgie n'est pas une option : «Pourquoi ne peuvent-ils pas tenter d'opérer?»

La plupart des gens ont l'impression, parfois avec pertinence, que la chirurgie constitue le pilier des traitements et l'option privilégiée pour tous les cancers. On se dit que s'il y a un *cancer*, il doit exister une intervention chirurgicale pour l'*enlever*.

Selon le type de cancer et son emplacement cependant, le recours à la chirurgie n'est pas toujours possible. On peut diviser ces circonstances en deux ensembles : les situations où il y a récidive ou propagation de la tumeur primitive et celles où la masse cancéreuse ne peut être excisée sans danger.

En ce qui concerne la récidive d'une tumeur primitive, il y a certains cas où l'ablation peut être utile. Si un cancer du sein réapparaît dans la cicatrice ou autour du sein, on peut arriver à le contrôler à long terme en retirant la nouvelle tumeur. On retrouve des situations similaires dans certains cancers du rectum et du côlon, ainsi que, à l'occasion, dans le cancer du col de l'utérus.

Pour la plupart des autres cancers, malheureusement, ce n'est pas le cas : la chirurgie n'améliore pas l'issue à long terme.

En général, la chirurgie n'est pas utile pour la plupart des sites secondaires où il y a eu propagation. Habituellement, elle n'est tout simplement pas praticable, sauf en des circonstances exceptionnelles et inhabituelles pour des cancers du poumon, du foie ou encore des cancers de l'ovaire à récidives multiples.

Donc, la biologie du cancer et la région du corps affectée rendent parfois la chirurgie impraticable, et c'est une réalité souvent difficile à comprendre et à accepter pour les patients et leur entourage.

Cependant, ce sont des situations où les autres types de traitements doivent être envisagés attentivement. Certains de ces cancers peuvent quand même répondre à la chimiothérapie ou à l'hormonothérapie, par exemple. Et il est possible de contrôler ces maladies pendant une certaine période, qui peut parfois s'avérer relativement longue. Dans ces situations, il est primordial que vous compreniez bien tous les avantages possibles des traitements, ainsi que la probabilité et la nature des effets secondaires éventuels.

Il y a une deuxième situation où une chirurgie n'est pas possible : lorsque la tumeur ne peut être enlevée sans danger et que seule une ablation partielle serait possible.

Dans certaines circonstances, une intervention chirurgicale impliquerait de couper la tumeur. Même si cela semble mieux que rien, en fait c'est presque toujours dangereux. En effet, comme les cellules cancéreuses ne forment pas de tissu cicatriciel, une telle opération produirait une plaie qui ne guérirait pas, ou encore des canaux anormaux (fistules) pourraient se former entre l'intestin et les autres organes pelviens, par exemple. Alors, dans beaucoup de ces situations (une tumeur dans le bassin, par exemple), si la tumeur ne peut être enlevée entièrement, l'ablation partielle avec une incision serait très dangereuse et ne permettrait pas une guérison satisfaisante.

Ainsi, il arrive qu'une chirurgie soit impraticable, et même si ce peut être très décevant, cela permet tout de même d'éviter certaines complications ou certains symptômes graves. Cependant, je dois ajouter qu'il y a quelques situations où l'ablation partielle d'une tumeur est sécuritaire ; pour les tumeurs cérébrales, par exemple. Il peut arriver qu'une partie de la tumeur cérébrale soit trop près de structures normales très importantes pour qu'on l'excise en entier. Dans ces circonstances — et d'autres similaires, mais rares —, l'ablation du plus gros volume de tumeur possible est une pratique courante.

Un mythe répandu :
« Si de l'air atteint le cancer, il se propagera. »

Ce mythe est très ancien. En fait, à la fin de l'ère victorienne, on croyait qu'opérer un cancer intensifiait sa propagation et accélérait la mort du patient.

Ce mythe n'est absolument pas fondé.

À l'époque, cette idée avait un certain sens, parce que la plupart des cancers n'étaient diagnostiqués que lorsqu'ils étaient très gros. Les Victoriens ne connaissaient pas les rayons X ou les tomodensitogrammes, ni même les examens médicaux de routine. Alors, les gens continuaient leur vie, tandis que les bosses et les symptômes apparaissaient. Ce n'est que lorsqu'ils ne pouvaient plus vaquer aux tâches quotidiennes ou effectuer leur travail qu'ils consultaient un médecin.

De plus, les interventions chirurgicales étaient terribles – douleurs, complications postopératoires et coûts. Ainsi, même si on recommandait une opération, les gens la remettaient à plus tard. Au moment de la chirurgie, il n'était pas rare de découvrir une tumeur de plusieurs kilos — soit quelques semaines ou quelques mois avant la mort du patient —, une situation grandement aggravée par le très haut taux de complications, d'infection et de mortalité pendant la période postopératoire.

Lorsque la masse totale du cancer s'élève à un ou deux kilos, elle a habituellement atteint les sept huitièmes de sa croissance totale.

On peut voir pourquoi le public a alors associé la chirurgie à une mort imminente.

Encore aujourd'hui, dans les rares cas où le cancer croît très rapidement, pour une raison ou une autre, les gens parlent parfois de la chirurgie comme si c'en était la cause au lieu du moyen par lequel le diagnostic a été effectué.

De nos jours, ce mythe tend à disparaître, mais des échos subsistent qui peuvent à l'occasion bouleverser certains patients et amis.

La radio-oncologie (radiothérapie)

Le phénomène du rayonnement a été découvert par Pierre et Marie Curie à la fin du dix-neuvième siècle. Quelques années plus tard, des médecins appliquaient des morceaux de radium contre des masses cancéreuses dans le sein.

«Comment la radiothérapie fonctionne-t-elle?»

L'irradiation, ou la *radiothérapie* comme on nomme ce phénomène lorsqu'il sert à traiter les cancers, est l'utilisation d'ondes électromagnétiques à haute énergie pour tuer les cellules. Sous plusieurs aspects, le rayonnement qui sert à traiter les cancers est similaire aux rayons X utilisés en imagerie, mais l'énergie de ce rayonnement est beaucoup plus grande. Les rayons émis causent donc beaucoup plus de dommages aux cellules qui y sont exposées. La lumière visible et les rayons ultraviolets sont également des ondes électromagnétiques, et c'est pourquoi, s'il y a des dommages à la peau lors de la radiothérapie, ils s'apparentent à des coups de soleil.

La radiothérapie sert à guérir certains cancers et à en traiter d'autres. L'irradiation est aussi utilisée pour atténuer les symptômes.

Les rayonnements utilisés pour la radiothérapie sont produits de deux manières. Dans la plupart des cas, ils sont générés artificiellement par des appareils semblables aux tubes cathodiques des vieux téléviseurs ou (le plus souvent de nos jours) par des appareils de radiothérapie, dont les *accélérateurs linéaires*. Ils peuvent être également générés à l'intérieur d'implants qui contiennent des substances radioactives naturelles comme le cobalt. Les rayonnements produits par ces deux méthodes présentent des caractéristiques différentes. Entre autres, selon l'appareil d'où ils proviennent, ils pénètrent dans les tissus humains à divers degrés et causent donc plus ou moins de dommages à la région qui entoure la tumeur.

C'est une différence déterminante. Par exemple, si le rayonnement est généré par un appareil à basse tension, les rayons dégagent la majeure partie de leur énergie près de la surface et ne pénètrent pas bien loin. Ces rayons peuvent donc être très utiles pour traiter des tumeurs cutanées. En revanche, le rayonnement à haute énergie pénètre plus profondément et dégage sa plus grande dose de rayons loin de la surface. C'est pourquoi il est primordial pour le radio-oncologue de déterminer avec précision où se trouve la tumeur, de manière à ce que la dose maximale de rayons cible la tumeur et épargne le plus possible les tissus avoisinants.

Le rayonnement émis par les appareils est mesuré avec une grande exactitude et contrôlé très étroitement afin que la dose de rayonnement émise par chaque appareil à chaque traitement soit d'une précision rigoureuse.

L'irradiation se fait dans la région où se trouve la tumeur (le champ), et c'est là que les compétences et l'expertise du radio-oncologue ainsi que la technologie du service de radiothérapie jouent un grand rôle.

La dose de rayonnement est basée sur deux facteurs. En premier lieu, la dose doit être assez forte pour maximiser la destruction du cancer. Cela dépend du type de cancer, car certains cancers sont plus sensibles aux rayonnements que d'autres. Cela dépend aussi du but du traitement. Si l'irradiation a pour objectif de guérir le cancer par exemple, une plus forte dose peut être nécessaire comparée à celle requise pour atténuer la douleur.

Le second facteur a trait aux tissus normaux dans la zone de la tumeur. Certains tissus normaux sont peu affectés par la radiothérapie. Les os, par exemple, étant très peu sensibles aux rayonnements, on peut les soumettre à une plus forte dose sans les endommager. D'autres tissus, comme la moelle épinière, sont très sensibles et s'endommagent facilement. Les doses doivent donc être contrôlées de près de manière à réduire les dommages au minimum. En plus de la moelle épinière, d'autres tissus et organes requièrent plus d'attention et de soins lorsqu'on planifie une radiothérapie ; c'est le cas de la paroi du tube digestif (l'œsophage, l'intestin grêle et le côlon, par exemple), des poumons, des reins et des yeux.

Ainsi, lors de la planification de la radiothérapie, le radio-oncologue prend en compte le type de tumeur et son emplacement, puis évalue quels tissus normaux sont susceptibles d'être exposés au rayonnement dans cette région.

C'est pourquoi la *planification* de la radiothérapie revêt une si grande importance.

La planification : « Comment se déroule la première visite ? »

La clé de la réussite d'une radiothérapie consiste à administrer la plus forte dose possible de rayonnement aux cellules cancéreuses, tout en y exposant les structures et les tissus sains le moins possible. Pour y arriver, il faut localiser avec le plus de précision possible les tumeurs lors de la planification et limiter l'irradiation à ces zones cancéreuses.

Une bonne *planification* permet donc de maximiser les résultats selon votre cas. La planification comprend plusieurs étapes, et si vous les connaissez à l'avance, vous serez moins dérouté par ce processus.

L'imagerie

À votre première visite au service de radiothérapie, le radio-oncologue qui supervisera votre traitement (ou un membre de son équipe) vous examinera.

Lors de ce premier examen, on passera en revue votre dossier médical, et souvent on vérifiera divers aspects de vos antécédents ou de vos examens physiques.

Selon la situation, le radio-oncologue consultera d'autres oncologues, un pathologiste ou d'autres spécialistes (lors d'une rencontre multidisciplinaire).

L'équipe de radiothérapie examinera également les radiographies et les scintigrammes déjà effectués. Très souvent, des tomodensitogrammes (et parfois des IRM ou d'autres techniques d'imagerie spécialisée comme des artériogrammes) seront requis. Si des examens supplémentaires en imagerie sont requis, c'est qu'ils sont déterminants. Plus l'évaluation du cancer est précise, plus l'irradiation sera efficace et sécuritaire. La minutie de la planification constitue le facteur le plus important pour la qualité de votre traitement. Soyez patient, même si cela semble irritant et superflu de votre point de vue.

Dans certains cas, d'autres analyses sanguines peuvent être nécessaires, souvent pour veiller à ce que tous les organes fonctionnent bien et éviter autant que possible d'endommager des systèmes déjà affaiblis.

Le champ de radiation

Lorsqu'il planifie le traitement, le radio-oncologue commence par déterminer l'emplacement de la tumeur et l'étendue de la zone qui doit être soumise au rayonnement, c'est-à-dire le champ de rayonnement.

Puis l'oncologue détermine les autres structures et tissus qui feront partie du champ (par exemple, l'intestin, la moelle épinière, la peau, etc.). C'est alors qu'il choisira le type de rayonnement qui permettra d'envoyer une dose maximale de rayons sur la tumeur et une dose minimale aux tissus normaux avoisinants.

Ensuite, l'oncologue choisit la meilleure méthode pour administrer le rayonnement, c'est-à-dire en combien de doses (fractions) il doit être divisé. Plusieurs facteurs doivent être pris en considération. Encore une fois, tout dépend de la taille de la zone à traiter, ainsi que de la proximité et de la sensibilité des tissus normaux avoisinants. Si la zone à traiter est petite et située dans un tissu peu sensible comme les os, le rayonnement peut être adminis-tré en une seule fraction. Par contre, les doses élevées nécessaires pour traiter une tumeur dans un sein sont habituellement administrées en plusieurs frac-tions, jusqu'à vingt ou vingt-cinq.

Il y a également diverses manières de disperser l'irradiation sur des zones différentes pour que la tumeur, et non pas les tissus normaux, reçoive cha-que fois la brûlure des rayons. Pour ce faire, les faisceaux de rayonnement proviennent de deux directions ou plus. L'agencement des faisceaux est com-posé par un ordinateur que l'équipe qui planifie le traitement a programmé. Cette équipe rassemble des radiophysiciens et des technologues en radiothé-rapie (radiothérapeutes) qui collaborent avec l'oncologue.

En positionnant soigneusement les faisceaux, la peau à la droite et à la gau-che de la tumeur, par exemple, reçoit moins de deux fois l'énergie du rayon-nement (ou encore moins, selon le degré de pénétration des rayons), tandis que le cancer est soumis à la brûlure maximale du rayonnement.

Les marques

Pour s'assurer que le rayonnement est administré exactement au même endroit à chaque séance, il se peut que le radiothérapeute doive faire des marques à l'encre sur votre peau de sorte que les rayons touchent la cible avec précision à tout coup. Comme les marques à l'encre disparaissent après quelques jours à mesure que la peau se renouvelle, il peut s'avérer nécessaire de faire un tatouage indélébile sur la peau. Pour certaines régions du corps, on fabrique parfois un masque ou un moule en plastique qui gardera les tis-sus en place à chaque séance. Si c'est le cas, votre radio-oncologue vous expliquera tous les détails.

«Comment la radiothérapie se déroule-t-elle?»

De votre point de vue, le traitement s'apparente à une radiographie ordi-naire; il ne se passe rien d'exceptionnel.

Les rayonnements sont généralement administrés en petites doses quotidien-nes appelées *fractions*. Pour chaque fraction, vous irez dans une salle où se trouve l'appareil de radiothérapie approprié pour le traitement que l'on a conçu pour vous.

Le radiothérapeute vous aidera à vous étendre sur une table et positionnera l'appareil vis-à-vis de la zone à traiter, comme s'il effectuait une radiographie. (C'est en fait la même chose, en gros, sauf que la dose de rayonnement des rayons X est beaucoup plus faible.) Le radiothérapeute vous laissera seul pendant un moment, puis il mettra l'appareil en marche pour la durée exacte du traitement, généralement quelques minutes, surveillant le déroulement de la séance à partir de l'unité de commande.

Pendant que l'appareil fonctionne, vous devez rester immobile, mais vous ne sentirez rien. Il n'y a ni douleur, ni chaleur, ni odeur, ni bruit. (Certains patients détectent brièvement l'odeur « d'air frais » de l'ozone qui se forme en quantité minime pendant l'irradiation, mais la plupart ne sentent rien.) Comme je le mentionnais, c'est très similaire à une radiographie.

Ordinairement, les fractions (doses) sont administrées chaque jour de semaine. Chaque dose quotidienne s'appelle une *fraction*, et la dose de rayonnement est mesurée en unités appelées *centigrays* ou *cGy*. Ainsi, une dose typique de rayonnements pourrait être de 5 000 cGy. Cette dose totale serait séparée en fractions quotidiennes. On pourrait vous dire que vous allez recevoir 50 grays en 20 fractions, ce qui signifie que vous recevrez une dose totale de 50 grays (5 000 cGy) en 20 petites doses de 250 cGy.

L'administration de chaque dose prend quelques minutes. Généralement, en comptant le temps pour vous installer et régler les appareils, chaque séance durera une heure à une heure et demie, de l'arrivée au service de radiothérapie à votre départ.

« À quels effets secondaires dois-je m'attendre ? »

Pendant la séance de radiothérapie, vous ne sentirez rien. Les effets secondaires ultérieurs des rayonnements dépendront de la dose totale reçue (le nombre de centigrays), de la partie du corps traitée et du nombre de doses quotidiennes ou fractions nécessaires pour compléter le traitement.

La meilleure façon de parler des effets secondaires est de les partager en « effets secondaires généraux », qui peuvent survenir dans tous les traitements de radiothérapie, et en « effets secondaires spécifiques », qui sont liés à la région du corps soumise au rayonnement.

Les effets secondaires *généraux* qui peuvent survenir dans n'importe quel traitement sont les suivants :

LA PEAU. Par la suite, généralement quelques jours plus tard, la peau à l'endroit qui a été irradié peut se mettre à picoter et à rougir, comme s'il y avait un coup de soleil. Parfois, les réactions cutanées peuvent être très sévères pendant plusieurs jours ; il peut y avoir des ampoules ou des ulcères à l'occasion. Cependant, dans la plupart des cas, on ne dénote aucune réaction cutanée.

LA FATIGUE. La fatigue ou l'épuisement survient fréquemment, surtout si les champs de rayonnement sont étendus ou si le traitement dure plusieurs semaines.

LA PERTE DE CHEVEUX ET DE POILS. Vous perdrez vos poils et vos cheveux *seulement* sur les zones qui ont été traitées. Les poils de la poitrine tomberont si vous subissez une irradiation du poumon ; ceux des aisselles disparaîtront si elles sont irradiées lors d'un traitement pour le cancer du sein. Sachez que la perte des poils et des cheveux causée par la radiothérapie est permanente seulement si les follicules pileux reçoivent une forte dose de rayonnement.

LES NAUSÉES. En général, les nausées sont rares, sauf si de larges portions de votre abdomen ou de votre foie sont irradiées.

Les autres effets secondaires dépendent de la partie du corps qui a été irradiée. Il est toujours utile de parler avec votre radio-oncologue des problèmes particuliers qui peuvent être associés à l'irradiation de la zone à traiter. Certains organes, comme la moelle épinière, demandent des soins particuliers. Les problèmes sont plutôt rares, mais il est toujours utile de savoir ce qui nous attend.

Les effets locaux de la radiothérapie sont les suivants :

LA PEAU. Dans la plupart des cas, vous verrez un effet sur la peau qui se trouve dans le champ de rayonnement. Parfois, les effets sur la peau sont quasi négligeables. Dans la plupart des cas, ils sont similaires à un coup de soleil léger ou moyen. Dans un petit nombre de cas, en particulier si vous êtes déjà sensible au soleil, ils peuvent s'apparenter à des coups de soleil sévères, accompagnés à l'occasion de cloques suintantes. Ces effets se résorbent en quelques semaines. Apparaissent parfois des petites taches de rousseur ou des pigments marbrés, et, de temps en temps, des petites veines rouges sur la zone traitée.

LES POILS. Comme je l'ai déjà mentionné, les poils présents dans le champ de rayonnement vont probablement tomber. Il est important de savoir que la zone de traitement, et nulle part ailleurs perdra probablement ses poils après le traitement, parfois pour toujours.

LE TUBE DIGESTIF. Si le champ de rayonnement inclut l'abdomen ou le foie, vous souffrirez probablement de nausées et vomirez peut-être. Il est probable également que vous souffrirez de diarrhée pendant quelques jours ou quelques semaines. Si le champ de rayonnement inclut le gosier ou l'œsophage, vous pourriez ressentir de l'inconfort ou de la douleur en avalant pendant quelques jours ou quelques semaines.

LA BOUCHE, LE RECTUM, LE VAGIN. Toutes ces régions sont recouvertes de membranes muqueuses et peuvent être très sensibles aux rayonnements. Des ulcères pourraient se développer à ces endroits. Ils guériront, bien entendu, mais ils peuvent être très incommodants pendant plusieurs jours.

« Qu'en est-il des effets à long terme ? »

LA PEAU. En général, la peau dans la zone irradiée tend à devenir un peu plus foncée qu'ailleurs et peut parfois se couvrir de taches de rousseur ou de marbrures. Si cela vous arrive, ne vous inquiétez pas, c'est parfaitement normal. Cependant, lorsque la dose de rayonnements sur la peau est très forte, les cellules de la pigmentation peuvent mourir et la zone traitée devenir très pâle, une réaction similaire à une forme bénigne d'une anomalie de la peau appelée *vitiligo*.

LYMPHŒDÈME. Si le rayonnement est administré sur la partie supérieure du bras ou de la jambe, une certaine enflure du membre peut survenir, qu'on appelle un *lymphœdème*. Il est très fréquent de voir un peu d'enflure ; par exemple, le bras traité peut avoir deux centimètres de plus de circonférence que le membre opposé. Médicalement, l'enflure n'a rien de grave. Cela ne signifie surtout *pas* que le cancer soit revenu, comme certains le craignent. Toutefois, l'effet inesthétique et l'impression de lourdeur peuvent s'avérer agaçants. Certains centres ont des cliniques pour traiter les lymphœdèmes, et dans plusieurs autres, des infirmières sont formées pour vous conseiller sur les diverses mesures destinées à atténuer ce problème.

Fibrose. Dans certaines parties du corps, l'intérieur des poumons ou de l'abdomen, par exemple, du tissu cicatriciel peut se former après divers traitements, dont l'irradiation. Ainsi, cette forme de cicatrisation, appelée *fibrose*, peut survenir après une radiothérapie des poumons, de l'abdomen, de la peau et de plusieurs autres régions.

Les symptômes dépendent de la région affectée. S'il s'agit d'un poumon, par exemple, vous pourriez avoir le souffle court ou une toux sèche, ou encore les deux. S'il sagit de l'abdomen, vous pourriez avoir des maux de ventre occasionnels ou une obstruction partielle de l'intestin. En ce qui concerne la peau, la fibrose se perçoit comme une cicatrice sous la surface qui peut même changer le contour visible de cette zone. Cela peut également affecter la mobilité de cette région, si c'est près de l'épaule par exemple.

Stérilité. Autant chez les hommes que chez les femmes, il y a un risque de devenir stérile. Dans quelques situations, on peut prendre certaines mesures pour prévenir la stérilité ou contourner le problème, en ayant recours à une banque de sperme par exemple. Toutefois, ce n'est pas toujours possible. Dans certains cas, la stérilité peut être un effet de la maladie elle-même et être apparue avant le début du traitement.

Tumeurs malignes ultérieures. Comme plusieurs formes de traitement qui attaquent le noyau des cellules, la radiothérapie peut accroître le risque que vous développiez un jour un autre type de cancer. Après plus de deux décennies suivant la radiothérapie, le risque d'être atteint d'un second cancer (de la thyroïde, du sein ou encore d'un sarcome dermique, par exemple) augmente très légèrement.

Habituellement, selon la région traitée et le type de traitement, votre équipe soignante pourrait vous recommander un programme d'exercices ou d'autres formes de traitement pour atténuer les effets décrits ici. Il vaut vraiment la peine de suivre ces recommandations.

Un mythe répandu: «La radiothérapie détériore le système immunitaire et fait plus de tort que de bien.»

Ce mythe n'est soutenu par aucun fait, mais il persiste et peut inquiéter certains patients.

Nul ne sait comment ce mythe a pris naissance ! Peut-être est-ce parce qu'on soumet souvent les ganglions lymphatiques avoisinants au rayonnement (l'aisselle dans le cas du cancer du sein) et que les ganglions lymphatiques font partie du système immunitaire. (Bien entendu, les ganglions des aisselles ne représentent qu'une infime partie — presque négligeable — du système immunitaire du corps.)

Pour une raison ou une autre, on s'est mis à croire que les gens qui allaient en radiothérapie quotidiennement pouvaient voir leur système immunitaire anéanti, ce qui les rendrait vulnérables à une récidive ou à une propagation du cancer.

C'est tout simplement faux.

Pour tout type de cancer, les études démontrent que chez les gens qui ont suivi une radiothérapie, le risque de récidive n'augmente *pas*. Au contraire, lorsque la radiothérapie fait partie du traitement de routine, le risque de récidive locale du cancer est considérablement réduit. Le mythe qui veut que la radiothérapie favorise le cancer n'est nullement fondé.

La chimiothérapie

L'ère moderne de la chimiothérapie est née pendant la Seconde Guerre mondiale lorsqu'un cargo transportant du gaz moutarde (utilisé pendant la Première Guerre mondiale) a explosé. De nombreux survivants sont décédés quelques semaines après, parce que leur moelle osseuse avait été détruite par le gaz. La moutarde à l'azote — le premier médicament chimiothérapeutique produit après la guerre — était un dérivé du gaz moutarde et s'est montrée extraordinairement efficace pour traiter la maladie de Hodgkin à un stade avancé qui ne pouvait être soignée jusque-là.

« Comment la chimiothérapie fonctionne-t-elle ? »

Les médicaments chimiothérapeutiques tuent les cellules qui sont en train de se développer et de se multiplier.

Ce qu'on appelle les *médicaments chimiothérapeutiques* (ou parfois *agents cytotoxiques*) constituent un groupe d'agents chimiques variés qui ont une chose en commun : ils tuent les cellules qui sont en train de se développer et de se multiplier. Normalement, on retrouve une plus grande proportion de cellules en croissance dans les cancers que dans les tissus sains. Ainsi, généralement, les médicaments chimiothérapeutiques causent plus de dommages aux cancers qu'aux tissus sains, et c'est pourquoi on y a recours.

Si les cellules se développent et se multiplient, elles seront altérées par la chimiothérapie. C'est une bonne chose si ce sont des cellules cancéreuses, mais si ce sont des cellules normales de la moelle osseuse, de la bouche, des cheveux ou d'autres tissus, cela peut s'avérer dangereux. C'est pourquoi tant de médicaments chimiothérapeutiques entraînent autant d'effets secondaires. Cela explique aussi pourquoi le dosage doit être fait avec une grande précision, car la différence entre une dose efficace contre le cancer et une dose qui produit des effets secondaires graves est souvent très mince.

Médicaments chimiothérapeutiques et développement des cellules

Au fil des ans, les recherches ont démontré que les médicaments chimiothérapeutiques peuvent ralentir, ou bloquer, la multiplication des cellules de plusieurs façons. Ils peuvent affecter les éléments constitutifs des cellules pour modifier son ADN, assembler de nouveaux éléments dans l'ADN, séparer les chromosomes reproduits au cours de la division cellulaire, etc.

Peu importe le mécanisme du médicament chimiothérapeutique, l'objectif est toujours le même : empêcher les cellules en croissance de se diviser.

C'est un phénomène tout à fait remarquable lorsqu'il y a un cancer, car les cellules cancéreuses qui ne se reproduisent pas ne peuvent pas croître ni se propager.

Cependant, il y a plusieurs organes et systèmes corporels dans lesquels le développement et la multiplication des cellules sont importants, ce qui explique les effets secondaires de plusieurs médicaments chimiothérapeutiques. À titre d'exemple, les cellules dans la moelle osseuse se multiplient constamment pour produire les divers composants du sang : les globules rouges, les globules blancs et les plaquettes. Les cellules qui tapissent le tube digestif et la bouche se développent aussi constamment pour produire les nouvelles cellules qui tapissent les parois de l'intestin. Vos cheveux poussent toujours parce que les cellules dans les follicules pileux se reproduisent et forment de nouveaux cheveux. Dans les testicules, les cellules se multiplient constamment pour produire du sperme frais. Toutes ces activités cellulaires normales, et d'autres encore, peuvent être affectées à des degrés divers par les agents chimiothérapeutiques.

C'est ce qui différencie les agents chimiothérapeutiques de la plupart des autres médicaments. Par exemple, les antibiotiques tuent les cellules bactériennes. Ces cellules bactériennes s'apparentent à des cellules végétales, leur structure est très différente de celle des cellules du corps. Ainsi, les antibiotiques n'interfèrent habituellement pas avec le fonctionnement des cellules saines du corps.

Mais les cellules cancéreuses, contrairement aux cellules bactériennes, ressemblent beaucoup aux cellules normales. Alors, les médicaments qui attaquent les cellules cancéreuses sont susceptibles d'altérer également les cellules saines.

Cela signifie donc que même pour les cancers les plus sensibles et les meilleurs médicaments, la marge d'erreur est très mince.

La plupart des médicaments chimiothérapeutiques peuvent tuer un patient s'ils sont administrés avec un léger excès ; deux fois la dose normale, par exemple. En revanche, lorsqu'on traite une infection bactérienne avec des antibiotiques courants, il n'y aurait pas de risque de décès ou d'effets secondaires graves même avec dix fois la dose normale.

C'est pourquoi les médicaments chimiothérapeutiques, plus que n'importe quel autre groupe de médicaments dans l'arsenal médical, doivent être surveillés de près et administrés seulement par des oncologues d'expérience.

« Comment la chimiothérapie se déroule-t-elle ? »

Les médicaments chimiothérapeutiques sont administrés généralement sous forme de comprimés qu'on avale ou par injection intraveineuse. L'injection peut se faire rapidement (le terme médical est *bolus*), soit en quelques minutes, ou par perfusion, c'est-à-dire une injection d'un plus grand volume de liquide pendant plusieurs heures.

Les médicaments peuvent également être injectés dans la cavité abdominale (péritoine), dans le liquide céphalorachidien (LCR), dans une artère (rarement) et sous la peau. En de très rares occasions, ils peuvent être appliqués sur la peau sous forme de crème.

(Certains médicaments peuvent être administrés de plus d'une façon. Vous trouverez les médicaments les plus courants et leurs voies d'administration au tableau 6 à la page 234.)

Si vous prenez des comprimés pour votre chimiothérapie, rappelez-vous les points suivants :

PRENEZ LES MÉDICAMENTS EN SUIVANT EXACTEMENT LA PRESCRIPTION. Avec les agents chimiothérapeutiques oraux, il est très important de ne pas sauter de dose et d'arrêter la médication le jour indiqué. Les doses oubliées ou le prolongement du traitement peuvent altérer l'effet du médicament sur la tumeur et modifier les effets secondaires, en particulier ceux qui touchent la numération globulaire.

LES EFFETS SECONDAIRES SONT GÉNÉRALEMENT RETARDÉS DE QUELQUES HEURES. La plupart des médicaments chimiothérapeutiques administrés oralement produisent leurs effets secondaires (comme la nausée) plusieurs heures après l'ingestion. Préparez-vous en conséquence et ayez des médicaments antinauséeux à portée de la main au besoin.

NE TRANSPORTEZ JAMAIS VOS COMPRIMÉS DANS UN CONTENANT SANS ÉTIQUETTE ET NE LES MÉLANGEZ PAS AVEC D'AUTRES COMPRIMÉS. Certaines personnes aiment avoir une réserve de leurs médicaments pour quelques jours dans un sac en plastique. Ces personnes jouent avec le feu. D'abord, elles pourraient prendre le mauvais comprimé au mauvais moment. Ensuite, si elles tombaient malades (en développant, par exemple, une fièvre parce que leur taux de globules blancs a diminué à cause de la chimiothérapie), les médecins et les infirmières qui les soigneraient ne sauraient pas quels médicaments elles prennent ni qu'elles suivent une chimiothérapie.

Pour les injections et les perfusions intraveineuses, les préoccupations ne sont pas les mêmes. Dans ces situations, il faut surtout se soucier des veines.

Comme vous l'avez peut-être remarqué, les veines du corps ne sont pas toutes pareilles et elles varient beaucoup d'une personne à l'autre. Certains ont de grandes veines visibles à fleur de peau, alors que d'autres ont de petites veines qui passent loin de la surface de la peau et semblent encore moins proéminentes si le bras est gras ou enflé. Les injections intraveineuses et les prises de sang sont plus compliquées pour ces derniers.

De plus, plusieurs médicaments chimiothérapeutiques irritent les parois des veines. Les injections répétées peuvent provoquer le gonflement des parois ou encore le blocage complet de la veine.

Pour toutes ces raisons, les veines de certaines personnes constituent (ou deviennent) un problème pour l'équipe de chimiothérapie. Les injections peuvent devenir inconfortables ou même douloureuses. Si les veines se bloquent à cause des injections répétées, elles pourraient devenir inaccessibles.

Si cela survient, si l'accès aux veines n'est plus possible ou s'avère trop inconfortable, on peut avoir recours à des « veines synthétiques » qui permettront l'administration des médicaments.

Voici une description générale de certains dispositifs d'accès aux veines afin que vous ayez une idée de leur fonctionnement si vous en avez besoin un jour.

Ces dispositifs se divisent en deux catégories principales : avec ou sans réservoir.

Dispositifs avec réservoir (port-a-cath™ et autres types). La mise en place d'un dispositif à réservoir (chambre) est assez simple aujourd'hui. On procède généralement sous anesthésie générale, mais elle pourrait se faire sous anesthésie locale. Le dispositif au complet est implanté sous la peau et rien ne paraît à la surface. Comme le soulignait l'un de mes patients : « Il n'y a rien qui dépasse. »

Un mince cathéter de plastique est inséré dans une veine qui convient, habituellement celle qui passe sous la clavicule. Il est ensuite relié à un réservoir de la taille d'une petite noix, qui est placé sous la peau du thorax, généralement près de la clavicule.

Ce réservoir est recouvert d'une membrane en plastique spéciale dans laquelle on peut pénétrer sans l'endommager avec une aiguille spéciale qui traverse la peau. C'est une *aiguille de Huber*, et aucun autre type d'aiguille ne peut être utilisé avec ce réservoir, car elle endommagerait la membrane. Pour insérer l'aiguille dans le réservoir, il faut appuyer fermement, mais ce n'est pas trop douloureux. Une fois l'aiguille insérée, les liquides, les médicaments et toutes les substances qui doivent être injectées par intraveineuse (du sang, des plaquettes ou des antibiotiques, par exemple) peuvent être facilement administrés. À la fin de l'injection ou de la perfusion, on rince le dispositif avec une petite quantité de solution saline qui contient un anticoagulant (de l'héparine) pour empêcher la coagulation.

Le réservoir du dispositif doit être rincé régulièrement (à toutes les deux semaines environ) et peut rester en place indéfiniment. La plupart des patients qui portent ces dispositifs n'ont pas de problème à s'habiller et peuvent même porter leur maillot de bain. Le réservoir sous-cutané est indétectable à moins de passer la main dessus !

DISPOSITIFS SANS RÉSERVOIR (CATHÉTERS HICKMAN ET DISPOSITIFS SIMILAIRES). Dans certaines situations, le médecin peut recommander l'implantation d'un tube de plastique (cathéter) sans réservoir sous-cutané. Vous aurez alors un petit tube qui émerge de la peau. Ce tube doit être entretenu avec soin pour que des bactéries ne s'y logent pas.

Le type le plus courant est le cathéter Hickman. L'avantage du cathéter Hickman par rapport au dispositif avec réservoir, c'est qu'il est possible d'administrer de plus grandes quantités de liquide et de substances à transfuser rapidement. Donc, votre médecin pourrait vous recommander un cathéter Hickman s'il croit que vous aurez besoin de plusieurs transfusions ou de grandes quantités de liquide à un moment ou à un autre de votre traitement. L'opération pour insérer le dispositif est presque la même que celle qui consiste à implanter un dispositif à réservoir, sauf que vous aurez un bout de tube de plastique qui sort de la peau. Il est habituellement replié sous un pansement en haut de la poitrine.

Il y a beaucoup de soins à apporter à un cathéter Hickman. L'équipe de chimiothérapie vous montrera comment faire si vous désirez participer à son entretien. Certains patients sont heureux de prendre soin eux-mêmes du cathéter, alors que d'autres préfèrent ne pas y toucher et laissent les infirmières s'en occuper. Les deux attitudes sont parfaitement acceptables !

Finalement, en plus des comprimés et des injections intraveineuses, il y a d'autres voies utilisées parfois pour l'administration des médicaments chimiothérapeutiques.

Dans certaines situations (rares et inhabituelles), certains médicaments chimiothérapeutiques peuvent être administrés directement dans une artère qui alimente la région où se trouve la tumeur, par l'insertion d'un cathéter à cet endroit. Cette méthode fait encore l'objet d'études, car on ne sait pas encore si c'est une voie d'administration plus efficace ou non.

D'autres médicaments peuvent être administrés dans une région du corps, comme la cavité abdominale ou thoracique. Par exemple, la bléomycine peut être administrée dans l'une de ces régions s'il y a accumulation de fluide pour contrôler cette dernière.

Dans d'autres circonstances plus rares, certains médicaments sont administrés dans le liquide qui circule à l'intérieur du cerveau et de la moelle épinière (le LCF). C'est ce qu'on appelle l'administration *intrathécale*. On y a recours pour prévenir la propagation des cellules malignes au cerveau et à la moelle épinière dans la leucémie chez les enfants, certains lymphomes et d'autres tumeurs. On l'utilise également pour traiter des cancers secondaires lorsqu'ils sont déjà présents lors du diagnostic.

« À quels effets secondaires dois-je m'attendre ? »

Presque tous les médicaments chimiothérapeutiques (mais pas les traitements hormonaux) causent certains de ces effets secondaires : nausée et vomissements ; baisse de la numération globulaire, qui rend vulnérable aux infections, aux ecchymoses ou à l'anémie ; perte temporaire des poils et des cheveux ; fatigue et épuisement.

Quelques médicaments chimiothérapeutiques, comme la vincristine, n'entraînent pas ces effets secondaires, mais la plupart les provoquent, il vaut donc mieux en savoir le plus possible à ce sujet.

Effets secondaires causés par la plupart des médicaments chimiothérapeutiques

FATIGUE ET ÉPUISEMENT. La plupart des traitements de chimiothérapie occasionnent de la fatigue chez les patients. La plus marquée commence à diminuer considérablement trois ou quatre semaines après la fin de la chimiothérapie, mais cette amélioration se poursuit lentement pendant une longue période. Il est très fréquent de se sentir moins énergique qu'avant le traitement pendant plusieurs mois.

NAUSÉE. Pour des raisons qui sont encore inconnues, la plupart des médicaments chimiothérapeutiques affectent un petit centre du cerveau qui cause la nausée et les vomissements. Cette région s'appelle la *zone de déclenchement des chimiorécepteurs*. On ignore pourquoi presque tous les médicaments chimiothérapeutiques stimulent cette zone puisqu'ils sont différents sous de nombreux aspects. Néanmoins, c'est ce qui se passe, et comme vous pourrez le constater dans le tableau 7, à la page 235, certains médicaments chimiothérapeutiques la stimulent plus que d'autres.

Moment de l'apparition de la nausée

Généralement, la nausée causée par la chimiothérapie ne dépend pas seulement du médicament, elle dépend aussi de la dose, selon par exemple que c'est une injection rapide ou une longue perfusion intraveineuse.

La nausée commence habituellement quelques heures après l'administration des médicaments. On parle habituellement d'un délai de trois à six heures, même si c'est un peu moins pour quelques médicaments. La pire période de nausée dure entre vingt-quatre et quarante-huit heures. En général, la nausée disparaît le deuxième ou le troisième jour, et même avant dans bien des cas. Malgré tout, vous pouvez manquer d'appétit encore un jour ou deux par la suite. Très souvent, la nausée va et vient, sous forme de crises. Vous pourriez vous sentir très bien au milieu de la deuxième journée et voir la nausée revenir dans la soirée.

Nausée d'anticipation

Plusieurs patients s'aperçoivent que la nausée commence plus rapidement après chaque traitement. Cette situation est souvent causée par le *conditionnement*, c'est-à-dire un réflexe acquis où votre comportement est modifié par le stimulus intense du traitement. Vous pourriez associer, par exemple, la simple vue de l'hôpital avec la nausée et commencer à la ressentir dès que l'hôpital est en vue. Vous pourriez même ressentir la nausée à la simple évocation du nom de l'hôpital. Certains de mes patients m'ont dit souffrir de nausée lorsqu'ils passent près de l'arrêt où ils prenaient l'autobus pour se rendre à l'hôpital. Une de mes patientes m'a même avoué avoir eu un haut-le-cœur lorsque je l'ai appelée à l'improviste un an après son traitement. (Mais il faut me croire si je vous dis que la plupart de mes patients n'ont pas de haut-le-cœur quand ils entendent ma voix!)

Ce type de conditionnement s'appelle la *nausée d'anticipation*, et elle est très fréquente. En fait, environ le tiers des patients qui suivent une chimiothérapie peuvent la ressentir. Si cela vous arrive, il faut savoir que c'est très courant. Ce n'est pas un signe que vous perdez la tête. On peut atténuer cette nausée en commençant à prendre des antinauséeux (comme le lorazépam) la veille du traitement.

Bouc émissaire

Certains patients font l'expérience d'une autre forme de conditionnement avec les aliments qu'ils consomment après le traitement. Si vous mangez des raviolis quelques heures après votre traitement, quelques semaines plus tard vous pourriez remarquer que la nausée revient chaque fois que vous mangez des raviolis. Il est donc utile d'éviter de manger vos mets favoris après la chimiothérapie. En fait, certaines recherches ont démontré que l'on peut transférer le réflexe conditionné de nausée sur un aliment « bouc émissaire » en le mangeant tout de suite après la chimiothérapie. Dans l'une des recherches, l'aliment bouc émissaire était le halva, une pâte sucrée faite de pistaches qu'on trouve facilement mais que peu de gens consomment régulièrement. Je recommande ce truc à mes patients, et plusieurs d'entre eux ont réussi à trouver un aliment inhabituel pour apaiser leur faim après la chimiothérapie et éviter ainsi de transférer la nausée conditionnée à leurs mets préférés.

Traitement de la nausée causée par la chimiothérapie

La bonne nouvelle, c'est qu'il y a eu depuis quelques années des percées considérables dans le traitement et le contrôle de la nausée. De nos jours, une très grande proportion de patients, même avec les médicaments chimiothérapeutiques qui provoquent le plus de nausée, ont très peu de crises de vomissement, et plusieurs ne vomissent pas du tout.

Il y a divers médicaments pour atténuer la nausée. Ils peuvent être administrés sous forme de comprimé, d'injection (avec la chimiothérapie ou avant) ou de suppositoire. Les suppositoires sont particulièrement utiles si la nausée est sévère et que vous n'arrivez pas à prendre des comprimés sans les vomir. De plus, le médicament dans le suppositoire est absorbé avec régularité sur une période de quelques heures.

Il y a plusieurs types d'antinauséeux, et les médicaments de divers groupes peuvent être combinés. Un type de médicament particulièrement efficace a fait son entrée sur le marché depuis deux ou trois ans. Ce sont les antagonistes

5HT$_3$, un terme technique qui renvoie à leur fonctionnement. Les plus connus sont l'ondansétron (Zofran) et le granisétron (Kytril). Si la nausée est sévère et que les médicaments habituels sont inefficaces, on peut avoir recours à ces nouveaux médicaments.

Pour des raisons que l'on ignore, ces médicaments sont efficaces pour contrer la nausée associée à la chimiothérapie seulement au cours des deux ou trois premiers jours après le traitement. Il ne sert pas à grand-chose de les prendre par la suite.

Informations supplémentaires sur les médicaments antinauséeux (antiémétiques)

Le tableau 8, à la page 237, présente l'éventail des médicaments destinés à traiter la nausée. Voici quelques conseils à ce sujet:

PREMIÈREMENT, VOUS DEVEZ ABSOLUMENT PRENDRE LA DOSE EXACTE DE MÉDICAMENT. Bien des gens n'en prennent pas assez, soit qu'ils ne prennent pas assez de comprimés, qu'ils ne les prennent pas assez souvent, ou encore les deux.

DEUXIÈMEMENT, SI VOUS AVEZ DE LA DIFFICULTÉ À NE PAS PRENDRE LES COMPRIMÉS, PARLEZ-EN À VOTRE MÉDECIN. Il vaudrait peut-être la peine d'opter pour des suppositoires.

TROISIÈMEMENT, EN GÉNÉRAL, LES NAUSÉES CAUSÉES PAR LA CHIMIOTHÉRAPIE SONT LÉGÈREMENT PLUS SÉVÈRES LE MATIN. Il est souvent utile de conserver vos comprimés antinauséeux sur votre table de chevet afin de les prendre dès votre réveil, avant même de vous lever.

PERTE DES CHEVEUX ET DES POILS (ALOPÉCIE). Comme les médicaments chimiothérapeutiques attaquent les cellules qui se développent et que les cellules à la racine (follicule) de vos cheveux et de vos poils se multiplient constamment, plusieurs médicaments chimiothérapeutiques causent la perte des cheveux et des poils, *mais toujours temporairement*. Vos cheveux et vos poils repousseront lorsque le traitement sera terminé.

Les médicaments ont plus d'effet sur les cheveux que sur les poils des aisselles, du pubis et du reste du corps. Toutefois, certains médicaments, comme le Taxol, peuvent affecter tous les poils, y compris les sourcils.

Le tableau 9, à la page 240, présente les médicaments chimiothérapeutiques selon le degré de probabilité qu'ils causent la perte des cheveux et des poils.

« Quand l'alopécie commence-t-elle ? »

Si les médicaments chimiothérapeutiques qu'on vous administre sont susceptibles de causer la perte des cheveux et des poils, vous commencerez à les perdre environ trois ou quatre semaines après le début du traitement. Généralement, la perte des cheveux s'accélère par la suite. Certains patients perdent tous leurs cheveux en quelques jours. D'autres les perdent graduellement pendant plusieurs semaines. Si vous n'avez pas constaté de perte de cheveux importante après environ trois mois, cela signifie habituellement que vous serez épargné.

Le secret pour mieux vivre ce changement est d'être préparé. Cela veut dire aller voir des perruques avant même le début du traitement. Les infirmières ou d'autres membres de l'équipe soignante peuvent généralement vous conseiller à ce sujet. Il peut être bénéfique de choisir d'avance une perruque, sans nécessairement l'acheter. Vous saurez ainsi qu'elle est là en cas de besoin.

Plusieurs de mes patients qui ont les cheveux longs achètent des perruques à cheveux courts. Ils me disent qu'on les complimente souvent sur leur nouvelle coiffure. La plupart des perruques sont pratiquement indétectables aujourd'hui et ils peuvent arrêter de porter la perruque plus vite lorsque leurs cheveux repoussent.

La repousse des cheveux et des poils commence avant la fin du traitement, soit généralement après trois ou quatre mois. La repousse est suffisante pour que vous cessiez de porter la perruque entre six à neuf mois après le début du traitement. En général, les cheveux qui repoussent sont plus doux et plus frisés, et dans certains cas, plus foncés.

Dans certaines situations, il est possible de réduire la perte de cheveux ou de la prévenir entièrement en refroidissant le cuir chevelu. Pour ce faire, on pose sur la tête un bonnet qui a été réfrigéré. On doit le mettre environ dix minutes avant la chimiothérapie et le conserver sur la tête pendant dix minutes après le traitement. Cette technique fonctionne seulement avec les médicaments qui sont excrétés du sang rapidement tel que l'Adriamycin. Si le médicament reste longtemps dans le sang, comme la cyclophosphamide, alors le refroidissement du cuir chevelu ne servira à rien.

Infections

La chimiothérapie affecte la moelle osseuse. L'effet le plus important et le plus courant de la chimiothérapie est la diminution des globules blancs dans le sang, et par conséquent la capacité à combattre les infections.

Le moment où le risque est le plus grand commence de sept à dix jours après la chimiothérapie. Si le nombre de globules blancs est très bas, il peut rester ainsi jusqu'à trois semaines après ce traitement. Pendant cette période, vous pourriez être particulièrement vulnérable aux infections. Les infections les plus courantes sont celles de la poitrine (toux et expectoration verte) et de la gorge (douleur et difficulté à avaler), mais vous pourriez souffrir d'une infection généralisée accompagnée de frissons importants et de fièvre sans qu'aucune affection ne soit détectable dans la poitrine. Des infections cutanées sont également possibles, telles que des furoncles ou des infections autour de l'anus. Certaines personnes souffrent d'infection urinaire, avec envies fréquentes, douleur au moment d'uriner ou douleur dans la région des reins, près du bas du dos et des côtes.

Il est impératif de prendre votre température si vous vous sentez mal, surtout si vous vous sentez fiévreux ou que vous avez des frissons. Si votre température dépasse 37,5 °C à deux occasions ou dépasse 38 °C une fois, appelez votre médecin. Si vous avez une infection alors que votre numération de globules blancs est faible, votre corps pourrait avoir de la difficulté à la combattre. Il vous faudra peut-être prendre des antibiotiques. Dans certaines circonstances, ils peuvent être pris par voie orale, mais il se peut que vous deviez passer quelques jours à l'hôpital pour qu'on vous administre les antibiotiques par intraveineuse.

Anémie (hémoglobine insuffisante ou trop peu de globules rouges)

Une autre conséquence de l'effet de la chimiothérapie sur la moelle osseuse peut être une diminution des globules rouges ou de l'hémoglobine, ce qui provoque une anémie temporaire. Lorsqu'on souffre d'anémie, on est généralement plus pâle, et on se sent parfois fatigué, faible ou essoufflé. Si ces symptômes sont aigus, votre médecin peut recommander une transfusion sanguine.

Ecchymoses et saignements

Les *plaquettes* sont l'autre élément produit dans la moelle. Leur nombre peut également diminuer lorsque la moelle osseuse est affectée par la chimiothérapie. Si cela se produit, vous pourriez remarquer des petites taches violacées de la grosseur d'une tête d'épingle, comme de minuscules ecchymoses sur la peau, ce qu'elles sont en réalité. Ce sont des *pétéchies*, qui se retrouvent le plus souvent sur les tibias. Vous pourriez également constater des saignements de nez ou aux gencives. Des saignements dans le tube digestif sont également possibles, ce qui peut vous amener à vomir du sang ou une substance qui rappelle le café, ou encore à avoir des selles très noires. Vous pourriez également avoir de gros bleus sur la peau. Si vous constatez l'un de ces problèmes, mentionnez-le à votre médecin, qui voudra peut-être faire la numération de vos plaquettes. Si leur quantité est insuffisante, il pourrait recommander une transfusion.

Précautions à prendre contre les infections

Pendant votre chimiothérapie, si vous suivez ces recommandations pratiques, vous diminuerez le risque de contracter une infection.

Veillez surtout à vous *laver les mains* après avoir serré la main d'une personne, être allé aux toilettes et avoir touché des surfaces planes ou des poignées de porte. Pendant la chimiothérapie, ne touchez *jamais* votre bouche, votre nez ou vos yeux, et évitez de manger avec vos doigts tant que vous ne vous êtes pas *lavé les mains*.

Évitez de passer du temps avec des personnes qui ont visiblement le rhume, la grippe ou une autre infection.

Ne subissez aucun traitement chez le dentiste avant d'en avoir parlé à votre oncologue, qui fera une analyse sanguine pour vérifier s'il est prudent de le faire.

Si l'on vous prescrit des antibiotiques prophylactiques, observez rigoureusement la prescription.

Problèmes liés à l'appétit et au goût

L'appétit comme le goût peuvent être affectés par la chimiothérapie, parfois de façon marquée. Vous pouvez avoir un faible appétit pendant des semaines, voire des mois, et le goût des aliments peut sembler bizarre. Souvent, les patients parlent d'un goût métallique. Ce sont des symptômes éprouvants. Il vaut la peine d'essayer de manger les aliments que vous préférez et de grignoter, soit de manger peu, mais plus fréquemment. Si vous continuez à perdre du poids parce que vous ne mangez pas suffisamment, vous pouvez ajouter des suppléments à haute teneur en protéines et en glucides à votre régime. Ils sont généralement vendus sous forme de liquide ou de pouding ; une diététiste peut vous aider à faire un choix. Plusieurs mélanges de « petits-déjeuners ins-tantanés » qu'on retrouve dans les supermarchés fonctionnent également. Si la situation ne s'améliore pas, votre médecin peut vous prescrire certains médicaments, comme le Provera, qui peuvent stimuler l'appétit.

« Est-ce qu'une diète particulière pourrait m'aider ? »

J'ai inclus cette question, car les patients me la posent souvent. On entend tellement de choses sur l'alimentation et sur le fait que les personnes qui souffrent de carences alimentaires graves (généralement ailleurs dans le monde) peuvent souffrir d'anémie, qu'il serait logique de penser qu'en accordant plus de soin à notre alimentation, les effets de la chimiothérapie s'atténueraient. Pourtant, ce n'est pas le cas.

En fait, si votre alimentation était équilibrée et normale avant la chimiothé-rapie, vous n'avez rien de plus à faire pendant le traitement. L'ampleur de l'effet de la chimiothérapie sur votre moelle osseuse dépend en partie de la manière dont votre corps supporte et excrète les médicaments, et en partie de la sensibilité de votre moelle osseuse aux médicaments (qui elle dépend de facteurs comme l'âge, les doses de chimiothérapie reçues auparavant, etc.). Ainsi, si votre moelle osseuse est particulièrement vulnérable à la chi-miothérapie, il ne faut pas croire que c'est votre faute ou qu'il y a quelque chose que vous puissiez faire (ou manger) pour améliorer la situation.

Effets secondaires qui surviennent seulement avec certains médicaments chimiothérapeutiques

En plus des effets secondaires mentionnés ci-dessus, quelques autres sont assez courants. J'ai décrit la plupart d'entre eux dans le tableau 10, à la page 240. Il ne s'agit pas ici de vous alarmer, mais de vous informer sur ce qui peut vous arriver pour que vous ne paniquiez pas si cela se produit. La plu-part de ces effets se résorbent d'eux-mêmes.

Traitement à forte dose avec greffe de moelle osseuse, transplantation autologue de moelle osseuse ou greffe de cellules souches

Pour quelques cancers, on peut parvenir à de meilleurs résultats en adminis-trant de très fortes doses de chimiothérapie — des doses qui normalement vous tueraient en détruisant votre moelle osseuse — et en vous « sauvant » par une greffe de moelle osseuse ou de cellules de votre sang qui auraient été prélevées et préservées avant que la chimiothérapie ne débute. Les *traitements à forte dose* accompagnés d'une greffe de cellules souches ou de moelle osseuse ont fait la preuve de leur efficacité pour traiter un petit nombre de cancers, dont les lymphomes, les leucémies, les récurrences de la maladie de Hodgkin et de quelques autres.

Lorsqu'on traite ces types de cancer, l'un des principaux problèmes est que les médicaments affectent les tissus sains du patient. Ainsi, la quantité de médicaments que l'on peut administrer est souvent limitée en raison des dommages qu'ils peuvent causer à certaines parties du corps. Le tissu ou l'organe le plus affecté par le médicament chimiothérapeutique est appelé *organe limitant la dose*, et avec la majorité des médicaments chimiothérapeutiques, c'est la moelle osseuse. Depuis une vingtaine d'années, on a imaginé des moyens de donner de plus fortes doses de chimiothérapie. Plusieurs de ces techniques se sont révélées très efficaces pour certains cancers comme les leucémies, certains lymphomes et certains cas de la maladie de Hodgkin, comme je l'ai mentionné. Mais jusqu'à maintenant, elles n'ont pas encore pu être mises à contribution pour les cancers les plus courants, comme ceux du poumon, du sein, de l'ovaire ou de l'intestin.

Il existe trois interventions de base pour le traitement à forte dose.

PREMIÈREMENT, LA GREFFE DE MOELLE OSSEUSE est utilisée lorsque le cancer primitif se trouve dans la moelle osseuse. En pratique, cela comprend la leucémie et des affections similaires. Il faut alors trouver un parent, ou une personne sur un registre de donneurs, dont la moelle osseuse est génétiquement très similaire à celle du patient. Une portion (moins de 10 pour cent) de la moelle osseuse du donneur est extraite. Sous anesthésie générale, on prélève de nombreux échantillons de la moelle dans le bassin du donneur.

Ensuite, on administre au patient atteint du cancer une chimiothérapie à forte dose, avec ou sans radiothérapie. La dose du traitement est très élevée, car on veut tuer toutes les cellules cancéreuses. Bien sûr, cela tuerait aussi le patient s'il n'était pas *sauvé* (c'est le terme médical) par la moelle du donneur.

Lorsque le médicament chimiothérapeutique a été excrété par le patient, on lui injecte la moelle du donneur par transfusion dans une veine. Après une période qui varie de plusieurs jours à quelques semaines, c'est la *prise du greffon*, le terme médical pour dire que la moelle s'implante et commence à produire des globules rouges, des globules blancs et des plaquettes pour le patient. Le patient devra prendre des médicaments pendant une longue période (parfois indéfiniment) pour empêcher que la nouvelle moelle rejette le patient. C'est ce qu'on appelle la *réaction du greffon contre l'hôte* (GVH). Vous avez sûrement déjà entendu parler d'un corps qui rejetait un tissu étranger, mais dans ce cas, le rejet provient de la moelle. Cette forme de traitement est devenue la norme pour certains types de leucémie (en particulier la leucémie myéloïde aiguë) et certains lymphomes, si on trouve un donneur qui convient.

DEUXIÈMEMENT, LA TRANSPLANTATION AUTOLOGUE DE MOELLE OSSEUSE, qu'on appelle parfois *traitement à forte dose avec sauvetage par greffe de moelle osseuse.* Cette intervention est très similaire à la précédente, sauf que le patient est le donneur. L'échantillon de moelle osseuse est prélevé sur le patient, puis congelé. Le patient subit ensuite un traitement à forte dose quelconque, et lorsque les médicaments ont été excrétés de son organisme, on lui redonne sa moelle par intraveineuse. Cette technique a fait ses preuves pour certains types de lymphome et pour la maladie de Hodgkin, ainsi que pour un ou deux autres cancers. Jusqu'à maintenant cependant, lorsque le cancer se développe dans le sein, le poumon, l'ovaire et quelques autres sièges qui ont été étudiés, le traitement à forte dose ne tue pas toutes les cellules cancéreuses.

TROISIÈMEMENT, LA GREFFE DE CELLULES SOUCHES. Il y a quelques années, on a découvert qu'en plus des cellules de la moelle osseuse, certains types de cellules sanguines donnaient le même résultat. La greffe de cellules souches demande de prélever certains types de globules blancs dans le sang du patient après lui avoir donné une médication pour faire augmenter le nombre de ces cellules. C'est ce qu'on appelle une *aphérèse*, et elle se déroule généralement avec deux lignes intraveineuses. Le sang sort d'une ligne et se rend dans une centrifugeuse, un appareil qui sépare les cellules désirées. Le reste du sang retourne dans le corps du patient par l'autre ligne. Ce type de traitement n'est pas offert partout, mais il peut être efficace.

«Qu'en est-il des effets à long terme?»

STÉRILITÉ : comme la radiothérapie, plusieurs formes de chimiothérapie peuvent entraîner la stérilité autant chez les hommes que chez les femmes, ce qui signifie que le patient deviendra stérile et ne pourra pas concevoir d'enfant.

Dans quelques situations, on peut prendre certaines mesures pour prévenir la stérilité ou contourner le problème, en ayant recours à une banque de sperme par exemple. Toutefois, ce n'est pas toujours possible. Dans certains cas, la stérilité peut être un effet de la maladie elle-même et être apparue avant le début du traitement.

TUMEURS MALIGNES ULTÉRIEURES : avec certaines formes de chimiothérapie, et avec certains cancers, il y a un risque plus grand de développer un deuxième type de cancer.

Généralement, cela se produit plus souvent lorsque le cancer initial était un lymphome, mais cela peut survenir à l'occasion avec d'autres types de cancer, comme le cancer du sein. C'est un effet à long terme sérieux, bien sûr, mais heureusement très rare.

Les agents biologiques

La thérapie biologique en est encore à ses balbutiements. Elle se développe depuis une vingtaine d'années, et l'on s'attend à ce que la prochaine décennie voie naître une série d'armes puissantes contre les cellules cancéreuses, autant pour le traitement du cancer que pour sa prévention.

« Comment les agents biologiques fonctionnent-ils ? »

Les agents biologiques, qu'on appelait *modificateurs de la réponse biologique* à l'origine, sont des substances complexes et spécifiques qui imitent l'action de déclencheurs chimiques utilisés par les cellules cancéreuses pour se développer ou se multiplier, s'approvisionner en sang et accomplir plusieurs autres fonctions vitales, ou encore qui interfèrent avec ces actions.

En fait, les agents biologiques sont des « bombes intelligentes » qui ciblent des mécanismes de contrôle précis dans les cellules cancéreuses (ou à leur surface) dans le but de détruire leur capacité à se développer sans entrave. En ciblant spécifiquement les mécanismes de contrôle des cellules cancéreuses, ils n'interfèrent pas (ou très peu) avec les processus de croissance et de multiplication des cellules normales. Ainsi, leurs effets secondaires sont habituellement moins importants.

Ils modifient la manière dont le corps réagit aux cellules cancéreuses : ils modifient « l'atmosphère » biologique à l'intérieur du corps et/ou modifient la manière dont les défenses du corps s'attaquent aux cellules cancéreuses, altérant ainsi leur capacité à se développer et même à survivre. Autrement dit, les agents biologiques n'attaquent pas toutes les cellules en croissance, comme le font les agents chimiothérapeutiques. Ils affectent plutôt des aspects et des facteurs spécifiques qui soutiennent le développement de certains cancers. Quand ces aspects ou ces facteurs sont éliminés, bloqués ou altérés, les cellules cancéreuses ont beaucoup de difficulté à s'implanter, et elles peuvent mourir ou simplement voir leur développement contrecarré.

Ce domaine de recherche est nouveau et d'une importance capitale. Les premières formes de traitement étudiées dans cette optique ont été celles où on modifiait le taux d'hormones dans le corps. Par définition, les premiers traitements d'hormonothérapie étaient en fait les précurseurs de la thérapie biologique.

C'est pour cette raison que j'en fais une brève description ici, de manière à ce que vous compreniez les principes fondamentaux à l'œuvre et la manière dont la thérapie biologique diffère de la chimiothérapie, bien que les deux types de traitements soient souvent associés.

L'hormonothérapie : Les premières formes de thérapie biologique

Certains cancers dépendent d'hormones précises présentes dans l'organisme. On peut presque dire qu'ils sont nourris par ces hormones. Ces cancers sont souvent dits *hormonodépendants* ou *hormonosensibles*.

On sait depuis quelques décennies que pour plusieurs de ces cancers, une modification du taux d'hormones peut favoriser la réduction du cancer, de manière souvent très importante. C'est vrai pour certains cancers de la prostate et du sein.

Une grande proportion des cancers de la prostate dépendent de l'hormone mâle testostérone pour se développer. Lorsque la réserve de testostérone disparaît (comme lorsqu'il y a castration) ou que la production de testostérone est affectée par des médicaments (comme des œstrogènes auparavant, et plus tard avec des perturbateurs endocriniens comme le cyprotérone ou le fluanxol), les cancers ont tendance à diminuer.

Pour le cancer du sein, la situation est similaire. Plusieurs cancers du sein — un peu plus que la moitié, en fait — sont hormonosensibles. On peut faire un test sur les cellules prélevées lors de la biopsie pour vérifier si elles présentent ou non des récepteurs d'hormones. Si c'est le cas, alors il y a de bonnes chances que le cancer réagisse à l'hormonothérapie. Lorsque ces cancers sont privés d'une hormone — dans ce cas l'œstrogène — ou qu'on les empêche de l'utiliser, il y a de bonnes chances qu'ils cessent de se développer ou qu'ils régressent.

L'environnement hormonal peut être modifié par l'ablation des ovaires ou en agissant sur la production d'œstrogène (comme le font les agents inhibiteurs d'une enzyme appelée *aromatase*) ou sur sa capacité à se lier aux cellules cancéreuses (avec le tamoxifène et d'autres médicaments similaires).

C'est l'une des caractéristiques les plus notables de l'hormonothérapie. Son mécanisme d'action modifie le climat hormonal interne pour rendre la croissance et la multiplication des cellules cancéreuses difficiles. Ainsi, l'hormonothérapie qui comprend des médicaments très connus comme le tamoxifène, *n'attaque pas toutes les cellules en croissance.*

C'est la différence fondamentale entre les agents chimiothérapeutiques, qui ne font aucune discrimination lorsqu'ils causent des dommages aux cellules qui se développent (bien que la plupart d'entre eux aient été sélectionnés pour faire plus de dommages aux cellules cancéreuses qu'aux cellules saines), et les agents hormonaux qui agissent spécifiquement sur un élément dont les cellules cancéreuses ont besoin pour prospérer.

C'est le principe de fonctionnement des agents hormonaux. Ce même principe se retrouve dans tous les traitements à base de modificateurs de la réponse biologique — qu'on appelle maintenant *agents biologiques* —, qui poussent cette idée beaucoup plus loin.

La thérapie biologique (agents biologiques) pour traiter le cancer

Depuis environ cinquante ans, les chercheurs dans le domaine se penchent sur les éléments dont les cellules ont besoin pour s'implanter et se propager.

Des pas de géant ont été accomplis dans ce sens (même s'il y a encore bien du chemin à faire), et on connaît maintenant *certains* des éléments dont certains cancers dépendent pour se développer. Donc, en toute logique, si on peut s'attaquer à ces éléments, alors on empêchera le cancer de se développer, exactement comme la force aérienne d'une armée peut s'attaquer à l'ennemi en bombardant ses axes de ravitaillement et ses réserves de carburant.

La recherche sur les agents biologiques se fait en deux étapes :

PREMIÈREMENT, on doit identifier un élément dont dépendent les cellules cancéreuses, soit une *cible moléculaire* ;

DEUXIÈMEMENT, on doit produire un agent spécifique (une bombe intelligente, si on reste dans l'analogie guerrière) qui s'attaque à la capacité de la cellule à utiliser efficacement la cible moléculaire.

Des chercheurs sont sur la piste de telles bombes intelligentes depuis des décennies, et, dès la fin des années 1970, ils ont commencé à produire des anticorps spécifiques qui reconnaissent certaines cibles moléculaires (appelées antigènes) sur la surface des cellules cancéreuses et s'y lient. Ils espéraient trouver ensuite un grand nombre de ces cibles à la surface des cellules cancéreuses, préférablement sur toutes les cellules cancéreuses et sur aucune cellule normale.

Au début des années 1970, des techniques ont été mises au point pour que les scientifiques puissent concevoir des anticorps de protéine uniques et purs (les *anticorps monoclonaux*) qui se lient à des antigènes spécifiques.

Les anticorps monoclonaux sont des anticorps purs et uniques produits en laboratoire pour réagir à une seule cible (contrairement à l'action naturelle de l'organisme qui produit des douzaines d'anticorps pour combattre les virus comme la grippe, par exemple). Lorsqu'ils ont été inventés, on avait espoir qu'ils deviennent de véritables armes magiques, capables de transporter des poisons ou des isotopes radioactifs directement sur les cellules cancéreuses ciblées en évitant les cellules normales.

Ces recherches révolutionnaires ont amené le développement de bombes biologiques intelligentes qui ont d'abord été utilisées pour se lier à des antigènes qu'on retrouvait à la surface de certains types de lymphome.

De plus, ces anticorps monoclonaux pourraient être armés d'une sorte de queue — constituée d'un isotope radioactif, d'un poison ou d'un médicament chimiothérapeutique —, ce qui permettrait de traiter exclusivement les cellules cancéreuses en protégeant les cellules saines.

Les premiers succès ont fait naître l'espoir que tous les cancers puissent avoir des antigènes qui pourraient être traités de la sorte. Ce n'est pas ce qui est arrivé, mais cette idée a ouvert la voie à de nouvelles avenues de recherche où l'on fait actuellement de grandes percées.

La génération actuelle de cibles moléculaires

Ce qui se déroule depuis une décennie dans le domaine de la thérapie biologique est à la fois excitant et prometteur.

Les chercheurs se sont donnés pour objectif d'identifier des types particuliers de cibles moléculaires à la surface des cellules cancéreuses non seulement par leur présence — par rapport à leur absence sur les cellules normales —, mais aussi selon leur fonction. On cherche des molécules dont les cellules cancéreuses dépendent et se servent, mais pas les cellules saines. Autrement dit, les chercheurs tentent de découvrir des molécules sur les cellules cancéreuses qui *font quelque chose* pour le cancer. Si vous me permettez une analogie sommaire, c'est comme si on tentait d'arrêter des terroristes au milieu d'une foule en analysant leurs vêtements. Si, par exemple, on arrête tous ceux qui portent un béret noir, on trouve beaucoup de terroristes, mais également de nombreux passants inoffensifs. De plus, plusieurs terroristes échappent à l'arrestation. Par contre, si on arrête tous ceux qui portent des munitions à leur ceinture, on évitera (probablement!) tous les civils, car c'est quelque chose que seul un terroriste porterait dans la foule.

C'est ce qui se passe avec les cellules cancéreuses. Jusqu'aux années 1980, les chercheurs n'arrivaient qu'à identifier les « vêtements ». Depuis deux décennies, on a découvert des molécules qui ont une *fonction* dans le développement du cancer (comme les munitions de l'analogie). *Ces découvertes* ont ouvert un vaste champ à explorer.

Par exemple, on a découvert très tôt que certains cancers ont une espèce « d'interrupteur » grâce auquel ils peuvent être stimulés et activés. Cet interrupteur est allumé par une hormone appelée *facteur de croissance de l'épiderme* (EGF). Lorsqu'un cancer présente des récepteurs de l'EGF, il s'avère généralement plus agressif que la moyenne.

On a par la suite développé des anticorps monoclonaux spécifiques qui se lient au récepteur EGF et le bloquent de manière à ce que les cellules cancéreuses ne puissent plus être activées par l'EGF. (Un peu comme un cambrioleur ingénieux qui aurait été en mesure de fabriquer une clé qui fonctionne dans une serrure, mais qui l'aurait brisée dans la serrure, empêchant ainsi l'ouverture de la porte.)

Cette séquence d'événements prouve que ce type de recherche très précise fonctionne. D'abord, les chercheurs ont identifié la cible moléculaire sur les cancers du sein les plus agressifs. La cible a été nommée *her2/neu*. On a découvert par la suite que c'était l'interrupteur qui activait l'EGF. Ensuite, un anticorps a été produit — grâce, entre autres, aux recherches poussées et brillantes du groupe du docteur Dennis Slamon — qu'on a appelé *trastuzumab*. (Ces noms sont difficiles à prononcer, mais on peut se rappeler que lorsqu'ils se terminent par *–mab*, cela signifie habituellement que ce sont des anticorps monoclonaux. Comme le trastuzumab se lie à la molécule (le récepteur) her2/neu, il a été commercialisé sous le nom *d'Herceptine*.)

L'histoire de l'Herceptine illustre brillamment comment des découvertes consécutives ont mené à un médicament utilisé aujourd'hui pour le traitement d'un type particulier de cancer (le cancer du sein, dans ce cas). On parle parfois de l'Herceptine comme de la vedette des agents biologiques, ce qui n'est pas faux.

Ce qu'il faut retenir des agents biologiques, c'est qu'ils sont spécifiques et sélectifs. Ils attaquent des sites moléculaires particuliers (un type de serrure, si on poursuit l'analogie), alors que les agents chimiothérapeutiques s'attaquent à toutes les cellules en développement. Si on veut, la thérapie biologique est une espèce d'arme magique qui atteint seulement les « méchants » et a peu ou pas d'effets sur les « bons ».

Autres agents biologiques

Les *interférons* sont des agents biologiques produits par le système immunitaire lorsqu'il combat une infection aiguë (comme la grippe). Les premières études ont démontré que les interférons sont actifs dans la lutte contre plusieurs types de cellules cancéreuses. Des études cliniques effectuées sur plusieurs années ont démontré que les interférons peuvent être utiles, mais seulement pour certains types de cancer. C'est dans le traitement du sarcome de Kaposi qu'ils sont les plus efficaces. On s'en servait auparavant dans le traitement de la leucémie à tricholeucocytes, mais ils ont été remplacés par un médicament plus efficace.

Les *interleukines* sont un groupe de substances produites par les cellules du corps qui agissent comme des signaux entre les cellules. On ne comprend pas encore toutes les fonctions des interleukines, mais l'une d'entre elles est d'activer ou « d'armer » certains types de cellules dans le système immunitaire. À l'origine, on espérait qu'en injectant une grande quantité de certaines interleukines — les interleukines 2 ou IL-2 —, des cellules spécifiques du système immunitaire seraient en mesure d'anéantir le cancer. Les premiers résultats suscitèrent de grands espoirs. On peut dire que le traitement était plutôt désagréable et un peu dangereux, mais il y a eu des résultats incontestables.

Plus tard, on a obtenu de meilleurs résultats en isolant ces cellules immunitaires du sang pour les traiter directement avec la IL-2 en laboratoire. Ces cellules ont été baptisées *cellules tueuses activées par les lymphokines* ou *cellules lak*. D'autres études ont démontré que l'action des IL-2 ou des cellules lak est plus vigoureuse et plus efficace pour le cancer du rein (hypernéphrome) et le mélanome.

Les chercheurs ont toujours été mystifiés par le fait qu'un cancer pouvait envahir un ganglion lymphatique, et qu'à l'intérieur de ce ganglion, les cellules cancéreuses et les lymphocytes puissent apparemment vivre paisiblement côte à côte. Ils ont donc isolé des lymphocytes des zones cancéreuses et ont montré qu'une fois isolés, ces lymphocytes déployaient une certaine activité contre les cellules cancéreuses. On présume que cette activité anticancéreuse n'est pas suffisante pour arrêter le cancer, ou que peut-être les cellules cancéreuses produisent quelque chose qui neutralise ou paralyse l'activité naturelle de ces lymphocytes. L'utilisation de cellules isolées d'une tumeur — appelées *lymphocytes qui infiltrent la tumeur* (TIL) — a été étudiée, et bien que ce soit intéressant, il est probable que ces cellules TIL ne jouent pas un rôle majeur dans le traitement de la plupart des cancers.

Il y a plusieurs autres substances produites par le corps en réaction à certaines affections — dont le cancer — qui pourraient être utilisées comme traitement. À titre d'exemple, il existe une substance appelée *facteur de nécrose tumorale* (TNF), qui s'est avérée prometteuse dans le traitement du cancer des ovaires lorsque celui-ci s'est propagé dans l'abdomen. Des recherches et des études cliniques sont en cours sur plusieurs substances similaires, et certaines d'entre elles pourraient un beau jour jouer un rôle de premier plan dans le traitement du cancer.

La thérapie biologique adjuvante à d'autres types de traitements du cancer

Certains agents biologiques sont utiles pour stimuler la croissance de cellules normales (particulièrement celles de la moelle osseuse) lorsqu'elles sont attaquées par la chimiothérapie. Par exemple, les *facteurs de stimulation des colonies* (FSC) sont des substances produites dans la moelle osseuse qui stimulent la moelle en augmentant la production de ses cellules, autant en quantité qu'en vitesse. Lorsque la moelle a été gravement affectée par la chimiothérapie — et que le patient a des infections qui menacent sa vie ou encore de l'anémie ou des saignements graves —, les FSC peuvent accélérer son rétablissement. Les FSC ont diverses appellations, telles que G-CSF et GM-CSF (Neupogen est un nom commercial), selon le type de cellules qu'ils stimulent dans la moelle. Celui qui stimule les globules rouges se nomme *érythropoïétine* ou EPO.

Grâce aux percées remarquables en matière de techniques, les FSC peuvent maintenant être produits en grandes quantités. Lorsqu'on les utilise avec la chimiothérapie, ils permettent de réduire la période où la numération des globules blancs est très basse. Cependant, on y a recours seulement lorsque les conséquences de l'aplasie médullaire (diminution des composants du sang) sont graves (en cas d'infections qui menacent la vie, par exemple) et qu'il est clair que la chimiothérapie aura des résultats majeurs (tels que la guérison ou une rémission prolongée). On ne les utilise donc pas de manière routinière dans tous les cas où la chimiothérapie a provoqué une réduction du nombre de globules blancs, de globules rouges ou de plaquettes. (Le tableau 11, à la page 242, présente quelques agents biologiques de la génération actuelle.)

« Qu'est-ce qu'un essai clinique ? Devrais-je y participer ? »

Cette section de la deuxième partie traite des essais cliniques : de leur importance, de leur contribution aux percées dans le traitement du cancer et dans la qualité des soins, ainsi que des raisons pour lesquelles vous devriez songer sérieusement à y participer.

Comme l'une de mes patientes me l'a fait remarquer candidement : « Le moins que l'on puisse dire, docteur, c'est que le traitement de la plupart des cancers aujourd'hui laisse beaucoup à désirer. » Elle a tout à fait raison.

Environ la moitié des patients qui recevront un diagnostic de cancer cette année guériront. Pour ceux-là, la plupart des guérisons se produiront grâce à la chirurgie, associée à la radiothérapie et à la chimiothérapie pour certains. Pour un petit nombre de cancers, la guérison résultera plus vraisemblablement de la chimiothérapie.

On peut dire, même si c'est une généralisation, que dans ces cas-là, le traitement est globalement satisfaisant. Mais la recherche se poursuit avec intensité pour rendre les traitements plus efficaces et atténuer les effets secondaires autant que possible.

Dans la plupart des autres cas, le monde médical cherche encore la meilleure méthode de traitement. Donc, lorsque la guérison est possible, nous tentons d'améliorer le traitement et de réduire ses effets secondaires, et lorsque la guérison n'est pas possible, nous tentons d'élaborer un traitement efficace. Cela signifie qu'il faut effectuer des recherches poussées, et le système pour ce faire consiste en des *essais cliniques*.

Habituellement, dans le traitement du cancer, il faut procéder à une comparaison minutieuse et consciencieuse d'un traitement, que l'on croit meilleur, avec le traitement classique. C'est ce que l'on fait lors des essais cliniques.

Pour éliminer tout parti pris qui pourrait venir d'un médecin (qui peut croire qu'il connaît déjà la réponse) ou d'un patient, les participants à un essai sont choisis par un processus de randomisation. Cela signifie que c'est un ordinateur dans un bureau quelconque qui décide au hasard si vous recevrez le traitement classique ou le nouveau traitement. Cela peut paraître impersonnel, mais c'est la seule manière de s'assurer que les résultats seront valides. Imaginons ce qui se produirait si un médecin était convaincu que le traitement X est meilleur que le traitement Y. Il pourrait alors administrer le traitement X à tous les patients qui ont un meilleur pronostic (les plus jeunes patients qui ont de plus petites tumeurs) et le traitement Y aux patients plus vieux et plus malades. L'essai pourrait alors démontrer que les patients ayant reçu le traitement X se portent beaucoup mieux que les autres. Toutefois, ce ne serait pas dû au traitement, mais à la manière dont les patients ont été sélectionnés pour chacun des traitements. Donc, la randomisation — un pile ou face informatisé, en fait — est le seul moyen de s'assurer que l'essai produira des résultats crédibles.

De plus, si au cours de l'essai un traitement s'avère meilleur que l'autre de manière spectaculaire, alors on interrompra l'essai clinique et tous les patients recevront le meilleur traitement. Pour que cela survienne, il faut que les résultats soient très impressionnants. (Cette situation est arrivée récemment avec l'ajout du médicament Herceptine à la chimiothérapie comme traitement adjuvant après une chirurgie pour le cancer du sein.) Ce qu'il faut comprendre, c'est que vous ne passeriez pas à côté d'un miracle s'il en survenait un.

Vous vous dites peut-être : « Si mon médecin ne sait pas quel est le meilleur traitement, il n'est sûrement pas très compétent. » En fait, c'est exactement l'opposé : les centres médicaux où l'on conduit des essais cliniques obtiennent de meilleurs résultats que la moyenne, même pour les patients qui ne participent pas à ces essais. Autrement dit, les médecins qui font de la recherche active pour le traitement du cancer soignent généralement mieux les patients que ceux qui n'en font pas. Plusieurs études ont démontré que les centres où l'on conduit des essais cliniques offrent un meilleur niveau de soins que les centres où l'on n'en conduit pas. On présume que les exigences de l'organisation et de la bonne marche des essais les obligent à conserver un niveau de qualité de soins supérieur, ce qui produit un effet d'entraînement dont bénéficient tous les patients, qu'ils participent ou non aux essais cliniques.

Finalement, tous les essais cliniques doivent être examinés et approuvés par les comités de déontologie des hôpitaux et des cliniques. Cela signifie qu'il est impossible que vous soyez traité de façon malhonnête ou contraire à l'éthique, ou que vous soyez le sujet d'un traitement inéquitable ou préjudiciable. On vous fera signer un formulaire de consentement détaillé (qui aura été approuvé au préalable par le comité de déontologie) et vous en conserverez une copie. Si pour une raison ou une autre, vous ne pouvez plus tolérer le traitement ou si vous désirez vous retirer de l'essai clinique, vous avez le droit de partir. Évidemment, votre médecin espère que vous ne le ferez pas, mais si vous le voulez, vous le pouvez. La relation avec votre médecin et les soins que vous recevrez n'en souffriront pas.

Il vaut vraiment la peine d'envisager de participer à un essai clinique, car les essais cliniques sont le seul moyen dont on dispose pour faire avancer nos connaissances.

C'est grâce aux essais cliniques que nous avons appris les bienfaits du traitement adjuvant pour le cancer du sein, que nous avons déterminé le meilleur traitement pour la leucémie chez les enfants et que nous avons réalisé que la greffe de moelle osseuse était efficace pour la leucémie chez les adultes.

L'importance des essais cliniques est indéniable. Néanmoins, il faut admettre que c'est un sujet délicat, pour le médecin comme pour le patient. Le médecin doit convenir des limites du savoir actuel, et votre famille ou vous-même pouvez penser que ce que dit réellement le médecin, c'est : « Je ne sais pas quoi faire. » Un essai clinique n'est pas un aveu de votre médecin de son incapacité à déterminer le meilleur traitement, c'est le milieu médical qui admet qu'il ne sait pas lequel des traitements que l'on compare est le meilleur. On avoue ne pas connaître les réponses, et on vous demande votre aide pour les trouver.

Au départ, plusieurs participants à des essais cliniques se sentent comme des cobayes. Dans une certaine mesure, c'est vrai. Mais tant que nous n'aurons pas trouvé un traitement convenable pour chaque cancer, chaque patient sera un cobaye. Par les essais cliniques, on obtient un savoir solide et crédible. Les essais cliniques demandent beaucoup de travail (de la part de l'équipe médicale) et un certain degré de coopération de la part du patient. Toutefois, ils restent le seul moyen de faire de véritables progrès dans la lutte contre le cancer.

La communication avec l'équipe médicale

L'une de mes patientes a bien résumé la situation, sur un ton philosophique : « Ce n'est pas facile d'être un patient. On n'a aucune formation. On ne sait pas qui sont ces gens ou ce qu'ils font. Et on ne sait pas trop ce qu'ils attendent de nous. »

Elle a tout à fait raison.

Lorsque vous êtes atteint d'un cancer, vous êtes plongé dans une situation inconnue, à l'intérieur d'un système complexe et parfois inintelligible, géré par des personnes que vous ne connaissez pas encore. En plus, vous ne savez pas trop ce que vous devez faire ou ce qu'il est normal de ressentir. Tout ça est déjà suffisant, mais il faut encore ajouter que vous êtes évidemment inquiet de ce qui vous arrive et de ce que l'avenir vous réserve, tout en ayant peut-être des symptômes physiques. Il n'est pas étonnant que vous vous sentiez dépassé.

À l'occasion, vous pouvez également vous sentir irrité, surtout si vous devez répéter votre histoire encore et encore.

Dans cette section, je présente des conseils simples pour vous aider à mieux connaître les divers membres de votre équipe soignante ainsi que leurs fonctions. Ensuite, j'expose des manières d'aborder quelques situations courantes : la description des symptômes, les demandes d'information et la sollicitation d'un deuxième avis.

Apprendre à connaître les membres de l'équipe soignante

Dans un monde idéal, tous les membres de votre équipe soignante se présenteraient et vous expliqueraient ce qu'ils font.

Malheureusement, notre monde est loin d'être idéal et les hôpitaux sont remplis de spécialistes qui manquent de temps. Comment alors déterminer qui est qui et qui fait quoi ?

« Qui êtes-vous et que faites-vous ? »

Le nombre de professionnels différents que vous rencontrerez dépend des examens et des traitements qui vous seront recommandés, ainsi que des services offerts au centre d'oncologie où l'on vous soigne.

Rappelez-vous ces deux principes de base :

D'abord, vous avez le droit de demander à quelqu'un qu'il répète son nom si vous n'avez pas bien compris !

Ensuite, vous avez le droit de demander avec qui cette personne travaille ! Il vaut la peine d'essayer de la reconnaître et de demander qu'on confirme, en disant par exemple : « Excusez-moi, je ne suis plus certain, travaillez-vous avec le docteur Jean ou faites-vous partie de l'équipe du docteur Saint-Jacques ? »

C'est une façon plus sympathique de le demander que de simplement dire « Qui êtes-vous et que faites-vous ? », surtout si la personne ne s'attend pas à ces questions.

Voici une liste simplifiée des professionnels que vous pourriez rencontrer. Je mentionne pour chacun d'entre eux quelques aspects de leur rôle auxquels vous n'avez peut-être pas songé.

MÉDECIN DE FAMILLE (OMNIPRATICIEN). Avec tous les spécialistes que vous allez rencontrer, il est facile de minimiser l'importance de votre médecin de famille. Pourtant, il est essentiel d'en avoir un et qu'il soit connu de tous les médecins du centre oncologique ; ainsi pourront-ils lui faire parvenir des copies de votre dossier et votre médecin être informé de ce qui se passe. Si vous n'avez pas de médecin de famille, il est temps de vous en trouver un !

CHIRURGIEN GÉNÉRALISTE. La plupart des cancers sont diagnostiqués à la suite d'une biopsie par un chirurgien généraliste. Il importe de savoir ce qui arrivera par la suite et quel sera le spécialiste qui prendra la relève. Notez bien le nom de la personne à qui l'on vous adresse (si c'est ce qui arrive) ainsi que sa spécialité.

ONCOLOGUE. Les oncologues sont des spécialistes du cancer. On peut les retrouver dans trois milieux différents : les hôpitaux universitaires, les hôpitaux généraux et les cliniques communautaires. En général, les radio-oncologues travaillent dans les hôpitaux universitaires et les grands hôpitaux (parce que les appareils de radiothérapie demandent un investissement majeur et sont donc centralisés), alors que les oncologues médicaux se retrouvent dans les trois milieux.

RADIO-ONCOLOGUE. Les radio-oncologues sont des médecins qui ont une formation et de l'expérience en oncologie, et plus particulièrement en radiothérapie. Ils travaillent en étroite collaboration avec les oncologues médicaux et les chirurgiens, le plus souvent au sein de cliniques multidisciplinaires. Ils sont les mieux placés pour vous expliquer les bienfaits et les effets secondaires potentiels de votre plan de traitement si celui-ci comprend de la radiothérapie. La plupart d'entre eux ont une sous-spécialité (le cancer du sein ou le cancer du poumon, par exemple).

ONCOLOGUE MÉDICAL. Les oncologues médicaux sont des médecins qui ont une formation et de l'expérience en oncologie, et plus particulièrement dans l'utilisation des médicaments chimiothérapeutiques (y compris les agents hormonaux et biologiques). Ils travaillent en étroite collaboration avec les radio-oncologues et les chirurgiens. Plusieurs d'entre eux travaillent au sein de cliniques multidisciplinaires, bien que certains se retrouvent dans des cliniques communautaires. Ils sont les mieux placés pour vous expliquer les bienfaits et les effets secondaires possibles de votre plan de traitement si celui-ci comprend des médicaments chimiothérapeutiques ou d'autres médicaments. Plusieurs d'entre eux ont une sous-spécialité.

CHIRURGIEN ONCOLOGUE. Plusieurs chirurgiens se spécialisent dans le traitement du cancer, ayant une formation et une expérience considérables dans ce type particulier de chirurgie. Leur opinion est précieuse quand il s'agit de déterminer si une intervention est requise et quelles en seront les conséquences. Ils travaillent généralement au sein de services ou de cliniques multidisciplinaires. Ils sont généralement spécialisés dans un cancer particulier ou un groupe de cancers.

GYNÉCOLOGUE ONCOLOGUE. Ce sont des chirurgiens gynécologues qui se sont spécialisés dans les chirurgies liées au cancer.

NEUROCHIRURGIEN ONCOLOGUE. Ce sont des neurochirurgiens qui se sont spécialisés dans les neurochirurgies liées au cancer.

RADIOTHÉRAPEUTE. Ce sont ceux qui supervisent tous les détails de votre radiothérapie. Si votre traitement comporte de la radiothérapie, vous en viendrez à bien connaître vos radiothérapeutes. Ils sont un lien vital entre vous et le radio-oncologue. Par ailleurs, des *radiophysiciens* peuvent faire partie de l'équipe qui planifie votre traitement.

INFIRMIÈRE EN SOINS PRIMAIRES OU INFIRMIÈRE CLINICIENNE. Certains services de soins infirmiers font en sorte qu'une infirmière en soins primaires soit affectée à chaque patient et devienne son repère en tout temps. Généralement, on donne au patient un numéro de téléphone pour qu'il puisse l'appeler s'il a des questions.

INFIRMIÈRE CLINICIENNE SPÉCIALISÉE. Les infirmières cliniciennes spécialisées ont une formation et une expertise dans un domaine spécifique, comme les soins de colostomie et d'iléostomie, par exemple. D'autres ont une formation et une expertise dans l'administration de médicaments chimiothérapeutiques ou dans les soins aux dispositifs d'accès veineux (comme le Port-a-Cath™). Parmi les autres spécialités, on retrouve les essais cliniques et le contrôle de la douleur.

RÉSIDENT EN FORMATION COMPLÉMENTAIRE. Un résident en formation complémentaire est un médecin qui étudie une spécialité. Il poursuit un programme de formation (généralement d'une durée de trois ans) dans un domaine précis (oncologie médicale, oncologie gynécologique, etc.) Pendant cette période, le résident passe d'un poste à l'autre pour acquérir de l'expérience et de la formation. Cela signifie que si un résident vous rencontre à la clinique, vous ne le verrez peut-être que quelques mois (environ trois mois, en général, quoiqu'une année soit possible).

PHARMACIEN. Dans le traitement du cancer, le rôle des pharmaciens est très important. Ils vous expliquent comment prendre les médicaments à emporter chez vous et quels sont les effets secondaires ou les problèmes associés aux médicaments qui nécessitent des soins urgents s'ils surviennent. Ils vous remettront des fiches de renseignement sur les médicaments que vous prenez. Il est primordial de les lire une fois chez vous.

PHYSIOTHÉRAPEUTE. Les physiothérapeutes jouent un rôle extrêmement important à plusieurs étapes de votre traitement, en particulier après une chirurgie. (Par exemple, ils peuvent vous aider à retrouver la mobilité de votre épaule après une chirurgie au sein.)

PHONIATRE ET ORTHOPHONISTE. Vous pourriez avoir besoin d'eux pour retrouver l'usage de la parole (ou trouver de nouvelles façons de parler) après une chirurgie au larynx.

TRAVAILLEUR SOCIAL. Les travailleurs sociaux sont très importants. Ils peuvent être très utiles pour vous aider à composer avec toutes sortes de tracasseries (y compris financières) et peuvent vous présenter les services offerts dans votre région.

AUMÔNIER. De nos jours, les aumôniers viennent de plusieurs religions et confessions. Plusieurs centres d'oncologie offrent les services d'aumôniers chrétiens, juifs ou musulmans. Si vous désirez rencontrer un aumônier ou un conseiller religieux dans la confession de votre choix, demandez à une infirmière ou à un travailleur social de vous mettre en contact.

DÉFENSEUR DES DROITS DES PATIENTS. Le défenseur des droits des patients (qu'on appelle souvent *ombudsman*) est là pour s'assurer qu'on n'empiète pas sur vos droits. Si un problème survient entre vous et votre équipe soignante, le défenseur doit faire enquête sur ce problème, en faisant le tour des faits pour proposer les solutions nécessaires et réalisables.

DIÉTÉTISTE. Il arrive souvent que le traitement (en particulier la chimiothérapie et certaines chirurgies) affecte l'appétit ou la capacité à manger. Le diététiste peut vous aider à découvrir des aliments plus appétissants et plus sains. Cela peut grandement améliorer votre état.

PSYCHIATRE. Les psychiatres sont des médecins spécialisés en santé mentale. Les soins d'un psychiatre, si vous êtes très dépressif par exemple, peuvent faire une grande différence.

PSYCHOLOGUE ET PSYCHOTHÉRAPEUTE. Ce ne sont pas des médecins, mais des spécialistes qui peuvent vous soutenir grâce à la psychothérapie pour composer avec les divers effets du cancer et du traitement. On les consulte généralement sur une base régulière (une ou deux fois par semaine) pour discuter. Ils peuvent vous être d'une aide précieuse pour comprendre ce qui vous trouble et renforcer vos stratégies d'adaptation afin d'améliorer votre qualité de vie.

GROUPES D'ENTRAIDE. Plusieurs centres d'oncologie ont des groupes d'entraide, et il y en a encore plus dans la communauté. (Vous pouvez vous adresser à un organisme national pour avoir une liste des groupes d'entraide de votre région.) Ils sont habituellement animés par un psychologue, mais parfois aussi par un bénévole qui a reçu une formation.

BIBLIOTHÉCAIRE. De nos jours, plusieurs centres d'oncologie possèdent une bibliothèque pour les patients qui offre des livres (comme celui-ci!) destinés au grand public. Les bibliothécaires sont là pour vous aider à obtenir de l'information (livrets, brochures, etc.) et peuvent vous aiguiller vers des sites Internet utiles et fiables.

CONSEILLER EN GÉNÉTIQUE. Le nombre de cancers pour lesquels on retrouve une anomalie génétique identifiable est encore faible, mais il grossit. S'il y a plusieurs femmes dans votre famille qui ont été atteintes d'un cancer du sein ou de l'ovaire, par exemple, on pourrait vous proposer de passer un test génétique. Cela pourrait s'avérer très important pour vos enfants (pour que vos filles commencent les tests de dépistage plus tôt, par exemple, ou qu'elles aient recours à d'autres formes de prévention).

On dit souvent que les soins médicaux constituent une course à relais cruciale où vos soins passent d'une personne à l'autre. Vous pouvez contribuer à la bonne marche de ce processus en sachant qui fait quoi et en posant les questions appropriées aux bonnes personnes.

Décrire vos symptômes

On vous demandera souvent de décrire vos symptômes. Il peut être assez difficile de le faire de manière efficace. Voici quelques conseils pour faciliter la communication.

PREMIÈREMENT, TENEZ-VOUS-EN AUX FAITS POUR EXPOSER LE PROBLÈME MÉDI-CAL. Certains patients peuvent exagérer la douleur ou la sévérité des nausées pour convaincre leur médecin. Ils ont l'impression qu'ainsi, ils auront des soins de meilleure qualité plus rapidement. À l'opposé, certains patients minimisent leurs symptômes pour paraître stoïques. Vous devez éviter d'aller dans ce sens comme dans l'autre et décrire vos problèmes médicaux en termes aussi neutres et factuels que possible. Ce n'est pas facile, mais si vous y parvenez, vous verrez que votre médecin ou votre infirmière vous accordera tout son soutien. Si vous tentez d'amplifier ou de minimiser vos problèmes, vous risquez de vous les aliéner, ce qui jouera sur leur volonté de vous aider. Dans un monde idéal, cela ne se produirait pas. Mais vous êtes humain, tout comme eux, alors ce sont des situations qui se produisent ! Tenez-vous-en aux faits. Vous n'avez pas besoin de convaincre votre médecin de la gravité de vos symptômes ou de votre force de caractère.

DEUXIÈMEMENT, UTILISEZ VOS PROPRES MOTS. Ce n'est pas parce que les médecins et les infirmières utilisent le jargon médical que vous devez le faire. Il n'y a aucun problème à utiliser vos propres mots pour décrire un problème. En fait, si vous utilisez un jargon que vous ne comprenez qu'à moitié, vous pouvez présenter votre problème sous un jour erroné, ce qui peut causer des difficultés.

TROISIÈMEMENT, SI VOUS ÊTES GÊNÉ, N'HÉSITEZ PAS À LE DIRE ! On trouve tous certains symptômes ou problèmes médicaux embarrassants. Ce sont souvent des choses dont on ne parle à personne. Alors, lorsque vous commencez à parler d'un sujet qui vous gêne, dites-le. « Je suis désolé, je trouve gênant de parler de ça... » Rappelez-vous que les émotions que l'on reconnaît sont en partie neutralisées.

Demander de l'information

Lorsque vient le moment de demander de l'information à votre équipe médicale, vos émotions et vos peurs peuvent faire en sorte qu'il est difficile de poser les bonnes questions et de se souvenir des réponses. Voici quelques trucs pour vous aider :

PREMIÈREMENT, essayez de déterminer les questions les plus importantes avant de rencontrer votre médecin.

DEUXIÈMEMENT, pour vous aider à vous rappeler les points importants, notez-les sur une feuille que vous emporterez.

TROISIÈMEMENT, en plus de cette liste, il peut être utile d'aller au rendez-vous avec un ami ou un parent. Souvent, cette personne peut se rappeler certains détails mentionnés par le médecin que vous pourriez oublier par la suite, ainsi que les questions que vous vouliez poser, mais qui vous ont échappé. Tous les professionnels de la santé savent à quel point il est difficile de comprendre et de retenir des informations lorsqu'on discute de sujets graves qui concernent le patient. Personne ne vous en voudra d'avoir une liste ou de vous faire accompagner d'un ami pour vous souvenir des informations et des détails.

QUATRIÈMEMENT, rappelez-vous que cette consultation n'est pas votre unique occasion de poser des questions. En effet, il peut arriver qu'un sujet important surgisse sans que vous soyez préparé ; si on vous apprend une mauvaise nouvelle, par exemple. Malgré tout, vous pourrez toujours demander des éclaircissements lors de votre prochain rendez-vous. Si vous n'êtes pas certain d'avoir bien compris, n'hésitez pas à demander des éclaircissements au médecin ou à l'infirmière. Lorsque l'infirmière ou le médecin a répondu à votre question, il peut être utile de récapituler ce qui a été dit avec ce genre de formulation : « Donc, vous dites que... » ou « Si j'ai bien compris, vous voulez dire que... » Ces remarques montrent que vous avez compris et encouragent souvent le médecin ou l'infirmière à expliquer les choses de façon claire et intelligible.

CINQUIÈMEMENT, souvent les réponses ne sont pas définitives. C'est bien si vous pouvez reconnaître que l'incertitude est chose courante, surtout lorsqu'il est question de l'avenir. Lorsque la conversation couvre des sujets graves qui menacent votre santé ou vos projets, il est facile d'imaginer que le médecin ou l'infirmière sait ce qui va arriver, mais ne vous le dit pas. Habituellement, ce n'est pas le cas. Si un type de traitement présente un taux de succès de 40 %, donc un taux d'échec de 60 % par exemple, en général il n'y a aucun moyen de prédire dans quel groupe vous tomberez.

Pour comprendre la situation, il peut être utile pour vous de savoir comment les progrès seront mesurés : « Donc, les radiographies vous diront si le traitement fonctionne... » Cependant, le traitement du cancer comporte très souvent une grande part d'incertitude. Cela peut être extrêmement déplaisant et difficile à vivre. Mais c'est la réalité, et cela ne signifie pas que votre médecin vous cache des choses !

SIXIÈMEMENT, si vous éprouvez des doutes ou de l'insatisfaction au sujet de votre équipe soignante ou de l'un de ses membres, essayez de l'exprimer aussi diplomatiquement que possible. Je ne mentionne pas ce point pour être épargné (enfin peut-être *un peu*), mais afin que vous ayez un meilleur service. La plupart des médecins et des infirmières, comme tous les êtres humains, réagissent mieux aux critiques constructives. Les critiques trop négatives peuvent entraîner une réaction de défense ou de colère. Si vous êtes capable de formuler vos critiques en mentionnant ce qui va bien autant que ce qui va mal, vous verrez qu'il est probable qu'on répondra mieux à vos besoins.

Solliciter un deuxième avis

Si vous avez quelques doutes que ce soit sur votre situation médicale, si vous ne comprenez pas tout ce que votre médecin vous dit, ou même si vous n'êtes pas convaincu que son opinion sur la situation est la seule option, alors un deuxième avis peut s'avérer très utile pour vous.

Voici quelques conseils sur ce point délicat.

D'abord, il est utile d'informer votre médecin que vous solliciterez un deuxième avis. En fait, ce n'est pas simplement une question d'étiquette ou de politesse, c'est essentiel, car il aura à envoyer un résumé ou une copie de votre dossier au deuxième médecin. Sans tous les détails liés à votre cancer, sans les résultats des examens et les informations sur les traitements que vous auriez déjà reçus, le deuxième médecin sera incapable de donner une opinion juste. Assurez-vous donc d'en parler à votre médecin.

Finalement, si le deuxième avis est identique au premier, accordez-vous un moment de réflexion.

Il est très tentant de « magasiner » les médecins jusqu'à ce qu'on en trouve un qui dit exactement ce que l'on désire entendre. Souvent, le fait de voir plusieurs médecins est un signe de déni, un désir de rejeter le diagnostic ou de nier l'avenir tel qu'il se présente. Donc, si plus d'un médecin vous dit la même chose, réfléchissez à ce que cela signifie. Bien entendu, certaines personnes seront très affligées par ce constat. Dans ces circonstances, il est préférable de chercher de l'aide pour atténuer la détresse (en discutant à nouveau avec le médecin ou en voyant un psychologue) plutôt que de continuer une quête qui pourrait s'avérer très frustrante et décevante.

« Existe-t-il une voie plus simple ? »

Médecine et traitements complémentaires

Un autre problème préoccupant provoqué par le sentiment de peur associé au mot *cancer* est le suivant : plus grande est la peur, plus grand est le désir de croire que tous les cancers peuvent être guéris facilement et rapidement, sans effets secondaires, par des remèdes maison, alternatifs, complémentaires ou traditionnels.

Ce qui est grave, c'est que ce désir engendre de faux espoirs. Je ne veux pas aborder la médecine complémentaire (qu'on appelle également médecine douce ou parallèle) avec une attitude négative ou un surplus de zèle, mais je veux en parler parce que j'estime qu'il est primordial que vous ne soyez pas meurtri, physiquement ou mentalement, par des attentes irréalistes ou des espoirs fous, qui sont suscités parfois par des gens qui croient sincèrement être capables de réussir des choses alors qu'ils en sont incapables.

Comme vous le verrez à la fin de cette partie, il y a un message crucial à retenir : *ce que vous choisissez de faire* peut s'avérer moins important que la *manière dont vous le faites*.

Le fait que vous *ayez ou non* recours à des traitements complémentaires (bien des personnes en essaient plusieurs) peut s'avérer moins important que la *manière* dont vous le faites. Avez-vous mis tous vos espoirs là-dessus ? Si cela ne fonctionne pas, avez-vous sacrifié du temps, de l'énergie et de l'argent précieux seulement pour vous retrouver déçu, déprimé et habité de regrets quant à cet investissement psychologique ?

La différence fondamentale entre les pratiques conventionnelles et les pratiques complémentaires

Avant de vous présenter ce sujet controversé, je veux clarifier ce que j'entends par les mots *conventionnel* et *complémentaire*.

Lorsque j'écris *médecin conventionnel*, je veux parler d'une personne qui a reçu une formation dans une école de médecine, qui est détenteur d'un permis d'exercice du gouvernement et qui pratique conformément aux règlements des organismes de réglementation officiels. Pour moi, dans cette section, la *médecine conventionnelle* signifie simplement la médecine courante et réglementée.

Dans la *médecine complémentaire*, j'inclus tout le reste, c'est-à-dire tout ce qui est donné ou fait à des gens qui sont malades (ou qui se croient malades) par une personne qui n'est pas un médecin conventionnel ou par un médecin conventionnel qui a recours à des méthodes non orthodoxes qui ne font pas partie des pratiques conventionnelles de ses collègues.

Ce sujet est toutefois plus complexe que cette simple distinction.

La différence entre les médecines conventionnelle et complémentaire ne se restreint pas à un permis et à des règlements, elle tient aussi à la façon d'aborder la vérité et la validité.

En médecine conventionnelle, de manière générale, les médicaments et les techniques sont testés soigneusement en cherchant à *réfuter* leur efficacité. Le médicament ou la technique mérite sa place en étant mis à l'épreuve, lors d'essais cliniques ou dans une étude, d'une manière susceptible de prouver l'*inefficacité* du médicament ou de la technique.

Ce principe, la *réfutabilité,* implique que le médicament ou la technique doit « faire ses preuves ou disparaître ». L'efficacité des médicaments et des techniques est donc démontrée, et ceux qui ne sont pas à la hauteur sont écartés. C'est ainsi que sont conçus tous les essais cliniques qui sont publiés (et dont on parle souvent dans les médias).

Le principe de réfutabilité s'applique à toutes les sciences (y compris la physique, la chimie et les autres). Les lois de la nature ainsi que les hypothèses sur l'univers que nous admettons comme vraies sont celles qui ont été testées de manière à les réfuter et qui ont « survécu » à cette tentative.

Les pratiques de la médecine conventionnelle n'ont pas toutes été testées (jusqu'à maintenant). Une grande part de ce que pratiquent les médecins conventionnels depuis des siècles a été adoptée par habitude. Cependant, tous les nouveaux médicaments ont été mis à l'essai. Tout ce qui touche le traitement du cancer, par exemple, a été testé lors d'essais selon le principe qui veut qu'on « tente de réfuter » l'objet étudié.

En revanche, les médicaments complémentaires n'ont pas été mis à l'épreuve de la sorte. La plupart des praticiens en médecine complémentaire maintiennent catégoriquement qu'ils ne pourront jamais l'être ou ne le seront jamais. Malgré tout, il existe quelques médicaments complémentaires qui ont été éprouvés scientifiquement. On a démontré l'inefficacité de la plupart d'entre eux, sauf quatre ou cinq — dont un remède chinois à base de plantes médicinales pour le traitement de l'eczéma chez les enfants —, qui ont été reconnus efficaces pour des pathologies non cancéreuses. On peut donc traiter ces derniers comme des médicaments dont l'efficacité a été prouvée scientifiquement. Toutefois, il n'existe aucun médicament ni aucune technique complémentaire liés au traitement du cancer qui ont passé l'épreuve de la réfutabilité.

Au fil des ans, environ une douzaine de médicaments anticancéreux complémentaires potentiels ont été mis à l'essai rigoureusement. Aucun d'entre eux n'avait d'effet réel sur le cancer. Autrement dit, un très petit nombre de médicaments complémentaires qu'on propose pour le traitement d'un cancer ont été éprouvés de manière scientifique, et on n'a prouvé l'efficacité d'aucun d'entre eux.

Alors, en gardant à l'esprit ces définitions et ces résultats, voyons voir les avantages et les inconvénients de la médecine complémentaire.

Commençons par une question toute simple : pourquoi s'en faire avec ça ?

Qu'est-ce que ça peut faire si quelqu'un prétend pouvoir guérir tous les cancers avec un remède à base de plantes qui n'a aucun effet secondaire ?

« Quel problème les affirmations sans fondement posent-elles ? »

À première vue, il semble que ça ne peut faire de tort à personne.

On pourrait croire que les amplifications et les promesses ambitieuses sont certainement regrettables, mais qu'une bonne dose d'optimisme ou un peu d'exagération ne peuvent avoir de conséquences graves, surtout parce que les médias nous bombardent constamment d'informations qui ne sont pas tout à fait vraies.

Mais je ne suis pas d'accord.

Dans ma pratique clinique, maintes et maintes fois j'ai vu les espoirs de mes patients gonflés par de fausses promesses, pour être ensuite témoin de leur grande déception, et même de leur dépression, trop souvent amplifiée par le sentiment d'avoir été exploité ou dupé.

Sans aucun doute, une partie du problème provient de l'ampleur de la menace perçue. Lorsqu'une menace semble majeure, nous sommes tous plus vulnérables et peut-être plus crédules qu'en temps normal. Avec un mot qui suscite autant d'émotion que le mot *cancer*, il n'est pas surprenant que l'histoire des affirmations sans fondement remonte à plusieurs siècles et que ceux qui les soutiennent (souvent avec la plus grande sincérité) proviennent de milieux si divers.

Les traitements dont on dit qu'ils peuvent guérir le cancer proviennent de sources très variées. Certains sont dérivés de remèdes maison, d'autres sont issus de médecines traditionnelles ancestrales, d'autres encore sont de nouvelles découvertes ou mixtures mises au point par des personnes qui travaillent en dehors des cadres de la science et de la médecine conventionnelle.

Pour étayer leurs thèses, les praticiens en médecine complémentaire affirment que leur remède a provoqué des guérisons inattendues et a prolongé la vie de personnes qui étaient condamnées, avec à l'appui des douzaines de témoignages de patients reconnaissants. Dans la grande majorité des cas, on précise que le traitement ou l'intervention a très peu d'effets secondaires. Il n'est pas rare que l'on mentionne que le traitement en question a été rejeté par les médecins conventionnels et que les partisans du guérisseur non conventionnel ont été persécutés, voire poursuivis pour leurs croyances.

Comme de telles affirmations courent depuis longtemps et que les espoirs de centaines de personnes ont été faussement nourris, puis déçus, il y a eu également beaucoup de témoignages contradictoires solides.

De plus, il arrive parfois, même si c'est plutôt rare, que l'attrait d'une cure miraculeuse sans effets secondaires soit si fort que des patients atteints d'un cancer guérissable renoncent au traitement conventionnel qu'on leur recommande. (De tels cas sont rares, mais au cours de ma carrière, j'ai soigné deux patients atteints de la maladie de Hodgkin, l'un atteint d'un lymphome non hodgkinien et l'autre atteint d'un séminome, qui ont tous deux abandonné leur traitement conventionnel pour essayer des traitements complémentaires, lesquels malheureusement n'ont eu aucun effet sur leur cancer.)

Les avantages de la médecine complémentaire

Maintenant que j'ai souligné les dangers des promesses sans fondement, voyons les avantages, qui sont considérables, qu'offrent la médecine complémentaire et ses praticiens.

Les praticiens en médecine complémentaire sont généralement meilleurs sur le plan de la relation médecin-patient que leurs homologues en médecine conventionnelle. En général, les patients qui consultent un praticien en médecine complémentaire ont l'impression qu'ils feront l'expérience d'une meilleure communication et d'une meilleure empathie, dans une atmosphère propice au dévoilement de leurs émotions. Les patients verront probablement le même praticien à chaque visite — le nombre d'intervenants que voit un patient est un problème dans plusieurs centres anticancéreux —, et la consultation sera peut-être moins précipitée. On perçoit les praticiens conventionnels comme de bons « médecins pour les maladies », tandis que les praticiens en médecine complémentaire sont perçus comme de bons « médecins pour les personnes ».

De plus, il y a plusieurs attraits d'ordre philosophique associés à la médecine complémentaire. Je les ai résumés dans le tableau qui suit.

IDÉE	CE QU'ELLE SIGNIFIE
Concept de santé	Le remède ou le traitement ne triomphe pas seulement de la maladie, il dote la personne d'une santé positive.
Concept de force ou d'énergie	Il se base souvent sur une hypothèse universelle de forces naturelles.
Théorie unificatrice des maladies	Toutes les maladies sont causées par un déséquilibre ou des forces négatives.
Autoguérison	Le patient possède des forces intérieures qui peuvent renverser le cours de la maladie.
Naturel	L'avantage intrinsèque d'un remède est qu'il est dérivé de produits naturels plutôt que synthétiques.
Traditionnel	Le savoir est basé sur des siècles de sagesse populaire; c'est un savoir que nos ancêtres possédaient, mais qui a été perdu.
Exotique	Savoir et traitement sont importés d'une autre culture et n'étaient pas accessibles auparavant.
David et Goliath	La réponse aux grandes questions (comme le cancer) a été trouvée par un «homme ordinaire», là où de puissantes organisations nationales ou industrielles ont échoué.
Justice	La guérison est possible pour ceux qui le méritent par leurs attitudes et leurs croyances.

Tous ces facteurs — les caractéristiques personnelles des praticiens en médecine complémentaire et les aspects philosophiques du traitement — offrent au patient le sentiment d'être soutenu lors de la consultation, la perspective de prendre une part active à son traitement et plus d'espoir.

Il est bon de se pencher un instant sur cette notion d'espoir accru. Des recherches ont démontré que l'une des trois principales raisons qui poussent les gens à consulter en médecine complémentaire est qu'ils croient en l'efficacité des traitements et que cela leur donne de l'espoir.

Une part, peut-être une grande part, de cet espoir provient de récits d'effets miraculeux ou inattendus et, souvent, de guérison. Pour moi, il est important d'aborder ces récits avec un peu de perspective. Je présenterai donc des explications différentes à certains de ces récits dans la section suivante.

Je veux insister sur le fait que je ne suis pas hargneux ni entièrement négatif devant ce type de récit. Selon moi, il est important d'en parler parce qu'au cours des deux années et demie que j'ai passé à enquêter sur ce genre d'histoires, j'ai vu des comptes rendus de miracles apparemment inexplicables qui ont beaucoup circulé et qui ont joué un grand rôle pour attirer les gens vers la médecine complémentaire.

Dans toutes les histoires sur lesquelles j'ai enquêté, j'ai trouvé des explications « ordinaires » qui n'avaient pas été prises en compte. Je crois qu'il est fondamental de connaître ces explications plus terre-à-terre pour éviter de nourrir de trop grands espoirs et d'être déçu.

Explications plausibles de miracles apparemment inexplicables

Lors de la préparation de la série télévisée *Magic or Medicine ?*, j'ai passé deux ans et demi à enquêter sur des douzaines d'histoires de guérison miraculeuse. Nous avions invité les gens à nous écrire pour nous raconter des histoires de bienfaits inattendus ou miraculeux à partager et nous avons fait enquête sur toutes les lettres reçues.

Dans chacun des cas, il y avait une explication banale ou terre-à-terre. Je crois qu'il est pertinent de présenter ces explications, car ces récits sont souvent ce qui pousse les gens à croire en un traitement qualifié de nouveau ou de révolutionnaire.

Voici les explications terre-à-terre les plus courantes des cas sur lesquels j'ai enquêté.

Absence de faits

Certaines histoires passent d'une personne à l'autre en acquérant plus d'autorité, plus de crédibilité et plus de détails à chaque occasion. Ainsi, il peut être très difficile de connaître le fin mot d'une histoire qui semble parfaitement crédible à première vue.

À titre d'exemple, j'ai parlé à une femme dans la cinquantaine qui a appelé notre recherchiste pour raconter qu'elle avait été guérie d'un cancer de l'intestin par un traitement à base de plantes recommandé par un *iridologue* sept ans auparavant. (Un iridologue est un praticien en médecine complémentaire qui diagnostique les maladies en scrutant l'iris de l'œil.)

Elle a dit à la recherchiste qu'elle avait d'abord été examinée à l'hôpital par un gastro-entérologue conventionnel qui lui avait fait une biopsie. Le médecin lui avait dit qu'elle souffrait d'un cancer de l'intestin et qu'il fallait l'opérer. Elle a refusé la chirurgie et a consulté un iridologue, puis elle a pris le remède à base de plantes pendant plusieurs années. Elle était vivante et en bonne santé, ce qui, selon elle, prouvait que ce remède à base de plantes pouvait réellement guérir le cancer de l'intestin.

La recherchiste a été très impressionnée par cette histoire, qui en effet aurait été d'une importance majeure si elle avait été vraie. J'ai demandé à la recherchiste de trouver la date exacte de la biopsie pour que je puisse la faire réexaminer. J'avais le sentiment que la biopsie n'allait pas révéler un cancer envahissant, mais plutôt une sorte de polype précancéreux. Autrement dit, je croyais que la patiente n'avait probablement pas eu de cancer, mais plutôt un polype qui présentait un *risque* de devenir un cancer.

La femme nous a donné la date et le lieu de la biopsie. J'ai contacté le département de pathologie de l'hôpital. Nous avons fouillé dans les dossiers de pathologie en utilisant trois orthographes différentes du nom de cette femme et plusieurs variantes de sa date de naissance. Nous avons également vérifié les dossiers des deux années avant et après la date qu'elle nous avait donnée. Il n'y avait aucune trace de cette biopsie.

À ce moment-là, j'ai appelé moi-même cette femme; je ne lui avais pas encore parlé directement. Elle a confirmé ce qu'elle avait dit à la recherchiste.

Lorsque je lui ai parlé de la biopsie, elle a avoué alors n'avoir jamais subi de biopsie. Le gastro-entérologue lui avait dit seulement qu'il n'aimait pas l'aspect de son côlon. Autrement dit, il n'y avait aucune preuve que la patiente en question avait eu un cancer ou même qu'elle avait été susceptible d'en développer un.

Je ne veux pas insinuer que cette femme a délibérément trompé la recherchiste, mais je crois qu'elle a pris ses désirs pour des réalités. Elle a beaucoup apprécié l'attention que lui a témoignée son iridologue et elle a simplement amplifié les bienfaits de ce qu'elle croyait l'œuvre de ce praticien.

Bien sûr, cette histoire était extrêmement poignante et crédible. Lorsqu'ils l'ont entendue, trois autres membres de notre équipe croyaient fermement que c'était la preuve que le cancer pouvait être guéri par des remèdes à base de plantes. Ce n'est malheureusement pas le cas. Et c'est seulement parce que j'avais la possibilité de vérifier les faits que nous avons pu la réfuter.

Si je n'avais pas eu accès aux dossiers de cet hôpital, cette histoire aurait continué à se répandre sans être contestée, et certains y auraient vu la preuve qu'un traitement de médecine complémentaire avait eu raison d'un cancer de l'intestin.

Il existe de nombreuses histoires comme celle-là.

Il n'est pas rare d'entendre parler d'une personne qui a eu « quatre ablations » et qui a été guérie miraculeusement du cancer du poumon, par exemple. (J'appelle ces histoires des « anecdotes de la grand-mère de l'amie de la fille de la coiffeuse ». Il y a quatre intermédiaires entre vous et le protagoniste de l'histoire.) Lorsqu'on creuse pour connaître les faits, on s'aperçoit que ce n'était pas le cancer du poumon mais une bronchite, et que le médecin voulait persuader la personne en question d'arrêter de fumer. Néanmoins, l'histoire initiale circule toujours avec autant de crédibilité.

Il est très difficile pour une personne qui vient d'avoir un diagnostic de cancer de penser calmement et objectivement lorsqu'elle entend ce genre d'histoire. Il peut paraître impoli ou même grossier de demander d'où vient l'histoire ou s'il y avait une véritable preuve de cancer. (Il est probable que ceux qui la racontent diraient qu'il y a eu une biopsie de toute façon.)

Je suggère simplement, lorsque vous entendrez parler d'une cure miracle, de vous souvenir qu'une des explications possibles est « l'absence de fait ». Si vous gardez cela à l'esprit, avec un brin de scepticisme, vous risquez moins d'être habité par de faux espoirs.

Annonce prématurée

Une autre raison qui explique pourquoi les anecdotes de cas individuels peuvent être trompeuses est que les résultats sont souvent divulgués prématurément. Un patient peut croire sincèrement avoir été guéri par un traitement et proclamer qu'une rémission inattendue ou miraculeuse est survenue. Cependant, il peut être trop tôt pour l'affirmer.

Ce type d'annonce prématurée ne fait aucun mal au patient. Après tout, il peut être bénéfique de croire qu'on se sent bien et d'avoir une attitude positive sincère. Cependant, cela peut induire d'autres personnes en erreur et leur faire croire que le traitement a un effet véritable alors que ce n'était pas le cas. L'exemple le plus célèbre de ce type d'anecdote est celui du célèbre acteur Steve McQueen.

Steve McQueen avait un mésothéliome, un cancer rare et extrêmement agressif, qui s'était logé dans son abdomen. Comme ses médecins conventionnels lui avaient dit qu'il n'y avait plus rien à faire, il s'est rendu dans une clinique privée au Mexique. Là-bas, on lui a administré divers traitements, dont des remèdes à base de plantes, une irrigation du côlon et des suppléments alimentaires, en plus de l'initier à la méditation.

Il a été si impressionné par l'amélioration de son état qu'il a fait une déclaration à la radio mexicaine pour remercier le président et les Mexicains d'avoir permis l'existence de cette clinique qui l'avait guéri de sa maladie. Sur l'enregistrement, on le sent très malade, et il est mort quelques semaines plus tard des suites d'une intervention hasardeuse effectuée alors qu'il était traité à cette clinique.

Ce qu'il faut retenir, c'est qu'au moment de sa déclaration à la radio, des auditeurs du monde entier ont cru qu'il avait été guéri. À certains endroits, l'annonce de sa guérison a même fait les manchettes. Les gens aimaient tellement Steve McQueen qu'un grand nombre d'entre eux l'ont cru. (En fait, il y a un groupuscule de personnes qui croient *encore* qu'il a été guéri et qui sont convaincues qu'il a été assassiné sur les ordres de médecins conventionnels qui ne voulaient pas voir leurs méthodes de traitement contestées par cette clinique mexicaine.)

En conclusion, une histoire comme celle-là engendre de faux espoirs. Comme le récit présente ce que nous désirons entendre, il est très difficile d'être critique lorsqu'une telle nouvelle nous tombe dessus.

Lorsqu'une célébrité comme Steve McQueen déclare « Je suis guéri », c'est très difficile pour quiconque de le contester et même de penser : « Peut-être qu'il va bien maintenant, mais en parlant de guérison, il est peut-être trop optimiste. »

Ce que je veux dire, c'est qu'il faut parfois du temps (pas seulement des faits) avant que vous puissiez évaluer un récit. Il est toujours difficile d'attendre lorsqu'on souhaite de tout cœur croire ce que l'on entend.

Variations de l'évolution naturelle

Une autre explication possible pour les guérisons apparemment miraculeuses réside dans la variabilité de plusieurs formes de cancer. Les cancers ne se comportent pas toujours de manière uniforme.

Imaginons une forme particulièrement agressive de cancer qui, par exemple, provoquerait la mort du patient en moins de deux ans dans 95 pour cent des cas. Cela signifie tout de même qu'un patient sur vingt sera toujours vivant après cette période. Ce n'est donc pas miraculeux ou insolite, c'est ce qui arrive dans un petit pourcentage de cas.

Au fil des ans, j'ai vu de nombreux cas où une question de statistique paraissait miraculeuse. L'un des premiers patients que j'ai soignés quand j'étais médecin résident était un homme atteint de leucémie myéloïde aiguë. À l'époque, il n'existait pratiquement aucun traitement pour cette maladie ; pourtant, ce jeune homme était vivant et bien portant près de trois ans après le diagnostic. C'était un jeune homme extrêmement sympathique, et nous étions tous si heureux pour lui, mais un jour la maladie a repris le dessus.

Je me souviens d'une femme dans la soixantaine qui avait un mélanome malin qui s'est propagé au foie (plusieurs années après le diagnostic initial). Elle a vécu pleinement plus de quatre années avec ces métastases au foie, ce qui arrive très rarement.

Une autre de mes patientes atteinte d'un cancer du sein avait des métastases aux poumons qui sont restées pratiquement de la même taille pendant plus de trois ans, malgré son refus de se faire traiter. Ce sont des exemples qui illustrent bien à quel point les histoires individuelles peuvent s'avérer impressionnantes et marquantes si elles présentent un aspect qui diffère grandement de la moyenne.

Traitement conventionnel simultané

Une autre explication encore plus courante est la possibilité que le patient ait recours à un traitement conventionnel en même temps qu'à la médecine complémentaire — sans même parfois s'en rendre compte.

Par exemple, il y a quelques années, j'ai interviewé la cofondatrice d'un centre célèbre de médecine complémentaire pour le cancer en Grande-Bretagne. Elle avait eu un cancer du sein et avait écrit un livre où elle décrivait les diverses pratiques complémentaires auxquelles elle avait eu recours. Lorsqu'il y a eu récidive du cancer du sein sur sa paroi abdominale, son oncologue lui a recommandé de prendre du tamoxifène. Dans son livre, elle a écrit qu'elle y avait réfléchi et qu'elle avait décidé de ne pas en prendre. Elle décrivait ensuite les divers traitements complémentaires qu'elle a suivis. Elle a écrit que son médecin conventionnel avait été très surpris de voir que le cancer avait diminué quelques mois plus tard.

Au cours de l'entrevue, je lui ai demandé directement pourquoi, dans ces circonstances, elle avait décidé de ne pas prendre de tamoxifène. Elle m'a répondu qu'elle avait pris du tamoxifène pendant plusieurs années au cours de cette période.

De la manière dont elle en parlait, il était clair qu'elle ne comprenait pas que le tamoxifène est une hormone anticancéreuse conventionnelle qui provoque la régression du cancer du sein (s'il présente des récepteurs particuliers, comme le sien) dans près de 60 pour cent des cas.

Autrement dit, le cours de sa maladie correspondait exactement à ce à quoi on pouvait s'attendre dans un cas de cancer du sein récurrent présentant des récepteurs d'œstrogène traité avec du tamoxifène.

Lors d'une entrevue au Mexique, une autre femme m'a dit de but en blanc qu'elle ne prenait aucun médicament pour son cancer (un cancer du sein avec des ganglions lymphatiques positifs) sauf les remèdes complémentaires prescrits par une clinique de Tijuana.

Après le tournage de notre entrevue, je lui ai reposé la question, et ce n'est qu'à ce moment-là qu'elle s'est rappelé qu'elle prenait du tamoxifène (elle ne connaissait que la marque commerciale du médicament, ce qui explique la confusion) chaque jour depuis qu'elle avait été opérée deux ans plus tôt. Si nous avions présenté l'entrevue telle quelle, les téléspectateurs auraient cru qu'avec seulement des remèdes complémentaires, elle arrivait à contrôler son cancer du sein.

Ces exemples illustrent un autre genre d'explication pour des miracles apparents. Ils mettent en lumière la difficulté d'évaluer toute affirmation à propos de l'efficacité d'un traitement de médecine complémentaire (contrairement à un traitement conventionnel). Or, il faut évaluer ces affirmations soigneusement, car de nombreux patients ont recours à un traitement conventionnel en même temps, parfois sans s'en rendre compte.

Interprétation erronée

En dehors des questions factuelles qui sont plus faciles à trancher, il y a bien des manières de mal interpréter ce que dit un médecin, et ces malentendus peuvent engendrer des résultats qui paraissent miraculeux ou inattendus.

L'une d'elle est la mémoire sélective. La discussion sur le pronostic est l'une des conversations qui a la plus forte charge émotive imaginable. Il en résulte que ce que le patient retient n'est pas nécessairement ce que le médecin a dit.

Bien des gens demandent directement au médecin : « Combien de temps me reste-t-il ? » Plusieurs médecins, moi y compris, croient qu'il faut donner une réponse honnête à cette question et qu'il n'est pas possible d'éviter ce sujet. Puisque personne ne peut prédire exactement ce qui va arriver, on parle généralement des possibilités les plus vraisemblables. Voici un exemple d'une telle discussion.

S'il s'agit d'un type de cancer où, à un stade avancé, 50 pour cent des patients survivront deux ans et 5 pour cent cinq ans, il est juste de dire alors que le pronostic se mesurera probablement en un petit nombre d'années, et que certaines personnes vivront beaucoup plus longtemps. J'ai dit cela à de nombreux patients.

Le patient peut alors me demander si cela signifie que le pronostic pourrait être de moins d'un an, disons six mois ou moins. Comme quelques personnes dans cette situation mourront de la maladie à brève échéance — dans un délai de moins de six mois —, je réponds alors : « Oui, c'est possible, mais très peu probable. »

Il arrive que le patient ajoute : « Voulez-vous dire qu'il se peut que je ne sois plus là dans trois mois ? »

Je répondrais probablement : « C'est très peu probable, mais ça pourrait arriver. »

De retour chez lui, le conjoint ou un parent du patient lui demandera sûrement ce que le médecin a dit, et le patient pourrait répondre : « Le médecin m'a donné trois mois. »

Si le patient a alors recours à un traitement de médecine complémentaire et qu'il est toujours vivant deux ans plus tard — comme la moitié des patients dans son cas le seraient de toute façon —, on attribue souvent cette prolongation apparente du pronostic aux bienfaits du remède complémentaire, qui devient alors source de rémissions miraculeuses chez les patients qui souffrent de ce type de cancer.

La mauvaise interprétation est une autre source de confusion. Parfois, avec tout le stress et l'inquiétude que suscite une visite à l'hôpital, il est aisé de mal interpréter ce que l'équipe soignante a dit, de ne pas s'en souvenir exactement et même de s'en faire une idée fausse.

Pendant le tournage de notre série télévisée, j'ai reçu une lettre d'un homme qui racontait que trois ans auparavant, il avait eu un sarcome sur sa cuisse gauche. Il ajoutait qu'un tomodensitogramme de ses poumons montrait des métastases, ce qui signifie généralement que les chances de survie sont très minces.

Ses médecins ont traité la tumeur sur sa cuisse (avec une chirurgie et de la radiothérapie à sa jambe), mais ils n'ont administré aucun traitement pour ses métastases. L'homme a ensuite complètement changé son mode de vie. Il s'est mis à prier intensément, à méditer ; il a fait une psychothérapie, a changé son alimentation et a fait de l'exercice. Trois ans plus tard, il était en parfaite santé.

Cette fois encore, plusieurs membres de l'équipe de production ont conclu que c'était la preuve que des changements au mode de vie, comme la pratique de la prière et de la méditation, pouvaient, en soi, contrôler la croissance d'un cancer.

Nous sommes allés à l'hôpital où l'homme a été traité et où l'on a effectué les tomodensitogrammes de ses poumons. En fait, le premier tomodensitogramme révélait deux petites ombres dans le bas du poumon gauche que ses médecins avaient cru être soit des métastases soit autre chose, comme des fragments de tissu cicatriciel. Et c'est exactement ce qu'ils lui ont dit. Ils ont ajouté qu'il ferait un tomodensitogramme tous les trois mois. Si les ombres prenaient du volume, cela prouverait qu'il s'agissait de métastases ; si elles restaient pareilles, on pourrait conclure que ce n'étaient que des cicatrices.

En fait, les ombres ont conservé la même taille pendant plus de trois ans, ce qui signifie que c'étaient effectivement des cicatrices. J'ai appris plus tard que cet homme avait été exposé à l'amiante quand il était plus jeune, et l'amiante est l'une des substances qui produisent souvent de petites cicatrices à l'intérieur des poumons.

Lorsque nous avons reparlé à cet homme, il s'est souvenu qu'on lui avait dit que les ombres étaient restées de la même taille et que ce n'était donc pas des cancers secondaires. Cependant, comme on l'a vu avec notre équipe de production, il était facile pour des observateurs d'accepter la version du patient au pied de la lettre et de croire que des changements au mode de vie permettaient de contrôler le cancer.

Diagnostic erroné

Dans certains cas, le diagnostic est erroné. Ce n'est pas très fréquent, mais cela arrive, surtout pour certains cancers où il est difficile de distinguer entre une tumeur bénigne et une tumeur cancéreuse. À titre d'exemple, un cancer du poumon à petites cellules peut parfois être confondu avec un adénome bronchique, une tumeur bénigne.

Une de mes patientes qui est toujours vivante et en bonne santé a reçu un diagnostic de cancer du sein il y a quatorze ans. Cela n'a rien d'exceptionnel en soi, de nombreuses patientes sont guéries après l'ablation du cancer primitif. Il y a neuf ans, un ganglion lymphatique de son cou a enflé ; une biopsie a révélé une récidive du cancer. Une récidive dans le cou n'est pas guérissable.

À l'époque, le traitement standard consistait à faire l'ablation des ovaires, ce qui modifie l'environnement hormonal et provoque souvent une régression des cancers du sein, et c'est ce qui est arrivé dans son cou. Cependant, peu de temps après, une autre bosse s'est développée dans son cou ; les médecins l'ont surveillée pendant plusieurs années, mais elle n'a pas changé de taille.

Ses médecins croyaient qu'elle avait une seconde récidive de son cancer du sein, qui, pour des raisons inconnues, restait stable. À cette époque, elle a déménagé et je suis devenu son médecin.

Comme je ne l'avais jamais examinée, cette bosse dans le cou a piqué ma curiosité et je lui ai fait passer un tomodensitogramme. Finalement, cette bosse n'était pas cancéreuse, c'était une malformation du corps vertébral appelée *côte cervicale*.

Comme une biopsie avait déjà décelé un cancer dans son cou dix ans auparavant, cette femme a (probablement) été guérie lors de l'ablation de ses ovaires et n'avait plus de cancer, mais seulement une côte cervicale. Si elle avait eu recours à la médecine complémentaire, son histoire aurait pu être médiatisée comme un cas de cancer incurable du cou qui avait été contenu pendant une décennie par le traitement. Dans son cas, la guérison a été probablement due à la seconde intervention chirurgicale, bien que de tels résultats soient plutôt rares.

Rémissions spontanées

Dans de très rares cas, un cancer peut disparaître complètement sans aucun traitement.

C'est ce qu'on appelle une *rémission spontanée*, et c'est exceptionnel. En fait, un pathologiste, William Boyd, s'est penché sur le sujet dans un livre publié en 1961. Il estime qu'environ un cas de cancer sur 100 000 présentera une rémission spontanée. Pour sa recherche, il a recueilli des données sur plus de cent ans. Il a découvert que plus de la moitié des cas prouvés provenaient de quatre types de tumeurs : l'hypernéphrome (cancer à cellules rénales), le mélanome (cancer pigmenté de la peau), le neuroblastome (un cancer rare chez l'enfant) et le choriocarcinome (un cancer rare du placenta). Dans l'autre moitié des cas, on trouvait un ou deux exemples de rémission spontanée pour presque chaque type de cancer.

Ces données sont très importantes. D'abord, elles prouvent qu'une rémission sans cause apparente est possible pour presque tous les types de cancer. Deuxièmement, elles démontrent que la rémission spontanée est beaucoup plus fréquente pour ces quatre types rares de cancer que pour tous les autres.

Se sentir mieux vs aller mieux

Néanmoins, l'explication la plus courante, et de loin la plus importante, pour les bienfaits inattendus est la différence entre aller mieux et se sentir mieux.

La plupart des patients (en fait, je crois qu'on peut pratiquement dire 100 pour cent) qui ont recours à la médecine complémentaire se *sentent* mieux, qu'ils *aillent* mieux ou non.

De plus, ils peuvent se sentir mieux même si des examens (comme le test de la fonction hépatique ou la mesure d'une tumeur dans le bras) montrent que le cancer progresse. Comme me l'a dit un de mes patients : « Se sentir bien, ça fait du bien. » Se sentir mieux, c'est une fin en soi, même si cela ne doit pas être confondu avec une véritable régression du cancer.

Parfois, d'autres raisons expliquent le sentiment de mieux-être du patient.

Lors d'une démonstration de guérison spirituelle en Grande-Bretagne à la télévision, un guérisseur a présenté une fillette de neuf ans atteinte d'un cancer rare des os. (J'ai découvert plus tard que c'était un neuroblastome.) Elle prenait de fortes doses de morphine et avait beaucoup de difficulté à marcher. En présence de plus de dix mille personnes, le guérisseur a amené la fillette à se lever de son fauteuil roulant. Encouragée par le guérisseur, elle a marché sur la scène. Le guérisseur lui a alors dit (à la télévision) que la prochaine fois qu'elle verrait son médecin, il lui dirait qu'elle n'avait plus de cancer dans ses os.

Malheureusement il avait tort, et la fillette est décédée quelques semaines plus tard. Pourquoi a-t-elle été capable de marcher ? En partie parce que le guérisseur et ses fidèles désiraient tellement qu'elle guérisse qu'elle a surmonté sa douleur (probablement de manière inconsciente) et a été en mesure de se tenir debout et de marcher pendant un moment.

Quelques mois plus tard, j'ai moi-même fait l'expérience de la force de ce soutien de groupe. J'ai assisté à une cérémonie de guérison au Mexique au cours de laquelle, chaque année, un guérisseur charismatique appelé *El Niño* se réincarne dans le corps de l'un de ses adeptes. J'étais là en tant qu'observateur. Mais (sans que je le sache) le producteur avait dit au guérisseur que j'étais malade et partiellement handicapé (ce qui est tout à fait vrai).

Soudainement, au milieu de la cérémonie, le guérisseur s'est tourné vers moi ainsi que tous les spectateurs. Tout d'un coup, je me suis retrouvé regardé par plus de cent personnes qui priaient pour ma guérison.

Même si je ne croyais pas en la réincarnation d'*El Niño* ni en ses pouvoirs de guérison, ce que j'ai ressenti à ce moment-là était extraordinaire. C'était comme si j'étais enveloppé d'une douce couverture d'affection et d'estime. J'ai senti — comme je ne l'avais jamais senti auparavant — qu'il y avait des dizaines de personnes qui voulaient sincèrement que je me rétablisse. Ce fut un moment remarquable et franchement agréable. Ça n'a rien changé à mon état physique, mais je me suis senti merveilleusement bien. J'ai compris la puissance du désir de ceux qui nous veulent du bien.

Personnellement, je n'ai pas encore vu de guérison ou de rémission miraculeuse imputée à la médecine complémentaire qui ne pouvait s'expliquer simplement et de manière terre-à-terre.

Selon moi, les histoires de guérisons miraculeuses apparentes devraient être accueillies avec une petite dose de scepticisme. Si c'est trop beau pour être vrai, c'est que ce n'est probablement pas vrai !

Mais de telles histoires se répandent comme une traînée de poudre et ravivent l'espoir de tous ceux qui les entendent. Si elles ne passent pas l'épreuve des faits, et c'est ce qui est arrivé avec chacune d'entre elles jusqu'à maintenant, alors c'est le patient atteint du cancer qui en souffre, c'est lui qui vit la déception et le désarroi.

« Puis-je faire appel à la médecine complémentaire quand même ? »

Pour ma part, je ne peux que répondre : « Bien sûr ! »

Sincèrement, je n'ai aucune objection à ce que mes patients essaient des traitements complémentaires, *tant que leurs attentes restent réalistes* pour qu'ils ne soient pas accablés par la déception si leur condition physique ne s'améliore pas.

C'est ce que je crois. Certains oncologues sont plus rigides et s'opposent souvent à ce que leurs patients aient recours à la médecine complémentaire — en partie parce qu'il peut y avoir en de rares occasions des interactions entre les médicaments complémentaires et les médicaments conventionnels. Je considère qu'il est plus important pour les patients de réfléchir aux *raisons* qui les poussent à essayer cette solution, ainsi qu'aux attentes et aux espoirs qu'elle suscite.

Voici un résumé de mon point de vue. Je vous demande d'admettre que n'importe quel traitement qu'on qualifie d'efficace contre le cancer ne l'est peut-être pas. Malgré tout, avec la bonne attitude, vous pourriez vouloir l'essayer quand même. Lorsque viendra le moment de décider si vous voulez vous rendre au Mexique, en Suisse, au Congo ou à Berlin pour essayer un traitement à base de plantes, qu'il s'agisse de l'ozonothérapie, de laetrile ou de cartilage de requin, je crois sincèrement que ce qui compte le plus, c'est de déterminer *pourquoi* vous le faites.

Si vous essayez un traitement complémentaire en vous disant que ce serait bien si ça fonctionnait et que ce ne serait pas la fin du monde si ça ne fonctionnait pas, et si vous avez le temps et l'argent pour le faire, alors vous ne perdrez rien. Vous pourriez même vous sentir mieux en le faisant.

En revanche, si vous vous sentez désespéré, que vous voulez guérir plus que tout au monde et que vous êtes prêt à tout vendre et à aller au bout du monde pour guérir, alors vous vivrez probablement une très grande déception. Vous pourriez aussi regretter le temps et l'argent, deux denrées limitées, que vous y avez consacrés.

Au lieu de vous poser la question « Devrais-je le faire ? », vous devriez plutôt vous demander quels sont vos sentiments et vos attentes face à cette solution.

Il est très difficile de garder la tête froide lorsqu'on est atteint du cancer, que le temps passe et que les médecins conventionnels croient que le cancer dont on souffre ne peut être guéri.

Pourtant, j'espère que les informations dans cette partie du livre vous auront donné au moins une perspective sur le sujet et un peu d'espace intellectuel pour respirer, afin d'évaluer ce que tout le monde vous raconte et de déterminer ce qui est le mieux pour vous.

PARTIE 4

« *Comment revenir sur la bonne voie ?* »

Poursuivre votre vie

Le mot *cancer* provoque un état d'alerte pendant lequel il devient quasiment impossible de poursuivre sa vie normalement.

Le sentiment de fin inéluctable pousse bien souvent les gens, le patient comme sa famille, dans un mode d'urgence qui affecte presque tous les aspects de la vie quotidienne, y compris ses éléments de base, comme le simple fait de parler aux autres.

Vous devez retrouver vos habitudes et votre routine normales pour rétablir le plus possible la situation telle qu'elle était avant. Ce n'est pas toujours aisé. Cette partie du livre présente des conseils généraux pour vous aider à bien vivre — et non simplement survivre — lorsque le diagnostic est venu tout bouleverser.

Le diagnostic d'un cancer crée de profonds remous de stress et d'émotions qui se propagent à toute votre famille et à votre cercle d'amis. Je présente ici quelques conseils pratiques qui pourront vous aider à retrouver une vie normale.

J'aborderai d'abord l'utilisation de certains mots importants, qui affectent subtilement notre mode de pensée lorsqu'on réfléchit aux moyens de revenir sur la bonne voie.

Bien vivre ?

Le mot *survivant* pose problème, particulièrement lorsqu'on dit *survivant du cancer*. Cette expression suggère que presque tous les autres sont morts.

Cela peut sembler une nuance de sens futile ou même une forme de rectitude politique, mais selon moi, ce n'est pas du tout le cas.

Voyons un exemple en dehors du monde médical. En juillet 2005, un avion *Airbus* s'est écrasé et s'est enflammé peu après avoir atterri à l'aéroport de Toronto. Les 309 passagers et membres d'équipage ont survécu, et personne n'a souffert de blessures graves. Les médias ont constamment employé les mots *survivants* et *miracle,* ce qui était entièrement justifié dans ce cas.

Lorsqu'un avion s'écrase à l'atterrissage, il y a presque toujours un grand nombre de décès, et c'est cette réalité que reflète le mot *survivant*. Les 309 personnes qui se sont extirpées indemnes de l'épave de l'avion sont de véritables survivants, parce que dans des circonstances similaires, un très grand nombre de personnes meurent habituellement.

Cependant, un diagnostic de cancer n'est pas un écrasement d'avion. Bien que certains cancers présentent un taux élevé de mortalité, ce n'est pas le cas pour plusieurs d'entre eux. Comme je le répète depuis le début de cet ouvrage, lorsqu'on les regroupe tous ensemble et qu'on désigne tous ceux qui sont vivants par le mot *survivants*, on entretient l'idée qu'on s'attend à ce que la plupart des gens qui reçoivent un diagnostic de cancer meurent.

À plusieurs reprises, depuis quelques années, des personnalités et des célébrités se sont présentées comme des *survivantes du cancer du sein*. Pour plusieurs d'entre elles, on a appris par la suite qu'elles n'avaient eu en fait que de petites tumeurs mammaires qui ne s'étaient pas propagées aux ganglions lymphatiques — une situation où les chances que le cancer ne récidive pas sont d'environ 95 pour cent. Il est certes merveilleux que ces personnes soient en vie et partagent leur expérience (qui n'aurait jamais été publicisée il y a dix ou quinze ans), mais lorsqu'on les qualifie de *survivantes*, on donne l'impression que presque toutes les personnes atteintes du cancer du sein mourront.

Les intentions sont bonnes, mais le mot utilisé est, subtilement, inadéquat.

Survivre ou bien vivre ?

Le mot *survivre* suggère aussi que l'accent est simplement mis sur le fait que la personne est vivante. Survivre signifie *ne pas mourir*, rien de plus.

Par contre, si on utilise l'expression *être bien portant*, on veut dire beaucoup plus. Être bien portant, cela signifie bien aller et avoir une bonne qualité de vie. C'est une expression bien choisie, qui devrait être entendue plus souvent, mais il n'y a pas d'art de se bien porter ou de programme en ce sens.

Donc, il nous faut autre chose pour remplacer le verbe « survivre », et l'expression la plus appropriée pour moi, c'est *bien vivre*.

Cette expression a toutes les significations requises. Si une personne dit « J'ai eu un cancer du côlon il y a sept ans et je vis bien », cela dit tout.

Pour le moment, il faudrait que tous fassent un effort conscient pour remplacer le mot *survivre* par l'expression *bien vivre*. Il y a un mot de plus, c'est vrai, mais qui ouvre tout un éventail de possibilités.

Voyons maintenant les éléments que sous-entend l'expression bien vivre et les moyens d'y parvenir.

Quelques recommandations générales

Voici quelques recommandations simples dont mes patients m'ont parlé. Elles fonctionnent bien en pratique et sont faciles à retenir.

NE PLACEZ PAS LA BARRE TROP HAUT — FIXEZ-VOUS DES OBJECTIFS RÉALISTES. On a tous tendance à viser trop haut. Dans la phase de rétablissement après le diagnostic initial et (habituellement) la chirurgie, il peut être tentant de reprendre immédiatement toutes vos activités. Le problème, c'est que si vous n'y arrivez pas, vous serez déçu et découragé. Et ce découragement prolongera probablement la période de convalescence.

Même si vous avez toujours été le genre de personne qui fait en une heure ce qui prend trois heures aux autres, allez-y doucement et ne vous mettez pas trop de pression au cours des premières semaines. Même une personne en bonne santé, après une anesthésie générale, est fatiguée et moins énergique pendant quelques semaines. Alors, ne placez pas la barre trop haut.

NE RETOURNEZ PAS AU TRAVAIL TROP TÔT. Surtout après la chirurgie, mais aussi si vous travailliez au moment du diagnostic, résistez à la tentation de retourner au travail le plus tôt possible.

Bien des gens ont tendance à se définir (et à définir leur valeur) par leur travail. S'ils fonctionnent bien au travail, ils sont dignes d'intérêt, sinon ils se sentent un peu bons à rien. Si c'est votre cas, sachez que vous pourriez ternir votre réputation si vous retournez travailler alors que vous ne vous sentez pas encore bien et que votre performance n'est pas à la hauteur. Comme cela reste dans les mémoires, vous perdriez des points et, malheureusement, le soutien et la sympathie de vos collègues également.

RECONNAISSEZ VOS MAUVAIS JOURS. Il y aura bien des bons jours où vous vous sentirez optimiste et prêt à relever tous les défis, mais il y aura également certains jours plus tristes où vous aurez l'impression que rien ne s'améliorera et où vous vous sentirez découragé et accablé. Ces journées-là, vous pourriez avoir l'impression que vous n'aurez jamais plus assez d'énergie pour changer quoi que ce soit.

Voici mon conseil : si vous passez une mauvaise journée, reconnaissez-le. *Dites-vous* que c'est un mauvais jour. Acceptez-le et trouvez quelque chose pour vous distraire. Reprenez-vous plus tard ou le lendemain.

Vous n'êtes pas seul, c'est un phénomène universel. On a tous des bons jours et des mauvais jours. Si vous faites semblant qu'une mauvaise journée est en fait une bonne journée, cela pourrait accentuer votre découragement, car vous pourriez ressentir alors de la culpabilité et le sentiment d'être un incapable ou de ne pas avoir le droit d'être déprimé à l'occasion.

FAITES PLUSIEURS PETITS PAS PLUTÔT QUE QUELQUES PAS DE GÉANT. C'est le secret pour bâtir votre confiance. L'une des choses qui aident le plus, ce sont les réussites identifiables.

Il peut y avoir des jours où, physiquement, vous ne pouvez monter qu'un seul escalier, et où, psychologiquement, vous ne pouvez lire que la première page du journal. Si c'est le cas, faites ces petits pas et arrêtez-vous à cette réussite.

Lorsqu'on se remet d'une maladie, l'ampleur des réussites se rétrécit, et l'horizon peut s'arrêter à un escalier ou à la première page du journal. Si c'est ce qui se passe, reconnaissez-le, tout simplement.

Ça ne se passe peut-être pas comme vous l'aimeriez, mais c'est comme ça.

DONNEZ-VOUS PLUS DE TEMPS QU'AUPARAVANT. Une bonne partie de la différence entre une corvée et un plaisir, c'est le temps. Même une activité qui vous plaît peut devenir désagréable s'il faut vous dépêcher et que vous n'avez pas le temps d'en profiter. Pareillement, même une activité qui vous déplaît peut vous paraître moins désagréable si vous avez réservé assez de temps pour la faire.

Ce principe fonctionne bien quand on est en bonne santé et fait des merveilles quand on l'est moins.

VOUS POUVEZ PRÉVOIR LE PIRE ET QUAND MÊME ESPÉRER LE MEILLEUR. Ces deux attitudes ne sont pas incompatibles. (Consultez les pages 191-195 où je traite des effets et des diverses facettes de l'espoir.)

Ne craignez jamais d'envisager des scénarios négatifs. Des prévisions pessimistes ne sont pas des prophéties qui se réaliseront nécessairement. En fait, c'est plutôt le contraire. Une fois que vous avez décidé comment vous réagiriez si quelque chose de négatif survenait, vous pouvez arrêter d'y penser. Vous pouvez alors mieux vous concentrer sur votre vie quotidienne.

Le soutien — « Qu'est-ce que c'est et quel effet produit-il ? »

On sait tous à peu près ce que veut dire le mot soutien, mais lorsqu'on y réfléchit un peu, il est assez difficile d'en décrire les ingrédients principaux.

Avec l'aide du docteur Walter Baile, professeur responsable de la psychiatrie au centre de cancérologie M. D. Anderson de l'Université du Texas, j'ai représenté le soutien par deux composantes essentielles : la reconnaissance de ce que l'autre personne ressent (voir la réaction empathique, aux pages 167-168) et sa défense, c'est-à-dire prendre des mesures pour tenter de répondre aux besoins du patient qui ne sont pas satisfaits.

Soutien = reconnaissance + défense

Autrement dit, pour soutenir la personne, vous devez faire (au moins) deux choses. D'abord, il vous faut identifier ce que la personne ressent, par des actions, des comportements ou des mots, et lui montrer que vous reconnaissez ces sentiments, ainsi que les événements et les circonstances qui les ont suscités. Ensuite, vous devez comprendre et reconnaître la liste des désirs et des besoins de cette personne, puis agir pour que ceux-ci soient satisfaits dans la mesure du possible. Pour assurer le soutien, vous devez essayer de trouver des solutions ou de l'information, même s'il est pas possible de donner au patient ce qu'il désire en fin de compte (p. ex., la guérison de la tumeur).

Le soutien concerne davantage le *processus* — la manière dont vous faites les choses ou tentez de les faire — que *l'issue* — les résultats auxquels vous arrivez ou non.

La communication — « Ce n'est pas ce que vous dites qui compte, mais comment vous le dites. »

Même si parler aux autres se fait constamment, ce n'est pas un sujet auquel on réfléchit souvent de manière consciente.

Par conséquent, la plupart des gens ne se rendent pas compte qu'ils peuvent avoir recours à des *stratégies* de communication, c'est-à-dire à des moyens pour aborder des sujets délicats. Autrement dit, vous pouvez consciemment décider d'une approche pour communiquer.

Dans cette section, je vous montrerai comment faire. J'enseigne les stratégies de communication et l'art de communiquer depuis vingt ans à des médecins et à des étudiants en médecine partout dans le monde. Une bonne part de ce que vous lirez dans cette section a été éprouvée par des études. Ça fonctionne, constatez-le par vous-même !

« Qu'est-ce que ça donne de parler ? »

Comme nous le savons tous (bien que nous ne l'admettions jamais tout à fait), les contacts humains, c'est-à-dire les communications au cours desquelles une personne modifie ce que l'autre personne ressent ou pense, sont d'une importance capitale.

La modification de ce que l'on ressent peut changer notre capacité à faire face à l'adversité de manière radicale.

L'un des aspects les plus redoutables de n'importe quelle maladie (et c'est un fait reconnu depuis plusieurs années), c'est le sentiment d'être seul et isolé. Si vous vous sentez coupé des gens qui vous entourent, vous serez plus vulnérable à la dépression et aux autres symptômes de repli sur soi et de « décrochage ».

La communication avec les gens qui vous entourent change complètement cette réalité, et c'est pour cette raison que ce sujet est si important.

De plus, votre savoir-faire et vos aptitudes en communication parlent de vous, que vous le vouliez ou non. Il y a plusieurs années, les médecins n'avaient pas l'habitude d'avoir des conversations ouvertes et honnêtes avec leurs patients. Et même s'ils désiraient que ce soit autrement, ils ne connaissaient pas les techniques les plus efficaces. Ainsi, plusieurs médecins étaient perçus comme des personnes froides, insensibles et indifférentes. J'ai rencontré plusieurs médecins qu'on disait froids ou insensibles et j'ai découvert que ce n'était pas le cas. Ils ne savaient tout simplement pas comment réagir ou quoi dire, alors ils se taisaient, et ils étaient étiquetés comme des personnes maussades et peu chaleureuses. Une fois qu'on leur avait enseigné quelques techniques simples de communication, l'impression de leurs patients à leur endroit s'améliorait grandement.

C'est la même chose pour vous.

Que vous soyez le patient (la personne qui a reçu un diagnostic de cancer) ou un ami, la manière dont vous communiquez — et particulièrement la manière dont vous écoutez et répondez — transformera visiblement la relation avec votre interlocuteur et modifiera l'issue de vos discussions.

De plus, lorsque vous parlez d'un sujet qui vous préoccupe ou que vous ne comprenez pas bien, vous pouvez vous rendre compte que vous avez commencé à résoudre le problème en parlant. La manière dont on formule les questions nous donne souvent les réponses.

En résumé, une bonne communication permet d'établir une relation sincère entre les interlocuteurs, et permet également de résoudre des problèmes et de mettre les questions non résolues en perspective.

Je commencerai par quelques conseils pour le patient lorsqu'il parle à sa famille, à ses amis et à l'équipe soignante. La section suivante est consacrée aux amis et aux membres de la famille. J'y présente des trucs pour parler au patient et l'écouter.

Il n'y a rien de secret ici, tout le monde peut lire les deux sections. J'ai séparé les conseils parce que les points de vue de chaque personne sont différents et peuvent engendrer des problèmes spécifiques à la situation.

Communiquer avec les amis et la famille. Conseils à la personne chez qui on a diagnostiqué un cancer

Dans un monde idéal, les gens atteints d'une maladie n'auraient pas à trouver une stratégie pour parler de leur état avec leurs amis et leur famille. Cela se passerait de façon naturelle et intuitive.

Malheureusement, le mot *cancer* a une telle charge émotive et est si empreint de noirceur qu'il rend souvent la communication normale impossible.

Par conséquent, il vous faut trouver des stratégies pour aborder le sujet de votre diagnostic ou de votre maladie avec vos amis.

C'est injuste. En théorie, vous ne devriez pas avoir à préparer ces discussions. Elles *devraient* couler de source. Cependant, dans la société actuelle, ces conversations posent problème; il vous faut donc des moyens pour les faciliter.

Le chaudron d'émotions

Une patiente a comparé ses sentiments après le diagnostic à un chaudron d'émotions en ébullition. Ce chaudron contenait toutes sortes d'émotions et de pensées bouillonnant ensemble. Certaines lui appartenaient, d'autres provenaient des réactions et des attitudes de la société devant le mot *cancer*.

Je crois qu'il vaut la peine de réfléchir à cette métaphore, car elle est parfaite. Si on vient de vous apprendre que vous êtes atteint de l'un des deux cents types de cancer, vous éprouverez un mélange complexe d'émotions, de peurs et de pensées. Certaines d'entre elles vous seront personnelles, provenant de vos expériences ainsi que de vos réactions antérieures à des événements négatifs. D'autres seront prédéterminées par la société. Cela signifie qu'une partie du malaise qui vous assaille vient de votre expérience et l'autre des attitudes des autres. Voyons-les séparément.

Vos sentiments

Vous éprouvez peut-être les sentiments suivants, et il peut être utile de savoir que d'autres personnes, dans des situations similaires, les éprouvent également. C'est pourquoi on peut les qualifier de *normaux*.

CHOC : on sait tous ce qu'est un choc, soit une surprise majeure déplaisante. Peu importe le degré de préparation, le diagnostic d'un cancer cause presque toujours un choc. Même si le cancer a déjà été guéri au moment de la première biopsie, pour bien des gens le mot *cancer* dans n'importe quel contexte, à n'importe quel moment, provoque immédiatement et automatiquement une réaction de choc.

INCRÉDULITÉ : l'incrédulité est un sentiment tellement répandu qu'on peut dire qu'il est quasi universel. Tout le monde éprouve une impression d'irréalité. Au moment du diagnostic de cancer, on se dit presque tous : « Ça ne peut pas m'arriver. » Ce qu'il faut retenir, c'est que cette réaction est courante. Ce n'est pas votre faute, et ce n'est ni la lâcheté ou la stupidité qui provoque cette réaction.

DÉNI : chez bien des gens, ce sentiment d'incrédulité est accompagné d'un désir de faire disparaître la nouvelle, de la nier. On a souvent parlé du déni comme d'un sentiment qui serait toujours dangereux et qu'il faudrait immédiatement combattre.

Or, selon moi, et selon de nombreux professionnels dans ce domaine, c'est tout à fait faux. Bien des gens ont recours au déni comme moyen normal et utile pour composer avec une nouvelle menaçante ou accablante *au moment où ils l'apprennent*. Autrement dit, le déni est une stratégie d'adaptation normale qui permet d'enregistrer la nouvelle sans être totalement submergé par elle. Ce n'est que lorsque le déni se prolonge et provoque des ruptures de communication entre le patient et sa famille ou son équipe soignante que cela constitue un problème. Si vous vous apercevez que vous avez recours au déni ou si quelqu'un le mentionne, il n'est pas nécessaire de vous blâmer ou de vous dépêcher à en sortir. Ce peut très bien être une réaction normale qui vous permettra, après un moment, soit quelques jours ou quelques semaines, d'accepter la nouvelle et d'y faire face de manière constructive.

EMBARRAS : en plus du choc, de l'incrédulité et du déni — des sentiments qui rendent difficile la communication au sujet de votre situation —, il se peut que vous n'ayez pas *l'habitude* de parler de sujets très intimes. En fait, c'est ainsi pour la plupart des gens. Dans beaucoup de familles et de relations d'amitié, on ne parle pas de sujets ou de problèmes trop intimes. Si on le fait, ce n'est pas avec autant de facilité et de compréhension qu'on le voudrait. Si c'est ainsi que cela se passait pour vous auparavant, vous aurez des difficultés lorsque vous voudrez (ou aurez besoin de) parler de vos sentiments pendant ce moment de crise. Je le répète, si vous admettez ce sentiment, ce sera plus facile.

PEUR : le mot *cancer* est si associé à la crainte et à une fin inéluctable qu'un sentiment de peur est quasi inévitable.

PANIQUE : je crois que la panique ressemble beaucoup à la peur, mais avec un degré supérieur d'intensité. Lorsque la peur atteint un certain niveau, elle affecte notre capacité à penser clairement et à prendre des décisions rationnelles. Je crois que c'est ce que tout le monde entend par le mot *panique*. C'est une peur à un niveau assez élevé pour altérer le processus décisionnel.

COLÈRE : la plupart des gens ressentent une certaine forme de colère face à leur corps qui les a abandonnés, qui les force à surmonter un obstacle immense et inattendu, et qui complique leurs projets. Cette colère est aussi associée (et peut en être alimentée) au sentiment que « si mon corps connaît un échec, cela signifie que je suis un raté ». Ces sentiments sont partagés par bien des gens : ils peuvent être véritables ou non, appropriés ou non, mais la plupart des patients en font l'expérience à un certain degré.

CULPABILITÉ : la culpabilité est également très fréquente, mais c'est un sujet presque tabou dont on parle rarement. La culpabilité est la composante émotionnelle des reproches que l'on se fait. Si vous vous sentez coupable, cela signifie que vous vous attribuez une part de blâme par rapport à votre état, que ce soit approprié ou non. En fait, vous serez plus enclin à ressentir de la culpabilité si votre maladie est entièrement le fait du hasard et que vous n'y avez contribué d'aucune manière.

FRUSTRATION ET PERTE DE CONTRÔLE : nous vivons dans une société où les gens s'attendent à exercer de plus en plus de contrôle sur de nombreux aspects de leur vie quotidienne. Nous voulons regarder les émissions de télévision qui nous plaisent, acheter les aliments que nous désirons et nous rendre au travail selon un horaire qui nous convient. Nous nous attendons aussi à être frustrés lorsque quelque chose cloche ou que nous n'arrivons pas à avoir ce que nous voulons.

DÉSESPOIR : cette émotion est associée à la perception, même si elle est totalement fausse, qu'il n'y a aucun espoir. L'un des déclencheurs les plus courants du désespoir est l'absence d'informations sur les options de traitement et les perspectives d'avenir. Comme un de mes patients l'a si bien dit : « Lorsqu'on ne sait pas ce qui peut être fait, on conclut immédiatement que rien ne peut être fait. »

Le désespoir est une réaction normale et fréquente, et l'un des moyens les plus rapides pour le neutraliser est d'en apprendre plus sur le cancer et son traitement. (C'est pour cette raison que j'ai décidé d'écrire ce livre.)

HUMOUR : beaucoup de personnes se servent de l'humour pour passer à travers des périodes difficiles. On a parfois l'impression que c'est déplacé, en quelque sorte, qu'il y a des choses dont on ne devrait jamais rire. Toutefois, je crois que l'humour est une réaction utile et une véritable stratégie d'adaptation. Si vous vous servez de votre humour pour composer avec la situation, ce qui compte, c'est le résultat.

Sans être trop pompeux, on peut définir l'humour comme une diversion délibérée et consciente à une réaction attendue ou à une séquence d'événements prévisible. Parce que cette activité où l'on s'éloigne de ce qui est attendu est un choix délibéré et conscient, l'humour n'est pas seulement bénéfique pour la personne qui en prend l'initiative, elle contribue aussi aux bonnes relations entre cette personne et celles qui l'écoutent. En partageant cet humour, les gens renforcent leurs liens entre eux. Autrement dit, l'humour est un excellent moyen pour nourrir une relation si on y a recours *après* avoir discuté de la situation sérieusement.

Ainsi, si vous êtes le genre de personne qui aime ajouter une petite touche d'humour lorsque ça va mal, n'hésitez pas à le faire maintenant. L'humour permet de mettre les choses en perspective, d'encadrer la menace et de contribuer (généralement) à ce que les gens autour de vous soient plus détendus.

Les attitudes de la société devant les maladies graves

Nous avons vu ci-dessus quelques émotions et réactions au diagnostic du cancer qui proviennent de vous. Il y a également des émotions et des attitudes qui sont prédéterminées par la société. De la même manière qu'une société décide comment elle réagira à des mots comme *terroriste* ou *pandémie,* dans une certaine mesure certaines connotations associées au mot *cancer* sont préfabriquées par la société dans laquelle nous vivons.

À l'heure actuelle, notre société tend à célébrer les qualités de la jeunesse, de la richesse et de la santé. Ce n'est pas nécessairement un mal ou du laxisme moral, mais cela signifie que toute personne vieille, pauvre ou malade tend à être marginalisée. Dans n'importe quelle communauté qui privilégie les jeunes en santé, les gens se sentent dévalorisés et mis de côté lorsqu'ils vieillissent ou tombent malades, surtout si ces changements sont associés à une diminution de leur richesse.

Ainsi, certains des sentiments dans le chaudron peuvent être, en partie, un reflet de l'attitude de la société envers la maladie en général. D'ailleurs, plusieurs éléments y contribuent.

STIGMATISATION DE LA MALCHANCE : on a tendance à apprécier le succès et ceux qui en jouissent. La société peut admettre que la chance joue un rôle dans ce succès, mais ce ne sont généralement que des paroles, et les gens qui réussissent attribuent généralement leurs succès à leurs efforts et à leurs qualités.

Donc, si quelqu'un est victime de malchance, il découvre souvent qu'il est stigmatisé à cause de cela. La société a tendance à éviter ceux qui sont victimes de malchance, comme si c'était contagieux. Par conséquent, si vous souffrez d'une maladie que la société considère comme potentiellement grave, vous verrez peut-être les gens avec qui vous avez une relation plus superficielle disparaître de votre vie.

HONTE : avec la perte de l'estime sociale et du statut vient parfois un sentiment de honte. C'est comme si tous ceux qui sont atteints d'un cancer étaient des individus de second ordre. Ils ne sont ni des parias ni des lépreux, mais ils descendent un peu dans l'ordre hiérarchique. C'est plus fréquent lorsque la personne souffre de cancer que d'emphysème, par exemple.

REDÉFINITION DES RÔLES : les mêmes causes fondamentales sont responsables du malaise qui accompagne l'adaptation à un nouveau rôle, même si ce n'est que temporaire.

Si vous êtes le soutien de votre famille ou si vous contribuez d'une autre façon à la vie de votre famille ou à la communauté, cela peut être extrêmement bouleversant de ne plus pouvoir jouer ce rôle.

Les émotions décrites ci-dessus ne sont qu'une partie des nombreux ingrédients qui bouillonnent dans le chaudron des émotions. Ces sentiments ne peuvent pas être réprimés instantanément, contrairement à un problème mécanique que le mécanicien peut régler sur-le-champ. Pour atténuer ces sentiments, il faut de la *réflexion* et beaucoup de *discussion*. C'est pourquoi il est si important d'en parler avec vos amis.

Peu importe comment vous vous sentez ou ce que vous ressentez, à un moment ou à un autre, votre état devrait s'améliorer si vous trouvez quelqu'un à qui parler.

« À qui devrais-je parler ? »

Dans un monde idéal et utopique, nous aurions tous une relation intime basée sur la confiance, avec un époux ou un conjoint par exemple, ainsi qu'un grand cercle d'amis pour nous soutenir et à qui nous pourrions parler de nos sentiments les plus intimes.

C'est ce qui serait idéal, et quelques personnes ont la chance d'avoir un tel soutien. La plupart d'entre nous, cependant, ont des relations un peu moins parfaites. Et certains semblent même n'avoir personne à qui parler (au début).

Il faut donc se demander quelle serait la meilleure personne à qui parler si on en sent le besoin.

D'abord, à qui parlez-vous de vos problèmes importants *habituellement* ? Quelle est la première personne qui vous venait en tête lorsque vous vouliez parler d'un sujet sérieux auparavant ? S'il y a dans votre entourage une personne à qui vous avez toujours confié vos inquiétudes et vos problèmes, cette personne devrait figurer en tête de liste.

Si vous n'avez pas de confident, essayez d'imaginer avec qui vous seriez le plus à l'aise pour parler de problèmes difficiles.

Cela peut être n'importe qui. Il n'existe pas de « meilleure personne » universelle. Ce pourrait être votre conjoint, votre ami le plus proche, votre mère, votre sœur, votre frère, un prêtre, ou même quelqu'un que vous aimez beaucoup mais de qui vous n'êtes pas (encore) proche. En fait, il arrive que les personnes atteintes du cancer soient découragées ou intimidées à l'idée d'en parler à leur famille proche. Elles peuvent être plus à l'aise d'en parler d'abord à quelqu'un de moins proche, comme un associé.

Si vous ne savez pas du tout à qui parler, discutez-en avec votre médecin, votre infirmière ou un autre membre de votre équipe soignante. Vous pouvez également vous renseigner sur les groupes d'entraide de votre région ou associés au centre où vous vous faites traiter. (Vous pouvez aussi jeter un coup d'œil aux sites Internet mentionnés à la fin de ce livre.)

« Comment demander ce que je veux ? »

Une fois que vous avez trouvé la personne qui semble la mieux placée pour vous soutenir, que faire ensuite ? Voici quelques pistes pour faciliter cette conversation :

ESSAYEZ DE DÉTERMINER QUELLES SONT LES CHOSES LES PLUS IMPORTANTES. C'est un peu comme si vous rédigiez un ordre du jour dans votre esprit. Si vous gardez les sujets importants pour la fin, vous aurez tendance à être préoccupé et crispé pendant que vous parlez d'autre chose. Très souvent, il n'y a que deux ou trois sujets en haut de la liste. Déterminez les points les plus importants et abordez-les en premier.

ESSAYEZ DE DONNER UNE ESPÈCE D'AVERTISSEMENT EN PREMIER LIEU. Ce genre d'avertissement est assez courant dans les transactions commerciales, mais on y a peu recours lors de conversations normales en société. Cependant, votre situation ne correspond pas aux circonstances normales, vous avez donc la liberté de procéder autrement.

Vous pouvez commencer la conversation en disant : « J'ai besoin de parler de quelque chose qui me trotte dans la tête. Est-ce que tu serais d'accord ? » ou « Je m'inquiète beaucoup au sujet de quelque chose. Est-ce qu'on peut parler un moment ? »

Ces phrases d'introduction avertissent l'autre personne que la conversation qui s'en vient traitera de sujets importants. Ainsi, votre interlocuteur sera plus à l'écoute de ce que vous direz.

SOYEZ AUSSI PRÉCIS QUE POSSIBLE. Ce n'est pas une mince tâche, et vous pourriez procéder par étapes. Par exemple, vous pouvez *commencer* par des généralités : « Peut-on parler de ce qui se passe en ce moment ? » et poursuivre avec une phrase plus précise : « Depuis quelques jours, je m'inquiète de... »

De cette manière, vous amenez doucement les sujets importants, et la personne qui vous écoute se concentrera sur ce que vous voulez ou ce dont vous avez besoin.

VÉRIFIEZ QUE VOTRE MESSAGE A ÉTÉ BIEN REÇU. Il est sage de parsemer votre conversation de petites phrases pour vérifier que votre interlocuteur comprend bien ce que vous dites. Ce peut être : « Comprends-tu ce que je veux dire ? » ou « Est-ce que tout cela a du sens pour toi ? », ou encore « Tu me suis ? »

RÉCAPITULEZ À LA FIN. Assurez-vous que ce que vous avez dit a été entendu. Si vous avez demandé que quelque chose soit fait, par exemple, vous pourriez résumer en disant : « Donc, tu vas appeler ta mère et lui demander pour la fin de semaine prochaine, et tu vas rappeler à Dorothée de prendre les enfants le vendredi. »

VOUS AVEZ LE DROIT DE PARLER D'AUTRES CHOSES AUSSI ! Après avoir parlé des sujets importants, ne soyez pas gêné d'aborder des sujets plus légers : « Parlons d'autres choses maintenant. » Les sujets légers constituent le mortier des conversations humaines. C'est vrai, les lourdes briques des questions graves tomberaient rapidement sans le bavardage comme mortier pour les solidifier.

HUMOUR. Comme je l'ai déjà mentionné, si l'humour vous aidait auparavant, il vous aidera maintenant. L'humour est une stratégie d'adaptation. Il permet à celui qui en prend l'initiative d'encadrer la menace. Rire de cette menace atténue son importance et sa taille.

Si l'humour faisait partie de vos moyens pour composer en temps de crise, il vous sera encore d'une grande aide, et vous n'avez pas à vous en faire sur la façon dont il sera reçu.

En revanche, si l'humour n'a jamais fait partie de votre arsenal par le passé, ce n'est peut-être pas le meilleur moment pour vous y mettre (malgré ce qu'en dit Norman Cousins dans son livre *Anatomy of an Illness*).

J'espère que ces conseils vous permettront d'avoir des conversations où vous vous sentirez relativement à l'aise. Voyons maintenant comment parler de vos sentiments dans ces échanges.

« Comment puis-je parler de mes sentiments ? »

Malgré ce que montrent les films hollywoodiens, la plupart d'entre nous ne sommes pas des experts lorsqu'il s'agit d'exprimer ce que nous ressentons. Nous n'avons pas l'habitude, et quand nous essayons, la gêne prend souvent le dessus. La plupart du temps, ce n'est pas bien grave. Cependant, lorsqu'un événement majeur survient, comme une maladie ou un diagnostic de cancer, la majorité des gens qui désirent parler de ce qu'ils ressentent n'ont tellement pas l'habitude de le faire qu'ils en sont incapables. Et c'est tout à fait normal !

Le secret, c'est de reconnaître toutes les émotions fortes

Avant tout, il faut savoir que si votre interlocuteur ou vous, ressentez de fortes émotions sans en parler, vous ne serez capables d'aborder aucun sujet facilement. Une émotion que personne ne reconnaît — ne pas mentionner « l'éléphant dans la pièce » — a un effet paralysant sur n'importe quelle conversation.

Si vous vous sentez en colère, gêné ou très triste, ou si votre interlocuteur ressent de telles émotions, jusqu'à ce que l'un d'entre vous *mentionne* ces sentiments, votre conversation sera pénible. Vous serez préoccupés tous deux et vous aurez du mal à écouter.

Dès que l'un d'entre vous reconnaît l'émotion : « Je suis désolé d'être de si mauvaise humeur, je viens d'apprendre que… », la communication devient plus aisée. Reconnaître l'existence d'une émotion en la mentionnant neutralise en partie l'effet paralysant qu'elle aurait autrement.

Voici comment procéder.

LA FAÇON LA PLUS SIMPLE DE RECONNAÎTRE UNE ÉMOTION EST LA TECHNIQUE DE LA RÉPONSE EMPHATIQUE. Cette technique d'une grande simplicité se déroule en trois étapes :

a. *identification de l'émotion* — nommez le sentiment que vous éprouvez (la colère, la tristesse, la frustration, par exemple) ;

b. *identification de la cause* de cette émotion — des mauvaises nouvelles que vous venez d'apprendre, un séjour à l'hôpital qui se prolonge, etc. ;

c. *reconnaissance* de l'émotion en reliant *a* et *b*.

Par exemple, si vous êtes inquiet parce que vous attendez les résultats d'un examen, une bonne réponse empathique serait : « Je suis très inquiet en ce moment parce qu'ils avaient dit que j'aurais les résultats de l'examen aujourd'hui et que je n'ai pas encore eu de nouvelles. »

Une réponse empathique — la reconnaissance des sentiments qui sont bel et bien « dans la pièce » —, vaut beaucoup mieux que d'ignorer ce qui vous inquiète ou de vous fâcher contre votre interlocuteur parce que les résultats sont en retard.

La beauté de la réponse empathique, c'est qu'en y ayant recours, vous *décrivez* vos sentiments au lieu de simplement les *exprimer*, vous les *expliquez* au lieu de les *extérioriser*. La différence est de taille entre la phrase « Je me sens très en colère aujourd'hui parce que... », qui lance la conversation, et une réaction impolie ou brusque alimentée par cette colère et qui coupe court à la conversation.

RAPPELEZ-VOUS QUE VOUS ÊTES TOUT À FAIT EN DROIT DE RESSENTIR CE QUE VOUS RESSENTEZ ! Ce que vous ressentez est ce que vous ressentez. Les émotions ne sont pas bonnes ou mauvaises. Ce n'est que lorsque vous tentez d'étouffer des émotions fortes que les problèmes deviennent difficiles à résoudre.

N'AYEZ PAS PEUR DE DIRE À L'AUTRE PERSONNE À QUEL POINT VOUS TENEZ À ELLE. Dans la vie quotidienne, on ne fait pas cela souvent. Mais en temps de crise, il est très bénéfique de faire savoir à l'autre personne pourquoi vous tenez à elle.

SI VOUS N'ÊTES PAS CERTAIN À PROPOS DE QUELQUE CHOSE (N'IMPORTE QUOI !), VOUS POUVEZ LE DIRE. N'ayez pas peur d'admettre vos doutes. Si vous ne savez pas comment vous vous sentez, ce qui va arriver ou comment vous allez faire face à la situation, vous devriez le dire. Il y aura peut-être plus de mal si vous prétendez savoir qu'en confirmant que vous ne savez pas.

DANS BIEN DES OCCASIONS, LES MOTS SONT INUTILES. Tenir la main de quelqu'un, le prendre dans ses bras ou simplement s'asseoir en silence près de lui sont des gestes qui peuvent être plus utiles que des mots, une fois que la situation a été exposée.

MALGRÉ CE QU'EN DISENT LES CHANSONS, TOUT LE MONDE ÉPROUVE DES REGRETS DANS LA VIE! N'allez pas croire que vous n'avez pas le droit d'exprimer vos regrets. Plus que toute autre émotion, le regret s'atténue lorsqu'on le partage et peut même approfondir le lien durable entre vous et votre interlocuteur.

NE VOUS RETENEZ JAMAIS DE PLEURER. Ce conseil est très important. Pleurer n'est pas un signe de faiblesse, mais une manifestation de votre sensibilité et des émotions que vous ressentez. En général, les gens sont flattés lorsqu'on se sent assez proche d'eux pour pleurer en leur présence. Si vous avez envie de pleurer, ne vous retenez pas.

Comment réagir aux réactions des autres?

Étrangement, même si vous êtes la personne qui a reçu un diagnostic de cancer, vous pouvez avoir plus de difficulté à composer avec les émotions de vos amis qu'avec les vôtres. Les techniques que j'ai décrites pour parler de vos sentiments fonctionnent tout aussi bien avec ceux des autres.

Il est capital d'être capable de composer avec les émotions, les vôtres comme celles des autres, parce que les gens ont tendance à éviter les situations émotionnelles s'ils croient que l'un des protagonistes ne peut y faire face. Autrement dit, votre ami pourrait être tenté de vous éviter s'il éprouve des émotions fortes, mais ne sait pas comment composer avec elles. Ça ne devrait pas se passer comme ça, mais c'est la réalité.

Voici comment utiliser les mêmes techniques pour réagir aux émotions de votre ami.

SERVEZ-VOUS DE LA RÉPONSE EMPATHIQUE. Suivez les trois étapes pour reconnaître les sentiments de votre ami. Si vous avez un bon instinct, l'idéal est d'identifier l'émotion qu'il éprouve et sa cause. Cela peut être aussi simple que de dire: «Tu as l'air d'être mal à l'aise lorsque je parle de cancer» ou

« J'imagine que venir ici te bouleverse beaucoup. »

VOUS POUVEZ VOUS SERVIR DE LA RÉPONSE EMPHATIQUE POUR N'IMPORTE QUELLE ÉMOTION QUI SE VIT. N'hésitez pas à reconnaître vos sentiments en même temps : « C'est terrible pour toi comme pour moi » ou « Je sais que tu t'inquiètes pour ce qui va m'arriver, moi aussi. » Plus vous êtes conscient de ce que vous ressentez et de ce que ressent l'autre, plus le dialogue sera sincère.

SI VOUS ÊTES IMPLIQUÉ DANS UNE FORME DE CONFLIT (et cela arrive assez souvent), consultez la section Pistes pour résoudre les conflits, à la page 171.

Comment apprendre aux autres ce qui se passe ?

Bien des gens trouvent délicat et gênant d'apprendre aux autres qu'ils souffrent d'un problème de santé. L'idée de le faire les répugne. Ils n'ont probablement jamais eu besoin de le faire et ils ignorent par quoi commencer.

Si la personne à qui vous vous confiez est votre époux, votre conjoint ou un ami proche, il est souvent possible de lui demander d'être présent au moment où le médecin vous rencontre. Ainsi, vous apprendrez les choses en même temps. Si ce n'est pas possible, vous trouverez peut-être les conseils suivants utiles pour lui apprendre la nouvelle.

PENSEZ AU LIEU PHYSIQUE. Par exemple, assurez-vous que la télévision est éteinte et que vous pouvez bien voir le visage de votre interlocuteur.

IL EST TOUJOURS PRÉFÉRABLE D'INTRODUIRE LE SUJET PLUTÔT QUE D'ALLER DROIT À L'INFORMATION. Cette introduction pourrait ressembler à : « Je crois qu'il vaudrait mieux que je te dise ce qui se passe. Ça te va ? »

SI VOUS PENSEZ QUE VOTRE AMI EST AU COURANT DE QUELQUE CHOSE, il peut être très utile de le lui demander pour éviter de parler pour rien. « Tu sais probablement certaines choses déjà. Dis-moi ce que tu comprends de la situation jusqu'à maintenant et je compléterai par la suite. »

IL PEUT ÊTRE UTILE DE COMMENCER PAR UN BILAN PRÉLIMINAIRE, une sorte d'avertissement en quelque sorte. À titre d'exemple, si la situation est grave, vous pourriez dire : « Il semble que ce pourrait être sérieux. » Si la situation est inquiétante, mais qu'à long terme il y a de l'espoir, alors explique-le comme cela.

DONNEZ L'INFORMATION EN PETITS FRAGMENTS, quelques phrases à la fois, et assurez-vous que votre ami comprend bien ce que vous avez dit avant de continuer : « Comprends-tu ce que je veux dire ? »

IL Y AURA SOUVENT DES SILENCES. Ne vous laissez pas intimider par ces silences. Vous et votre ami pouvez sentir que de simplement vous tenir la main ou d'être ensemble dans la même pièce est plus utile que bien des mots. Si vous trouvez un silence gênant, le moyen le plus simple de le briser est de poser une petite question : « À quoi penses-tu ? »

LORSQUE VOUS APPRENEZ À UN PROCHE QUE VOUS AVEZ UN PROBLÈME GRAVE, CET AMI PEUT SE SENTIR TRISTE ET DÉPRIMÉ PAR SYMPATHIE POUR VOTRE SITUATION. Dans ce cas, vous pourriez être tenté de brosser un portrait plus positif et optimiste de la situation pour le soulager. Si votre situation peut effectivement être présentée de manière plus positive, faites-le. Toutefois, s'il y a une grande part d'incertitude et d'inquiétude quant à votre avenir, vous ne devriez pas vous sentir obligé de déguiser la vérité pour ne blesser personne. C'est peut-être douloureux pour votre ami aujourd'hui, mais si vous brossez un tableau idyllique qui ne se matérialisera pas, votre ami sera encore plus déçu (et blessé) plus tard.

Vous verrez que ces principes rendront les conversations délicates un peu moins difficiles. Comme je l'ai écrit plus haut, il est injuste que vous soyez obligé d'en faire autant, particulièrement au moment où vos besoins sont si grands, mais la vie est ainsi faite, et de cette manière, votre ami sera mieux outillé pour vous soutenir par la suite.

Communiquer avec les enfants

Parler de votre maladie à un enfant, ou de la sienne s'il est le patient, est extrêmement difficile. On associe l'enfance à une période d'innocence épargnée par la douleur ou la culpabilité. On espère tous que les événements déplaisants ou douloureux ne toucheront pas la vie de nos enfants jusqu'à ce qu'ils aient les aptitudes nécessaires pour y faire face. Malheureusement, les maladies graves font fi de l'âge. Souvent les patients doivent faire connaître la situation à leurs enfants. Apprendre aux enfants ce qui se passe peut être l'aspect le plus douloureux et le plus délicat de la maladie, mais les conseils suivants devraient vous faciliter la tâche quelque peu.

PRÉSENTEZ L'INFORMATION À UN NIVEAU ADÉQUAT SELON LA CAPACITÉ DE COMPRÉHENSION DE L'ENFANT ET NON SELON SON ÂGE. Les enfants sont très différents dans leur capacité de compréhension. Certains enfants de cinq ans peuvent saisir des concepts qui échappent à des enfants du double de leur âge. Vérifiez en parlant ce que comprend l'enfant et corrigez vos propos au besoin.

SOYEZ PRÊT À RÉPÉTER LES INFORMATIONS. Les enfants demandent habituellement qu'on répète les informations importantes plusieurs fois. Si le sujet est
douloureux pour vous, vous pourriez être tenté de mettre un terme à la conversation : « J'ai déjà répondu trois fois à cette question, c'est assez. » Cependant, lorsque les enfants demandent de répéter, ce n'est pas parce qu'ils sont
stupides ou méchants, c'est qu'ils ont besoin de vérifier que ce que vous dites
est vrai. Essayez d'être plus patient qu'à l'habitude et répétez les informations en restant cohérent avec ce que vous avez dit précédemment.

FAITES ATTENTION À LA PENSÉE MAGIQUE. Les enfants se sentent presque toujours coupables lorsque quelque chose ne va pas autour d'eux et croient souvent que, d'une manière qui leur échappe, ils en sont responsables. C'est ce
qu'on appelle la *pensée magique* : « Si j'avais fait le ménage de ma chambre
lorsque maman me l'a demandé, elle ne serait pas malade aujourd'hui. » On
peut écarter de telles pensées avec une remarque générale, comme celle-ci :
« C'est le genre de malheur qui arrive à l'occasion, et ce n'est la faute de personne. Ce n'est pas ma faute, ni celle du médecin et surtout pas la tienne.
C'est simplement de la malchance. »

DEMANDEZ-VOUS SI VOUS AVEZ BESOIN D'AIDE. Souvent, la présence d'un
professionnel de la santé peut être très bénéfique. J'ai souvent conduit de
tels entretiens, qui peuvent s'avérer utiles du fait que l'enfant peut cana-
liser sa colère et son ressentiment sur le professionnel plutôt que sur le
parent. Le professionnel devient une sorte de paratonnerre qui réduit
votre fardeau. Il peut également y avoir des questions techniques auxquelles il est difficile de répondre. Le professionnel peut vous aider en ce
cas. Il peut être très opportun de demander à votre équipe soignante si un
médecin, une infirmière, un thérapeute ou un travailleur social peut vous
aider à parler à votre enfant.

Expliquer des situations graves et menaçantes à un enfant est toujours douloureux. Les conseils ci-dessus peuvent vous aider un peu, mais n'hésitez pas
à demander toute l'aide nécessaire pour faciliter ce moment.

Pistes pour résoudre les conflits

Lors d'un diagnostic de cancer, les émotions exacerbées provoquent souvent
des conflits. Ce peut être un conflit avec vos amis ou votre famille, ou, plus
vraisemblablement, avec un membre de votre équipe soignante.

Plusieurs patients ressentent une colère particulière et quasi incontrôlable contre des amis ou l'équipe soignante. Une partie de cette émotion provient du sentiment très humain qui veut qu'on blâme le messager pour le message. Lorsqu'une personne vous apprend que vous avez le cancer, vous pouvez difficilement concentrer votre colère sur le cancer, alors vous la canalisez vers la personne qui vous a appris la nouvelle.

Cette réaction est souvent intensifiée par le sentiment que vous avez la malchance de souffrir d'une maladie, alors que l'autre s'en tire à bon compte.

Comme il se peut que vous viviez des conflits à un moment ou à un autre, voici quelques pistes pour vous aider à les résoudre, en tout ou en partie, dans la mesure où c'est possible.

CHAQUE FOIS QUE C'EST POSSIBLE, essayez de *décrire* vos sentiments plutôt que de les *exprimer*. Lorsque des émotions montent, essayez de les reconnaître, que ce soit les vôtres ou celles de votre vis-à-vis.

ESSAYEZ DE RELATIVISER L'ISSUE DE LA DISPUTE. Autrement dit, essayez, et ça n'a rien de facile, de vous rappeler que votre valeur en tant qu'être humain n'est pas liée à l'issue de cette dispute. Il est facile de s'imaginer que si on gagne, c'est parce qu'on est une personne merveilleuse, et vice versa. Mais ce n'est pas vrai, comme on a pu le constater dans la plupart des conflits depuis les débuts de l'humanité. Rappelez-vous que vous êtes quand même une personne merveilleuse si vous n'avez pas l'avantage dans la dispute.

S'IL Y A UN SUJET OU UN ASPECT SUR LEQUEL VOUS NE POUVEZ PAS VOUS ENTEN-DRE, essayez de circonscrire ce point de manière à vous « entendre sur le fait que vous ne vous entendez pas » sur ce sujet ou cet aspect particulier.

RACONTEZ LA DISPUTE À UNE AUTRE PERSONNE. Pendant que vous décrivez la dispute, essayez de ne pas faire passer votre adversaire pour un monstre. Si possible, essayez même d'être objectif dans votre description. Ainsi, vous pourriez déceler un moyen de résoudre le conflit en l'expliquant étape par étape.

Communiquer avec la personne qui a reçu un diagnostic de cancer — Conseils aux amis et à la famille

Cette section de la quatrième partie est destinée spécifiquement aux amis et aux membres de la famille. J'y présente quelques conseils de base sur la manière d'écouter et une stratégie systématique pour écouter et communiquer. (Veuillez noter que certains sujets de cette section ont été touchés dans la section précédente. Je présume que la plupart des lecteurs liront l'une ou l'autre, mais si vous lisez les deux, il y aura des répétitions, et je m'en excuse.)

Ne pas savoir quoi dire

On se sent toujours un peu embarrassé lorsqu'un ami nous apprend une mauvaise nouvelle, même si tout finit pas s'arranger plus tard. Habituellement, et surtout s'il s'agit d'un diagnostic de cancer, *on ne sait pas quoi dire*.

Ce qui aggrave la situation, c'est que l'on croit souvent qu'il y a des choses que l'on *devrait* dire ou faire, mais qu'on ignore, qui rassureraient à tout coup la personne atteinte d'un cancer.

De tels mots ou gestes n'existent pas.

Il n'y a pas de meilleure chose à dire ; ce qui compte le plus, ce n'est pas ce que vous dites, mais la manière dont vous écoutez.

Disons donc que vous avez un ami qui vient d'apprendre qu'il a le cancer et que vous voulez l'aider et le soutenir sans savoir comment. (Les pistes et les conseils suivants sont résumés dans un aide-mémoire à la fin de cette section, à la page 181.)

Écouter efficacement

En gros, l'écoute efficace peut se diviser en deux aspects : mental et physique. Les ratés les plus embarrassants en communication sont souvent causés par un manque de connaissances des règles de base qui favorisent une bonne conversation.

PENSEZ AU LIEU PHYSIQUE. Le *cadre physique* est important, et il est très utile de se soucier des détails dès le départ. Asseyez-vous confortablement. Ayez l'air détendu (même si vous ne l'êtes pas au fond de vous) et essayez de faire transparaître votre disponibilité à l'écoute (en enlevant votre manteau, par exemple).

Gardez les yeux *au même niveau* que ceux de votre interlocuteur, ce qui est plus facile à faire assis. En règle générale, si votre ami est à l'hôpital et qu'il n'y a pas de chaise, il est préférable de s'asseoir sur le lit plutôt que de rester debout, si le patient vous en donne la permission. (Pour un patient hospitalisé, le lit constitue son seul territoire, et personne ne devrait l'envahir en s'assoyant dessus sans demander d'abord sa permission.)

Dans d'autres circonstances, vous devriez tenter de créer la plus grande intimité possible. Ne parlez pas dans un corridor ou dans un escalier. Ces conseils peuvent vous sembler évidents, mais en réalité, bien des conversations ne donnent pas les résultats escomptés à cause d'un manque d'attention à ces détails. Créez l'espace le plus propice possible, tout en ayant conscience qu'il y aura toujours des interruptions : le téléphone, la sonnette de porte, des enfants qui entrent dans la pièce, etc. Faites pour le mieux.

Conservez une distance appropriée entre vous et le patient. Idéalement, il devrait y avoir environ un mètre entre vous. Une plus grande distance rend le dialogue gênant et convenu, une distance plus courte peut créer une forme d'oppression chez votre ami, surtout s'il est au lit et ne peut pas s'éloigner. Assurez-vous qu'il n'y a pas d'obstacles physiques (bureau, table de chevet, etc.) entre vous. Ce n'est pas toujours facile, mais vous pouvez dire : « Il n'est pas aisé de parler de chaque côté de cette table, pourrais-je la déplacer pour un moment ? » La proximité sera favorable à la conversation.

Regardez toujours votre ami, peu importe qui parle. Le contact visuel indique à l'autre personne que la conversation se déroule exclusivement entre vous deux. Si à un moment trop douloureux, vous n'arrivez plus à vous regarder directement, restez près de votre ami ou prenez-lui la main si c'est possible.

Vérifiez si votre ami veut parler. Votre ami n'est peut-être pas d'humeur à parler ou ne veut peut-être pas vous parler ce jour-là. Ne vous offensez pas si c'est le cas. Si vous n'êtes pas certain, vous pouvez toujours demander : « As-tu envie de parler ? » C'est toujours mieux que de se lancer dans une conversation sérieuse sur ses sentiments alors que le patient est trop fatigué pour parler ou qu'il vient d'en discuter avec quelqu'un d'autre.

Montrez que vous écoutez lorsque vous écoutez. Lorsque votre ami parle, vous devez essayer de faire deux choses : écouter ce qu'il dit au lieu de penser à ce que vous allez lui répondre et *montrer* que vous l'écoutez.

Pour écouter efficacement, vous devez penser à ce que dit votre ami. Vous ne devriez pas formuler votre réponse à l'avance dans votre tête. Si vous faites cela, c'est que vous anticipez ce qui va *être dit* selon vous et que vous n'écoutez pas ce qui est en train de se dire. Essayez de ne pas interrompre votre interlocuteur. Pendant que la personne parle, n'engagez pas un monologue intérieur et attendez qu'elle ait fini avant de commencer à parler. Si elle vous interrompt pendant que vous parlez en soulevant une objection ou en demandant un éclaircissement, vous devriez arrêter de parler et lui laisser le champ libre.

Encouragez votre interlocuteur à parler. Une bonne écoute ne veut pas dire que vous êtes là à tout enregistrer comme une machine. Vous pouvez aider le patient à dire ce qu'il a sur le cœur en *l'encourageant*. Ce sont les choses les plus simples qui sont les plus efficaces. Hochez la tête ou parsemez la conversation de petits mots comme « Oui », « Je vois » ou « Raconte-moi ça ». Quand le stress est à son niveau maximum, ce sont les choses simples qui aident le plus.

Vous pouvez également montrer que vous écoutez en *répétant* un mot ou deux de la dernière phrase du patient. Cela lui fait sentir que ce qu'il a dit a réellement été compris. Lorsqu'on montre cette technique à des étudiants en médecine, ils nous disent tous qu'en l'utilisant à la maison avec leurs proches, ils amènent les conversations beaucoup plus loin, et que dans leur rôle d'écoutant, ils paraissent plus intéressés et plus impliqués.

Vous pouvez aussi *revenir* sur ce qui a été dit — en partie pour vérifier si vous avez bien compris, et en partie pour montrer que vous écoutez et que vous tentez de comprendre. Vous pouvez commencer vos phrases en disant : « Donc, tu veux dire que… » ou « Si j'ai bien compris, tu sens que… », ou même « Je comprends… », bien que cette dernière phrase puisse paraître un peu gauche si elle ne correspond pas à votre style habituel.

N'oubliez pas le silence et la communication non verbale. Si une personne arrête de parler, cela veut dire habituellement qu'elle pense à quelque chose de douloureux ou de délicat. Attendez avec votre ami pendant ce moment. Prenez-lui la main ou déposez votre main sur son bras si cela vous convient. Ensuite, demandez-lui à quoi il pense. Ne précipitez pas les choses, même si ces silences chargés d'émotion semblent durer une éternité.

Pendant un silence, vous pouvez parfois vous dire : « Je ne sais pas du tout quoi dire. » À l'occasion, cela peut simplement s'expliquer par le fait qu'il n'y a *rien à dire*. Ne craignez pas de garder le silence et de vous rapprocher. Dans ces moments-là, une main déposée sur un bras ou un bras passé autour d'une épaule peuvent être beaucoup plus bénéfiques que n'importe quelle phrase.

Il arrive que la communication non verbale vous en apprenne plus sur votre interlocuteur que ce que vous auriez cru.

N'AYEZ PAS PEUR DE PARLER DE VOS SENTIMENTS. Vous avez le droit de dire : « J'ai du mal à parler de ça » ou même « Je ne sais pas quoi dire. » On enseigne souvent cela aux étudiants en médecine quand on parle de communication. Un de mes étudiants m'a dit : « J'ai essayé ce que vous nous avez appris. J'ai dit à un patient que je trouvais cela embarrassant, et ça *fonctionne vraiment.* » Cet étudiant a été agréablement surpris, et vous le serez également.

CLARIFIEZ. Assurez-vous d'avoir bien compris. Si vous n'êtes pas certain d'avoir compris ce que veut dire votre ami, vous pouvez l'exprimer. Des phrases comme : « Tu as l'air abattu » ou « Cela a dû te mettre en colère... » indiquent à votre interlocuteur que vous avez compris l'émotion qu'il essaie de partager. Mais si vous n'êtes pas certain d'avoir compris, vous pouvez poser les questions suivantes : « Comment t'es-tu senti ? », « Qu'en penses-tu ? » ou « Comment te sens-tu maintenant ? » Des malentendus peuvent survenir si vous interprétez mal ce que l'on vous dit.

Il est certainement plus avantageux de pouvoir comprendre instinctivement ce que ressent un ami, mais si ce n'est pas le cas, n'hésitez pas à le demander. Une simple phrase, comme « Aide-moi à comprendre ce que tu veux dire », peut s'avérer utile.

NE CHANGEZ PAS DE SUJET. Si votre ami veut vous dire à quel point il se sent mal, laissez-le faire. Certaines choses peuvent être difficiles à entendre, mais si vous pouvez y faire face, écoutez-le en parler. Si c'est trop délicat et que vous pensez ne pas être capable de composer avec cette conversation à ce moment-là, vous devriez le dire et offrir à votre ami d'en parler à un autre moment : « Pourrions-nous en reparler plus tard ? » Ne changez pas de sujet sans montrer à votre ami que vous savez qu'il désire parler de ce point précis.

NE DONNEZ PAS DE CONSEILS PRÉMATURÉMENT. Idéalement, personne ne devrait donner de conseil sans avoir été invité à le faire. Cependant, il arrive bien souvent que c'est exactement ce que nous faisons. Essayez de ne pas donner de conseils trop tôt dans la conversation, car cela entrave le dialogue. Si vous brûlez d'envie de conseiller votre ami, il peut être plus efficace de le faire en commençant par dire : « As-tu pensé à essayer... » ou « Un de mes amis a essayé de... » Ces tournures sont moins sèches que « Si j'étais toi, je... », qui amène le patient à penser, et parfois à dire : « Mais tu n'es pas moi ! » C'est le genre de chose qui peut mettre fin à une conversation.

RÉAGISSEZ À L'HUMOUR. Bien des gens ne peuvent s'imaginer qu'il y a matière à rire lorsqu'on fait face à une maladie grave ou à une menace pour notre santé. Cependant, comme je l'ai expliqué précédemment, l'humour est une stratégie importante pour composer avec l'adversité et les peurs.

L'humour nous permet de *souffler*, d'atténuer l'intensité de nos sentiments et de mettre les choses en perspective. L'humour est l'un des moyens qu'a l'être humain pour faire face à des situations qui semblent impossibles. Parmi les sujets les plus courants de blagues, on retrouve les belles-mères, la peur de l'avion, les hôpitaux, les médecins et le sexe. Aucun de ces sujets n'est drôle en soi. Une dispute avec sa belle-mère peut être très pénible pour tous ceux qui sont touchés, mais c'est un sujet dont traitent les humoristes depuis des décennies, parce qu'on rit plus facilement des choses avec lesquelles on a de la difficulté à composer.

On rit de certains sujets pour les mettre en perspective, pour réduire la menace. Si votre ami a recours à l'humour comme stratégie d'adaptation, n'hésitez pas à y répondre. Cela l'aidera à composer avec la situation, et le lien qui vous unit en sera renforcé.

Pour finir, voici le résumé des points traités.

Aide-mémoire pour une écoute efficace

Cadre. Pensez au lieu physique. Asseyez-vous de manière à ce que vos yeux soient à la même hauteur que ceux de votre interlocuteur et ayez l'air aussi à l'aise que possible.

Habiletés de communication. N'interrompez pas l'autre personne. Restez silencieux pendant qu'elle parle. Servez-vous de techniques simples, comme le hochement de tête, un sourire ou la répétition d'un mot de sa dernière phrase dans votre première phrase pour montrer que vous écoutez.

Reconnaissance. Reconnaissez toujours l'existence des émotions de l'autre personne si elles sont intenses. Par exemple : « Ce doit être très frustrant d'avoir à attendre les résultats. »

Éclaircissement. Clarifiez ce que veut l'autre personne, autant sur les plans informationnel et émotionnel que pratique. Ensuite, déterminez ce que vous pouvez faire et les domaines dans lesquels vous avez des aptitudes. Puis faites les choses sur votre liste qui semblent correspondre aux besoins de votre interlocuteur.

Récapitulation. Terminez toujours la conversation en récapitulant les quelques points importants dont vous avez parlé. Demandez à votre interlocuteur s'ils désirent parler d'autre chose. Mettez fin à la conversation avec un « contrat » clair, qui peut être aussi simple que « On se voit vendredi » ou « Je te téléphone la semaine prochaine ».

« Comment puis-je aider mon ami ? » — Trucs pour les proches

Souvent on ne sait pas par où commencer. Voici quelques trucs pour vous guider quant à l'aspect pratique de l'aide que vous pouvez apporter à votre ami.

1. FAITES VOTRE OFFRE. Vous devez déterminer si votre aide est *désirée* ou non. Si d'autres personnes soutiennent votre ami, vous devez vérifier si elles ont *besoin* de votre aide, et si c'est le cas, vous devrez faire une offre. Celle-ci devrait être précise. Ne dites pas : « Appelle-moi si je peux faire quelque chose. » Dites clairement à votre ami que vous allez demander à nouveau si vous pouvez lui venir en aide. Évidemment, si vous être le conjoint ou le parent, vous n'avez pas besoin de faire cette demande. Mais dans la plupart des situations, il est primordial de savoir si vous pouvez aider. Parfois, l'aide d'une connaissance ou d'un collègue est mieux reçue que celle d'un proche, alors ne présumez pas de votre utilité. Ne vous fâchez pas si le patient ne semble pas vouloir de votre soutien, vous n'êtes pas visé personnellement. Si vous voulez quand même apporter votre aide, voyez si d'autres membres de la famille n'auraient pas besoin de vous. Lorsque votre offre initiale est faite, n'attendez pas qu'on vous rappelle, suggérez des gestes précis : « Veux-tu que je tonde ton gazon ? » ou « As-tu besoin que j'aille faire des courses ? »

2. INFORMEZ-VOUS, MAIS PAS BESOIN DE DEVENIR UN EXPERT MONDIAL. Si vous voulez aider votre ami, vous aurez besoin d'informations sur sa situation médicale, mais juste assez pour pouvoir planifier intelligemment. Vous n'avez pas besoin — et vous *ne devriez pas* — de devenir un expert mondial sur le sujet. Bien des aidants ont tendance à vouloir apprendre de plus en

plus de détails sur la situation de leur proche. Parfois ils sont motivés par la curiosité, parfois par un désir de contrôle.

3. ÉVALUEZ LES BESOINS. Cela comporte l'évaluation des besoins du patient ainsi que de ceux de sa famille. Naturellement, cette évaluation sera approximative, parce qu'on peut rarement prédire l'avenir, mais il faut penser en termes de besoins du patient. Ceux-ci varieront selon le degré d'incapacité engendrée par la maladie à un moment précis (s'il y a incapacité, bien entendu). Si la mobilité du patient est sérieusement compromise, il y a de nombreuses questions qu'il faudra vous poser : Qui s'occupera du patient pendant la journée ? Peut-il se rendre à la toilette seul ? Doit-il prendre des médicaments qu'il ne peut s'administrer lui-même ?

Pour ce qui est des autres membres de la famille, d'autres questions s'imposent : y a-t-il des enfants qui doivent être conduits à l'école ? Est-ce que le conjoint est assez en santé pour s'en occuper ? Est-ce que le conjoint a des besoins aussi ? Est-ce que la maison convient à un malade ? Y a-t-il des aménagements à faire ? Toute liste sera à la fois longue et incomplète, mais c'est un début. Vérifiez votre liste en pensant à ce qui doit être fait à chaque moment d'une journée dans la vie de votre ami.

4. DÉTERMINEZ CE QUE VOUS POUVEZ FAIRE ET CE QUE VOUS VOULEZ FAIRE. Quelles sont vos forces ? Pouvez-vous cuisiner pour le patient ? (Les mets congelés prêts à réchauffer sont toujours les bienvenus.) Pouvez-vous préparer des repas pour les autres membres de la famille ? Êtes-vous bricoleur ? Pourriez-vous installer des mains courantes ou une rampe d'accès pour fauteuil roulant au besoin ? Pouvez-vous rester à la maison pour que le conjoint puisse rendre visite au patient à l'hôpital ? Pouvez-vous amener les enfants au zoo pour la journée afin que leurs parents puissent passer un peu de temps ensemble ?

Si vous ne pouvez pas faire ce genre de choses, seriez-vous prêt à payer pour que quelqu'un aille faire le ménage une demi-journée par semaine ? Pouvez-vous trouver des livres dont le patient a besoin ? Pouvez-vous louer des films que le patient apprécie ? Est-ce que les meubles doivent être disposés autrement dans la maison ? (Votre ami pourrait avoir à dormir au rez-de-chaussée pour éviter les escaliers). Vous pourriez aussi disposer de jolis bouquets dans la maison le jour où votre ami rentrera de l'hôpital.

5. COMMENCEZ PAR DES PETITES CHOSES PRATIQUES. Revoyez la liste des choses que vous êtes prêt à faire et offrez d'en faire quelques-unes. N'offrez pas de toutes les faire en une seule fois. Cela accablerait le patient. Choisissez des petits trucs pratiques que le patient aurait de la difficulté à faire. Conclure un petit « contrat » et le remplir est beaucoup plus utile que de viser trop haut et d'échouer.

Cela peut nécessiter un peu de créativité et peut-être aussi des informations sur la personne. À titre d'exemple, un de mes patients avait l'habitude de se faire couper les cheveux chaque semaine. Ce n'était pas un détail important, mais cela faisait partie de sa routine. Lorsqu'il était à l'hôpital, un ami s'est arrangé pour que le barbier de l'hôpital aille lui faire une coupe chaque semaine. C'était un geste attentionné qui illustre bien les petites choses que l'on peut faire. Une autre patiente était enseignante. Ses collègues ont demandé à ses élèves de lui dessiner des cartes. Cette petite attention était inspirée et a fait grand plaisir à la patiente.

6. ÉVITEZ LES EXCÈS. Ne donnez pas d'énormes cadeaux qui peuvent embarrasser le patient. Par exemple, n'achetez pas au patient une nouvelle voiture à moins de savoir pertinemment que c'est ce qu'il veut et qu'il n'en sera pas gêné. La plupart des gros cadeaux servent à étouffer un sentiment de culpabilité chez les donateurs, mais ne font que transmettre ce sentiment de culpabilité au patient. Vos offres d'aide devraient être modestes et pertinentes pour le patient et sa famille.

7. ÉCOUTEZ. Le temps est un présent que l'on peut toujours offrir. Si vous ne l'avez pas encore fait, relisez les conseils sur l'écoute efficace et essayez de passer du temps régulièrement avec votre ami. Ne le voyez pas seulement deux heures par mois, à moins qu'il vous soit impossible d'y aller plus souvent. Il est préférable de passer un quart d'heure avec lui chaque jour ou à tous les deux jours si vous le pouvez. Soyez fiable. Allez voir votre ami si vous avez annoncé votre visite. Être là pour quelqu'un, c'est souvent simplement « être là » avec lui.

8. SOLLICITEZ LA PARTICIPATION D'AUTRES PERSONNES. Soyez juste envers vous et reconnaissez vos limites. Chaque aidant veut faire tout ce qu'il peut, et vous pourriez être tenté d'entreprendre des tâches héroïques, nourri par la colère et la rage devant la situation de votre ami et l'injustice de la vie. Mais si vous échouez, vous deviendrez une partie du problème au lieu de faire

partie de la solution. Vous devez à votre ami, comme à vous, d'entreprendre des tâches raisonnables que vous pouvez réussir. Pour ce faire, il faut être réaliste quant à ce que vous pouvez accomplir et demander l'aide des autres pour faire ce que vous ne pouvez pas.

Passer cette liste en revue peut être très précieux pour vous, parce qu'elle présente une approche pratique à des gestes qui sont peu familiers, en général. Cela permet d'étouffer la panique qui peut s'emparer de vous si vous ne savez pas par où commencer. J'ai résumé les points importants dans l'aide-mémoire qui suit. Rappelez-vous que les projets que vous élaborerez changeront avec le temps, à mesure que les conditions évolueront. Soyez souple et prêt à apprendre au fur et à mesure.

Aide-mémoire pour une aide efficace

1. **Faites votre offre**
   Soyez précis, ne dites pas seulement : « Appelle-moi si tu as besoin de quelque chose. »

2. **Informez-vous sur la situation médicale de votre ami**
   Mais n'essayez pas de devenir un expert sur le sujet.

3. **Évaluez les besoins**
   Une bonne façon de le faire est de voir mentalement le déroulement d'une journée typique dans la vie de votre ami.

4. **Déterminez ce que vous pouvez faire et ce que vous voulez faire**

5. **Commencez par des petites choses pratiques**
   Préparez des repas d'avance ou amenez les enfants au parc pour l'après-midi, par exemple.

6. **Évitez les excès**
   Les cadeaux et les gestes trop généreux ou excessifs sont presque pires que de ne rien faire.

7. **Vous pouvez toujours vous asseoir pour écouter**

8. **Acceptez vos limites et sollicitez la participation d'autres personnes**

Pourquoi vous êtes important pour votre ami

La situation avec laquelle vous devez composer est angoissante pour vous comme pour votre ami malade. En fait, les seules personnes qui ne sont pas effrayées sont celles qui n'ont pas du tout d'imagination! Mais en écoutant ce qui touche le plus votre ami, en l'aidant à obtenir les bonnes informations et à les comprendre, vous pouvez devenir une partie vitale du système de soutien. Et c'est l'une des choses les plus importantes qu'un être humain puisse faire pour un autre.

Spiritualité, religion et foi: bienfaits et problèmes occasionnels

La spiritualité est un sujet des plus difficiles et des plus délicats.

La spiritualité n'est pas synonyme de religion. Un grand nombre de personnes disent vivre une spiritualité sans se considérer religieux. La spiritualité peut s'avérer très importante en temps de crise, surtout si vous devez composer avec une menace qui peut être perçue (que ce soit vrai ou faux) comme potentiellement mortelle.

Dans cette section, j'aborderai certains des sujets concernant la spiritualité qui sont le plus souvent soulevés: comment identifier et explorer les aspects spirituels de votre personnalité; comment engager des conversations à ce sujet, et avec qui; les techniques utiles; et la façon de composer avec les rares cas de « religiosité déplorable », c'est-à-dire lorsque des conseillers religieux contribuent aux problèmes au lieu d'aider à les résoudre.

« Qu'est-ce que la spiritualité? Et comment savoir si c'est important pour moi? »

On utilise les mots *spirituel* et *spiritualité* souvent, mais lorsqu'on réfléchit à ce qu'ils veulent dire, on a de la difficulté à cerner le concept et à le décrire. Même si on peut trouver ce sujet incongru pour un livre médical, je veux résumer certains courants de pensée actuels sur la spiritualité et en aborder certains aspects pratiques.

Lorsque les gens utilisent le mot *spiritualité*, ils parlent généralement d'un état d'esprit qui est différent de l'état d'esprit ordinaire et quotidien dans lequel on fonctionne la plupart du temps. Ils se réfèrent habituellement à un état d'esprit où la personne est profondément calme et peut réfléchir aux questions les plus profondes et les plus fondamentales de l'existence (ou les ressentir). Comme un pasteur l'a déjà dit : « La spiritualité concerne davantage la signification de l'existence d'une personne que l'augmentation du prix de l'essence. » Je trouve que c'est une façon utile et pratique de cerner ce sujet vague et indéfinissable.

La spiritualité concerne ces moments où l'on est en mesure de s'écarter des petits tracas du quotidien, ou même de nos petites victoires et nos triomphes, pour se centrer sur les aspects plus fondamentaux de nos pensées et de nos sentiments. C'est un doux plongeon délibéré dans les eaux profondes et moins fréquentées de notre être.

La transcendance : l'essence de l'expérience spirituelle

Un autre mot peut décrire ce concept, et on le voit de plus en plus souvent dans les écrits théologiques : *transcendance*. Ce mot suggère de traverser les limites, les frontières et les horizons de nos pensées et de nos sentiments. C'est une activité qui nécessite d'aller au-delà, de transcender les préoccupations du quotidien.

Le processus pour atteindre cet état de transcendance spirituelle n'est pas directement lié à des pratiques religieuses. Certes, bien des gens trouvent plus facile de se tourner vers un mode de pensée plus spirituel lorsqu'ils sont dans une église, une synagogue ou un temple (ou dans tout autre endroit de culte) et lorsqu'ils sont entourés de personnes qui font la même chose qu'eux ou prononcent les mêmes paroles (lors d'un service religieux, par exemple), mais pour d'autres, ce peut être le contraire. En fait, bien des personnes sont distraites par les gens qui les entourent et par toute une gamme de signaux sociaux (« Qu'est-ce qu'elle porte ? » ou « Pourquoi ne m'a-t-il pas souri ? »).

L'endroit où vous atteignez un état de transcendance et la manière dont vous y parvenez importent peu. Ce qui compte, c'est que lorsque vous faites l'expérience de la transcendance, elle vous apporte un soulagement tangible au stress quotidien en vous offrant une oasis de calme.

La transcendance vous amène à mieux composer. Ce n'est pas comme serrer les dents ou faire contre mauvaise fortune bon cœur. C'est être en mesure d'encaisser les coups. Et cela se fait beaucoup plus efficacement lorsqu'on fait appel à nos ressources spirituelles.

« À qui devrais-je en parler ? »

Le secret pour profiter du soutien de la facette spirituelle de votre personnalité, c'est d'atteindre la transcendance. Cela veut dire se retrouver dans un état dans lequel le stress quotidien lié à votre cancer et à son traitement amènent moins d'inconfort et de douleur. Et cela dépend plus du type de conversation que vous avez que des aspects officiels et doctrinaux d'une religion ou d'une secte.

Ainsi, si vous connaissez quelqu'un, un prêtre, un rabbin, un imam, un aumônier ou un étudiant en théologie, par exemple, avec qui vous pouvez discuter librement de sujets spirituels et avec qui vous vous sentez détendu et plus près de l'état de transcendance, alors je vous conseille de parler à cette personne. Demandez-lui si elle veut discuter avec vous des questions qui vous préoccupent.

Par contre, si vous retrouvez ce sentiment de réconfort dans une église ou un temple et que vous appréciez être en communauté, mais que vous êtes à l'hôpital, parlez-en à l'aumônier. S'il y a une chapelle à l'hôpital (de nos jours, il y a presque toujours une salle de recueillement et de prière interconfessionnelle), allez-y si votre état vous le permet.

Selon moi, une bonne personne à qui parler est encore mieux qu'une bonne religion.

« Qu'est-ce que je devrais faire ? »

La réponse à cette question est très simple : faites ce qui vous permet d'atteindre un état plus calme et plus tranquille. Si vous puisez des forces dans la prière, en écoutant de la musique sacrée ou en lisant des textes religieux, faites-le. Si vous êtes capable de faire de la méditation, méditez. (Si vous désirez apprendre à méditer, il existe des douzaines d'ouvrages qui vous l'enseigneront rapidement.)

Peu importe ce qui vous permet de retrouver ce lieu intime de renouveau où vous refaites le plein d'énergie, faites-le.

Religiosité déplorable

J'aimerais cependant faire une mise en garde. À l'occasion, on peut rencontrer des personnes religieuses qui appliquent leur doctrine avec un zèle insensible, cruel et même punitif. J'ai déjà rencontré un prêtre d'une étrange secte fondamentaliste qui avait dit à une patiente que ses souffrances étaient le moyen que prenait Dieu pour la préparer aux souffrances encore plus terribles qui l'attendaient en enfer !

De tels incidents sont extrêmement rares aujourd'hui, mais ils se produisent à l'occasion. Certaines personnes tirent avantage de la vulnérabilité et de la santé chancelante des patients pour les convertir à leur doctrine ou à leur secte. Ce sont des gens sans scrupules qui, selon moi, sont à des années-lumière des idéaux et des principes de toutes les religions de la terre.

Si vos conversations avec votre conseiller spirituel accentuent votre anxiété et votre inconfort spirituel, mettez-y un terme et cherchez une autre personne à qui parler de ce sujet.

« Les prières d'intercession peuvent-elles changer le cours d'une maladie ? »

Finalement, je veux clore cette section avec un sujet qui a suscité bien des débats depuis quelques années et pour lequel des recherches viennent de donner une réponse définitive. Il s'agit de savoir si le fait que des gens prient pour vous peut améliorer votre état de santé.

Lorsqu'un membre d'une communauté est malade, il est courant pour le prêtre de sa paroisse ou le chef religieux de demander à sa congrégation de se souvenir de cette personne dans leurs pensées et leurs prières. Je crois que c'est un beau geste de soutien, et lorsqu'on apprend au patient que sa congrégation prie pour lui, il se sent souvent mieux soutenu et en lien avec sa communauté, même s'il est absent physiquement (s'il est à l'hôpital, par exemple).

Récemment, cependant, l'idée qu'il y avait un fondement scientifique à cette activité et que la prière d'intercession (à Dieu, aux dieux ou par d'autres personnes) pouvait changer le cours d'une maladie s'est répandue. Ce qui a amorcé le débat, c'est une étude, menée par le docteur William Byrd, dont les données semblaient indiquer que les patients pour qui on priait après une crise cardiaque (sans qu'ils le sachent) passaient moins de temps à l'hôpital que ceux pour qui on ne priait pas, même s'ils ne vivaient pas plus longtemps et n'avaient pas moins de séquelles de leur crise cardiaque.

Il en a résulté une controverse des plus passionnées. Il semblait douteux du point de vue théologique qu'un dieu offre un séjour plus court à l'hôpital aux patients victimes de crise cardiaque pour qui on priait, mais les laisse avoir des anomalies du rythme cardiaque, de secondes crises cardiaques et une vie aussi raccourcie que celle des patients pour qui on ne priait pas.

Des discussions intenses ont animé le débat pendant longtemps jusqu'à ce qu'on effectue une étude pour tester cette hypothèse. Les résultats publiés dans *The Lancet*, en 2005, n'ont démontré aucun effet du genre sur le processus de rétablissement après une crise cardiaque. Être le sujet de « prières passives » n'affecte *pas* mystérieusement le cours d'une maladie cardiaque. Inversement, ceux pour qui on ne prie *pas* ne sont pas privés d'un miracle.

Relations sexuelles et sexualité : problèmes et stratégies

La sexualité est un sujet dont on parle rarement lorsqu'on rencontre le médecin. Le manque de temps, la gêne et les tabous sociaux rendent difficiles les conversations franches sur la sexualité.

Dans cette section, je présente quelques pistes et conseils pour rendre ce sujet délicat un peu plus facile d'approche.

Les relations sexuelles comme antidote

La pulsion sexuelle est puissante chez la plupart des personnes. En fait, c'est une pulsion assez puissante pour agir comme antidote à la douleur et à la souffrance, du moins à l'occasion. Pour les patients, les relations sexuelles peuvent être le seul moyen accessible d'échapper, temporairement, au monde d'inquiétudes et de souffrances dans lequel ils sont plongés. De plus, la sexualité n'est pas qu'une échappatoire, c'est aussi une voie privilégiée vers l'intimité et les contacts humains. Comme c'est une activité normale, elle peut être un moyen vital pour aider le patient à se sentir « comme les autres ».

Les multiples sources de difficultés

Pour la plupart des couples, la sexualité est une composante plutôt fragile, qui même lorsqu'il n'y a pas de crise, peut être bouleversée par un grand nombre de facteurs, dont les disputes, le stress et l'inquiétude. Même lorsque la santé est au beau fixe, les multiples sources de stress et de conflit peuvent vraiment compliquer les choses. Mais la situation est presque toujours pire en cas de maladie grave ou de menace d'une maladie.

Au-delà du stress et des tensions du quotidien, une maladie grave peut affecter négativement — et c'est presque toujours le cas — votre vie sexuelle.

FACTEURS PSYCHOLOGIQUES : même si les deux partenaires se sentent bien physiquement, l'anxiété causée par le seul diagnostic du cancer — et toutes les inquiétudes qui en découlent par rapport à l'avenir, à l'adaptation, au travail, au traitement, aux enfants, aux finances, etc. — peut entraver le désir.

FACTEURS PHYSIQUES : en plus du stress psychologique, il peut y avoir des problèmes physiques. Des symptômes physiques généraux comme la douleur et la nausée peuvent affecter autant la libido (le désir de prendre l'initiative de l'acte sexuel) que la performance, ou encore les deux. Le mal de tête (peu importe la cause) est souvent aggravé lorsque la pression à l'intérieur du crâne s'intensifie pendant la relation sexuelle.

En plus des problèmes généraux, selon le siège du cancer et le type de traitement, il peut y avoir des problèmes physiques spécifiques qui affectent l'activité sexuelle directement. Par exemple, après une chirurgie ou une radiothérapie du bassin, la pénétration peut être douloureuse (le terme médical est *dyspareunie*), et il peut y avoir de la sensibilité ou des problèmes de lubrification. Le dysfonctionnement érectile est courant après une chirurgie ou une radiothérapie de la prostate. Les sondes urinaires ou des problèmes à l'arrière des hanches, une stomie ou la perte des cheveux après la chimiothérapie peuvent avoir un effet similaire. Tous ces facteurs peuvent entraver ou empêcher les relations sexuelles dans un couple.

PERCEPTION DE L'ATTIRANCE : de plus, il y a souvent des problèmes psychologiques secondaires associés aux changements d'apparence qui découlent d'une intervention chirurgicale.

De nombreuses opérations amènent un changement de l'apparence ; la mastectomie et la colostomie en sont de bons exemples. Après ces opérations, le patient se sent parfois peu attirant pour son partenaire et il a honte. Souvent, le partenaire ne sait pas comment rassurer le patient, même si, dans bien des cas, l'attirance physique envers le patient n'a pas diminué en réalité.

Les tabous

Pour la plupart d'entre nous, la sexualité va bien souvent au-delà de l'aspect physique.

Pour bien des gens, la sexualité est une composante extrêmement importante de leurs relations, même si c'est un sujet dont on parle rarement avec franchise. La plupart du temps, ce n'est pas si important. Toutefois, lorsqu'une maladie grave touche l'un des partenaires, l'enjeu n'est plus le même.

En fait, des spécialistes de la question ont découvert que les problèmes sexuels étaient pratiquement universels chez les patients atteints du cancer qui étaient sexuellement actifs au moment du diagnostic. La plupart d'entre nous, dans le monde médical, ignoraient à quel point ces problèmes étaient répandus parce que nous ne posions pas de questions là-dessus !

Le stress est souvent le coupable de cette situation. À l'évidence, le diagnostic du cancer chez l'un des partenaires affecte la relation profondément. Ce peut être la plus grande épreuve du couple jusque-là. Il y a la peur de la maladie et du traitement, les incertitudes quant à l'avenir et tant d'autres facteurs cruciaux. Comme n'importe quel autre stress majeur, tel que le chômage ou le deuil, ces inquiétudes peuvent affecter gravement et négativement la libido. De plus, la dépression atténue également la libido. En fait, la perte d'intérêt dans la sexualité est un point important de la liste de symptômes qui appellent un diagnostic de dépression.

Problèmes interpersonnels spécifiques

En plus des problèmes physiques et du stress, il faut prendre en compte plusieurs autres facteurs. Dans toute relation, l'un de ces facteurs ou plusieurs d'entre eux peuvent s'avérer déterminants.

CHANGEMENTS DE STATUT SOCIAL. Toute maladie chronique — en particulier si l'avenir est quelque peu incertain — peut obliger le patient à avoir recours à une assurance-invalidité. Si ce patient était le pourvoyeur de sa famille, ce changement peut avoir de grandes répercussions psychologiques et causer une tension considérable entre les partenaires.

AUTRES PROBLÈMES INTERPERSONNELS. Entre les partenaires, il peut y avoir des problèmes à moitié résolus et latents avant la maladie, qui peuvent alors revenir à l'avant-plan et créer des tensions. L'attitude de l'un ou l'autre des partenaires devant la maladie, l'éventualité de la mort, les facteurs religieux et les façons de composer avec les symptômes physiques dans la relation sont des exemples de problèmes qui peuvent refaire surface. Le partenaire peut également avoir peur de faire mal au patient pendant l'acte sexuel ou même craindre d'attraper le cancer.

On voit donc qu'il y a toute une série de facteurs qui peuvent affecter la sexualité et même entraîner l'abandon des relations sexuelles. Il faut y voir pour ne pas miner les autres aspects de la relation.

La reprise des relations sexuelles

Retrouver une intimité sexuelle n'est jamais facile.

Souvent, on se sent gêné, embarrassé et peu familier avec ces nouvelles circonstances. Ces sentiments peuvent être accentués par les souvenirs de ce que la vie sexuelle était avant et (parfois) par l'impression qu'il faut recréer immédiatement ce même genre de vie sexuelle.

Si c'est ce que le patient veut — ce peut être ou non le cas —, alors il est primordial d'en discuter. Si vous ne le faites pas, le patient se sentira rejeté et délaissé. Comme me l'a avoué un patient : « Pendant un moment, j'étais un paria sexuel. »

Les conseils pratiques suivants vous aideront peut-être à trouver la manière de reprendre les relations sexuelles.

VOUS DEVEZ EN PARLER. Selon mon expérience, une personne qui fait face à une maladie comme le cancer recherche habituellement plus l'intimité et le contact humain que le plaisir sexuel. Donc, si l'un d'entre vous n'est pas en mesure d'avoir des relations sexuelles, n'inventez pas d'excuses. Inventer de fausses excuses ne ferait qu'ajouter une touche de malhonnêteté à une relation déjà tendue. Vous devez être prêt à en parler et aussi à écouter. Si vous ressentez de la tendresse envers l'autre et que vous désirez partager une certaine intimité sans que celle-ci soit sexuelle, il peut être très utile et très important de le dire. Bien souvent, l'expression de cette tendresse et de ces préoccupations améliorera les choses.

Planifiez. Planifier sa sexualité n'est pas quelque chose que la majorité d'entre nous faisons normalement. La plupart du temps, ce n'est pas nécessaire. En cas de maladie cependant, ce peut être utile, même si cela peut paraître gênant au début. Vous devriez être très précis sur ce que vous pouvez faire et ce que vous êtes prêt à faire. Souvent, un câlin ou une caresse peut apporter beaucoup, et si vous en avez déjà parlé, cela n'entraînera pas de sentiments de méfiance ou de culpabilité si les choses ne vont pas plus loin à ce moment-là.

Des problèmes se posent aussi lorsque le patient est hospitalisé. Il y a une décennie, la plupart des dirigeants d'hôpitaux avaient une idée très tranchée sur ce que les couples pouvaient faire en termes de sexualité à l'hôpital : rien. De nos jours, la plupart des hôpitaux permettent au couple de jouir d'un peu d'intimité, alors n'hésitez pas à le demander.

Vous pouvez aussi discuter de l'endroit où vous allez dormir. Si le patient a des symptômes physiques qui perturbent le sommeil, il peut être plus simple pour le conjoint de dormir dans un autre lit une partie de la nuit. Encore une fois, si vous en parlez, vous éviterez de ressentir du rejet ou de la culpabilité.

Avancez étape par étape. Surtout si vous aviez une vie sexuelle saine avant la maladie, vous pensez peut-être que vous devriez être en mesure de retrouver une vie sexuelle normale sur-le-champ. Généralement, cela ne se passe pas ainsi, et si c'est ce que vous espérez, vous pourriez vous décourager. N'ayez pas peur de prendre les choses plus lentement. Commencez par de simples câlins et progressez vers des activités sexuelles plus variées petit à petit. Sachez que des problèmes physiques peuvent vous forcer à adopter de nouvelles positions pendant les relations sexuelles. Ces modifications demandent également des discussions, de la planification et une approche graduelle.

Demandez de l'aide si vous en avez besoin. Si vous voyez que vous ne faites aucun progrès par rapport à vos problèmes sexuels, n'ayez pas peur de demander de l'aide. Quelques séances avec un sexothérapeute peuvent faire une énorme différence.

La sexualité est l'une des composantes les plus importantes dans bien des relations. S'il y a des problèmes, il faut beaucoup de discussion et de dialogue pour amorcer le processus du retour vers l'intimité. Le secret, c'est d'en parler (et surtout de ne pas éviter le problème), d'accepter que les progrès soient lents ou intermittents, et de ne pas avoir peur de demander l'aide d'un professionnel au besoin.

L'espoir : comment le susciter et comment le gérer

« Il ne faut jamais perdre espoir. » C'est un dicton qui a survécu à l'épreuve du temps. Tout le monde l'a déjà entendu et presque tout le monde y croit. Le vrai défi cependant, c'est de conserver cet espoir tout en élaborant des plans réalistes au cas où les choses tourneraient mal.

Rien de ce que je dirai dans cette section ne diminuera l'importance de l'espoir, dans la vie quotidienne de chacun, malade ou non. Mais il faut examiner en détail ce qu'est l'espoir et comment il fonctionne pour chacun d'entre nous tous les jours.

Ainsi nous serons en mesure de discerner comment l'espoir peut nous aider devant une situation menaçante, mais aussi comment il peut être contreproductif et interférer avec l'élaboration de plans pratiques.

« L'espoir, qu'est-ce que c'est ? »

L'espoir n'est pas un monolithe, ce n'est pas une entité unique et indivisible. L'espoir, c'est l'espérance qu'une issue sera positive lorsqu'on ne sait pas encore ce qui se passera.

Autrement dit, l'espoir est un sentiment que nous éprouvons lorsque nous nous trouvons dans une situation qui se développe vers une issue inconnue, que nous désirons favorable. L'espoir est donc une émotion associée à l'espérance d'une conclusion bénéfique ou positive. L'espoir est le sentiment qui nous anime lorsque nous nous attendons à une bonne fin.

En soi, l'espoir peut nous aider énormément. L'espoir peut donner de la motivation, de l'énergie et de la force pour composer avec des circonstances difficiles. Mais il peut aussi altérer notre capacité à élaborer des plans « au cas où », à préparer un plan B dans l'éventualité où les choses ne tourneraient pas comme on l'espère.

Cette ambiguïté de l'espoir, qui a le potentiel d'être bénéfique ou non, est brillamment illustrée par Eric Cassell, un médecin de Cornell, auteur de *The Meaning of Suffering* et de plusieurs autres ouvrages sur la philosophie de la médecine. Dans une conférence intitulée « L'espoir comme ennemi », le docteur Cassell prend comme analogie une personne qui manque son avion pour exposer les dangers potentiels de dépendre de l'espoir, seulement et exclusivement, au lieu d'élaborer des plans de secours. (Cette version est une adaptation de l'original.)

> Imaginez que je cours dans le hall d'un aéroport pour attraper le vol de neuf heures pour Toronto. Il est déjà neuf heures cinq et la porte d'embarquement est encore à deux minutes de course.
>
> Suis-je fou de courir ainsi et de croire que je vais attraper mon vol ? Bien sûr que non.
>
> Il peut y avoir eu un retard, et l'embarquement commence toujours à la dernière minute. Alors, même si on arrive quelques minutes plus tard à la porte d'embarquement, on peut quand même monter à bord de l'avion (comme cela m'est arrivé ce matin). Aussi, je ne suis pas fou parce que pendant que je cours, je sais que dans ma poche, j'ai l'horaire de tous les autres vols pour Toronto, incluant celui qui décolle à dix heures. De plus, j'ai une sorte de billet qui s'échange facilement.
>
> Mais qu'en est-il si je cours dans le hall déjà en retard pour le vol de neuf heures, que j'ai un billet non échangeable et que je ne sais vraiment pas comment je vais me rendre à Toronto si je manque le vol de neuf heures ?
>
> Et qu'en est-il si au lieu d'être neuf heures cinq, il est onze heures trente ? Ou neuf heures le lendemain ? Qu'en est-il alors ?
>
> Dans ces circonstances, suis-je fou de courir ainsi ?

Eric Cassell démontre que l'acte de courir — l'incarnation de l'espoir — n'est pas fou *en soi*. C'est une activité humaine importante et, de plus, selon les circonstances, l'objet de l'espoir peut se concrétiser. Cependant, l'espoir *est* contreproductif et peut empirer votre situation si c'est votre *seule* stratégie et que vous n'élaborez aucun autre plan.

Un autre de mes amis, un comptable, m'a aussi proposé une analogie.

Si vous demandez aux gens comment ils se sont préparés pour payer leurs impôts cette année et qu'ils répondent : « J'en ai payé la majorité par versements mensuels et j'ai mis une petite somme de côté pour avril », vous savez qu'ils ont le contrôle de la situation. Mais s'ils répondent : « Les impôts ? J'ai acheté un billet de loterie et je suis convaincu que je vais gagner avant avril », alors vous vous inquiéterez pour eux.

C'est une distinction très importante. Il n'est certainement pas fou d'espérer que le meilleur arrive tant que vous avez des plans de secours au cas où les choses ne se dérouleraient pas tel que prévu.

Heureusement, le cerveau humain semble très habile à faire ces deux choses simultanément. On semble tous avoir la capacité de prévoir le pire tout en appréciant les événements s'ils s'avèrent meilleurs.

Pensez à l'effet que procure la rédaction d'un testament. Personne n'aime faire ça, mais la plupart des gens finissent par se résigner, surtout lorsqu'ils ont des enfants. On sait tous qu'on ne sera plus là au moment où ce document sera lu, pourtant l'effet que procure la rédaction d'un testament n'est ni paralysant ni déprimant. On ne sombre pas dans la dépression une fois notre signature apposée. En fait, c'est presque l'opposé. Une fois qu'on a fait les plans nécessaires pour cette éventualité, on peut jouir de la vie encore plus.

C'est la preuve que se préparer au pire ne nous empêche pas d'espérer le meilleur. La planification ne détruit pas l'espoir.

Ce que nous espérons tous

Donc, l'espoir est l'espérance d'une issue favorable. Comme c'est une émotion et non un calcul logique, l'espoir n'a rien à voir avec les statistiques ou les mathématiques. On peut espérer gagner à la loterie même si les chances sont d'une sur quarante-cinq millions. On peut espérer gagner à pile ou face, même si les chances sont d'une sur deux. On peut espérer que le soleil revienne rapidement, même durant un orage.

Les statistiques ne peuvent définir l'espoir, car c'est un *sentiment* que nous éprouvons lorsque nous pensons à une situation où l'issue est encore inconnue et que nous entretenons l'espérance qu'elle sera favorable.

Si c'est là la définition de l'espoir, quelles en sont ses composantes ?

On peut tous espérer différentes choses, pas seulement une seule et unique. Lorsqu'on apprend qu'on souffre d'une maladie, en particulier du cancer, la première chose que l'on espère, c'est d'être guéri. Tout le monde espère que la maladie sera complètement éliminée et qu'elle ne reviendra jamais.

Comme je l'ai fait valoir depuis le début de ce livre, cet espoir précis, celui d'une guérison, peut se concrétiser dans environ la moitié des cas. Mais même quand il y a guérison, vous devrez peut-être attendre des années avant d'être *certain* que la maladie ne reviendra pas. Pendant ce temps, avant de *savoir* que cela finira bien, vous *espérez* que ce sera le cas.

L'espoir est le pont émotionnel qui enjambe le fossé entre l'incertitude du présent et l'objectif futur désiré.

Cependant, l'espoir d'une guérison, d'un dénouement parfait et certain n'est pas le seul espoir qui existe. Même si la guérison n'est pas possible, il y a bien des espoirs appropriés et légitimes qu'on peut entretenir. Et si on vous dit que la guérison n'est pas garantie, ou qu'elle n'est pas garantie pour le moment, ce n'est pas comme si on vous enlevait tout espoir. Vous pouvez entendre un tel pronostic et conserver l'espoir.

Composer avec les faits n'est pas la même chose qu'abandonner tout espoir.

Je veux mettre l'accent sur cette réalité parce que bien des gens (du monde médical comme du grand public) croyaient qu'il n'était pas bien, d'une certaine manière, de dire la vérité aux patients, sous prétexte que la vérité (à moins d'être l'annonce d'une guérison) anéantirait leur espoir et leur causerait du tort.

Aujourd'hui, nous avons de solides motifs éthiques, moraux, pratiques et même légaux pour rejeter complètement cette vision des choses.

Même si la guérison n'est pas (actuellement) un objet légitime d'espoir, il y a une longue liste d'espoirs que l'on peut nourrir. Vous n'avez qu'à consulter le tableau qui suit. Je devine qu'en parcourant cette liste, vous vous direz : « Bien sûr, tout le monde espère *ça* » ou « Évidemment, *ça* reste sur la liste des souhaits. »

Cette liste correspond à l'horaire des vols d'Eric Cassell, ce sont les plans B que vous transportez dans votre poche pendant que vous courez dans le hall de l'aéroport.

Nous sommes tous capables d'espérer le meilleur tout en nous préparant au pire.

Les nombreuses facettes de l'espoir		
Espoirs possibles	Réalisable	
	Oui	Non
Avoir une compréhension générale de la situation médicale		
Être capable de poser des questions sur ce qui se passe		
Bien contrôler les symptômes, y compris la douleur		
Ne pas être abandonné par le médecin et l'équipe soignante		
Conserver vos amis		
Avoir de l'aide lorsque vous êtes dépassé		
Ne pas brusquer les gens lorsque vous êtes déprimé		
Planifier pour la famille, les enfants, les finances, etc.		
Ne pas se ruiner financièrement		
Avoir son mot à dire dans les décisions		

5

*« Dois-je
conserver une
attitude positive
en tout temps ? »*

Le cancer et l'esprit

Selon la sagesse populaire, la volonté et la détermination produisent un effet majeur sur le cours d'un cancer. Cette idée est tellement répandue qu'il est fort probable que ce que vous lirez dans la section suivante vous surprenne considérablement.

La réponse la plus simple

Il y a une réponse très simple à la question « Dois-je conserver une attitude positive en tout temps ? ». La réponse la plus simple et la plus honnête est : « Non. »

Même si les données sur ce sujet sont très claires aujourd'hui, pour une raison ou une autre cette idée reste en vogue. La question de l'action de l'esprit sur le processus du cancer alimente toujours les discussions, de telle sorte que l'on croit que le débat n'est toujours pas clos.

Pourtant, les données sont indiscutables. Vous ne vous causerez *aucun* mal et vous n'aggraverez *pas* votre maladie si à certains moments, comme tout le monde, vous vous sentez un peu déprimé.

Attitude, maladie et histoire

La tradition qui veut que l'attitude puisse influencer le cours d'une maladie remonte loin dans le temps. Elle a pris naissance il y a au moins deux mille ans avec la lèpre et s'est perpétuée jusqu'aux temps modernes avec la tuberculose. En effet, bien des gens croyaient que cette maladie apparaissait lorsqu'on avait un tempérament artistique ou que l'on ne mangeait pas sainement. Ce même concept de base — que l'attitude ou l'esprit du patient influence le cours de la maladie (ou même la cause) — s'est manifesté pour des maladies comme la syphilis, puis les cancers. Son expression la plus récente dans le domaine du cancer a été l'hypothèse formulée par un chirurgien de Yale, Bernie Siegel, qui, comme vous le verrez, a réfuté son hypothèse par ses propres études.

Il est difficile de rester lucide sur un sujet aussi émotif que l'esprit et le cancer, mais je suis d'avis qu'une revue systématique du contexte et des données peut être utile.

Composer avec l'inconcevable

Prenez un moment pour réfléchir à la façon dont l'espèce humaine compose avec les réalités qui semblent arbitraires ou inconcevables.

Il en ressort une constante : chaque fois que nous voyons quelque chose que nous ne comprenons pas, nous avons tendance à lui attribuer une cause cachée. C'est un trait humain caractéristique que nous avons toujours manifesté devant l'inconnu. C'est vrai pour les catastrophes naturelles comme les tremblements de terre, les inondations et les orages, par exemple, que nos ancêtres croyaient provoqués par la vengeance ou la colère des dieux.

Ce même trait du comportement humain transparaît dans nos attitudes envers la maladie. Nous manifestons une forte tendance à évacuer le trouble et le malaise causés par le sentiment « qu'on ne sait pas ce qui a causé cela » en cherchant une cause probable pour nous réconforter : « Cela doit être dû à quelque chose. »

Nous faisons cela depuis des siècles. Bien avant que Robert Koch découvre la bactérie qui cause la tuberculose, une opinion très répandue voulait que les gens atteints de tuberculose aient causé leur malheur en manifestant un tempérament artistique ou une sensibilité exacerbée : c'est le stéréotype de l'artiste mourant de faim dans une mansarde.

Il y avait même un mot pour décrire cela. Autrefois, on appelait la tuberculose *phtisie*, et le type de personnalité artistique, délicate et sensible était qualifié de *phtisique*. Si un artiste était atteint de tuberculose, selon la croyance populaire, c'était de sa faute.

Bien entendu, beaucoup d'artistes célèbres mouraient de faim dans des mansardes, et plusieurs d'entre eux sont morts de tuberculose, mais il n'y avait aucun lien entre ces deux faits. Peu de gens remarquaient que l'artiste mourant de faim dans sa mansarde avait peut-être un ami ou un parent dans la même pièce qui toussait toute la nuit et, ce faisant, projetait vers l'artiste des particules qu'on connaît maintenant sous le nom de *bacille de la tuberculose*. Lorsque les antibiotiques antituberculeux ont été découverts dans les années 1940, le traitement de la tuberculose s'est transformé radicalement et le mythe de la personnalité phtisique a disparu.

Avant l'ère moderne, on croyait que la colite ulcéreuse était causée par une personnalité obsessive, la schizophrénie par l'appartenance à une famille dysfonctionnelle, et le syndrome de Down, une anomalie chromosomique, par une intoxication des parents au moment de la conception !

C'est exactement ce qui se passe avec les cancers. Deux idées répandues alimentent ces croyances : premièrement, qu'une attitude de l'esprit peut *causer* le développement d'un cancer, et deuxièmement, qu'une attitude positive peut avoir une grande influence sur le *cours* d'un cancer.

Je traiterai ces deux croyances séparément.

« Est-ce que mon esprit ou mon attitude a causé mon cancer ? »

D'abord, il faut accepter le fait que la plupart des cancers apparaissent sans cause évidente ou facteur déclenchant.

Bien entendu, il y a les cancers liés au tabagisme (bien que même pour ceux-là, les avocats aux États-Unis aient réussi à prolonger le débat et à susciter une impression de doute quant à la causalité). Mais à part ces cancers, dans la grande majorité des cas il n'y a aucune explication évidente et satisfaisante quant à la cause (ou au moment) de l'apparition d'un cancer.

De loin, la plupart des cancers semblent des événements arbitraires et inconcevables. Et comme je l'expliquais plus tôt, la tendance des êtres humains lorsqu'il s'agit de composer avec une menace provenant d'un événement arbitraire est de lui attribuer des causes afin de le rendre plus intelligible.

Des guérisseurs, des médecins, des écrivains, des patients et des gens de toutes les sphères de notre société laissent entendre — certains disent même l'avoir prouvé — que d'une certains manière, le cancer est l'expression apparente de processus émotionnels non résolus, touchant soit l'humeur, soit les événements de la vie (ou les deux). Il existe de nombreuses variations sur ce thème, mais généralement on suggère que la personne qui développe un cancer a contribué en partie à le causer en refoulant ses émotions, en n'exprimant pas sa colère, en permettant au stress extérieur de s'accumuler à l'intérieur d'elle ou en s'engageant dans d'autres processus psychologiques.

« Pourquoi tant de personnes croient-elles qu'on cause son propre cancer ? »

La raison — ou le mobile — qui sous-tend cette croyance se perçoit facilement.

Si on prouvait que les cancers sont causés par une mauvaise attitude, alors le monde serait un endroit beaucoup plus facile à comprendre, et il serait peut-être plus juste et équitable. À certains égards, il y aurait comme une forme de justice si les gens dont les attitudes sont négatives (mais liées en rien à leurs actes comme le fait de fumer) risquaient davantage d'être atteints du cancer, et si ceux dont les attitudes ou les croyances sont positives voyaient le risque d'être atteint de la maladie diminuer.

Plusieurs facteurs contribuent à cette croyance. Je crois qu'il est utile de passer un moment à décortiquer ce phénomène, parce que le bombardement d'informations (apparentes) sur ce sujet est si intense et incessant que la plupart des gens se disent : « Je l'ai entendu dire si souvent de sources diverses, cela doit être vrai. »

Mais c'est faux. Lorsqu'il s'agit de cette croyance populaire particulière, des milliards de personnes peuvent être dans l'erreur !

« C'est logique » : le pouvoir des cas individuels

Presque tout le monde connaît quelqu'un ou a entendu parler de quelqu'un chez qui on a diagnostiqué un cancer peu de temps après une période de grand stress.

L'épouse d'un homme meurt. Trois mois plus tard, on découvre qu'il a un cancer de l'intestin. Une infirmière prend soin de sa mère pendant la dernière année de sa vie et découvre peu après qu'elle a une bosse à un sein qui se révèle cancéreuse. Une autre femme prend soin de sa fille et endure trois ans de stress intense pendant que celle-ci se bat contre sa dépendance à la drogue. Lorsque le calme revient, la mère découvre qu'elle souffre du cancer. Un avocat influent se fait licencier du cabinet où il pratique. Après six mois de dépression grave pendant lesquels il se sent complètement inutile, on lui apprend qu'il a un cancer du poumon.

Les histoires de ce genre abondent et semblent tout à fait logiques. Cela tombe sous le sens qu'un stress catastrophique — un divorce, un deuil, un congédiement — soit suivi d'une maladie catastrophique comme le cancer. Même si ce lien de causalité paraît logique et sensé, il est peut-être faux. Plusieurs facteurs peuvent contribuer à la crédibilité intuitive de cette idée. En voici quelques-uns.

La catégorisation

La catégorisation est la tendance que nous avons tous à rassembler les choses en ensemble, à classer nos expériences en catégories de données.

Imaginez que vous venez d'acheter une Volkswagen bleue. Chaque fois que vous verrez une autre Volkswagen bleue, vous la remarquerez. Cette voiture a une signification spéciale. Vous ne remarquiez probablement pas autant les Volkswagen bleues auparavant. En conséquence, vous aurez l'impression qu'il y a une montée soudaine de la popularité des Volkswagen bleues. C'est peut-être vrai. Vous avez peut-être lancé une mode ! Cependant, il est beaucoup plus probable que le nombre de Volkswagen bleues sur la route soit resté le même. C'est seulement que vous les remarquez plus souvent maintenant.

C'est la même chose pour les cas individuels de cancer dont nous entendons parler. On ne note mentalement que les événements qui semblent liés d'une façon logique pour nous : le divorce, le deuil, le congédiement, etc. On ne relève pas les histoires des gens qui ont vécu un divorce, un deuil ou un congédiement et qui ne sont *pas* atteints du cancer. Comme nous ne remarquons pas les gens chez qui on a diagnostiqué un cancer mais qui n'ont *pas* vécu de traumatisme.

Autrement dit, il y a une catégorie particulière d'histoires — où le cancer suit un traumatisme — qu'on note et dont on se souvient. On ne sait pas si les gens qui divorcent sont plus souvent atteints du cancer que ceux qui restent mariés ou si les gens qui souffrent du cancer sont plus susceptibles d'avoir divorcé récemment.

De plus, il y a des facteurs qu'on sait importants dans l'apparition du cancer, mais qui peuvent ne pas être évidents dans les récits que nous entendons. Par exemple, l'avocat qui a été congédié a peut-être beaucoup fumé pendant des années, même s'il a très bien pu arrêter quelques années auparavant. Si c'était le cas, son cancer du poumon s'expliquerait beaucoup mieux par le tabagisme que par son congédiement.

Ainsi, il faudrait déterminer, par exemple, si un groupe de personnes qui auraient vécu un stress majeur au cours des deux dernières années présente un risque plus élevé de souffrir d'un cancer comparé à un autre groupe du même âge qui n'a pas vécu d'événement traumatisant.

En fait, des études récentes se sont penchées sur cette question, laquelle est si importante, à mon avis, qu'il faut l'examiner plus en détail.

Stress et récidive des cancers : quelques faits

Malgré l'opinion répandue que ce débat est encore ouvert et non résolu, plusieurs études ont été faites sur le sujet, et leur verdict est très clair.

Au risque de paraître pointilleux, j'en mentionnerai quelques-unes.

En 1989, des chercheurs d'un centre d'oncologie important du Royaume-Uni ont étudié un groupe de cinquante femmes, leur demandant si leur vie avait été stressante. Ensuite, ils ont comparé ces cinquante femmes à un groupe témoin et ont découvert que lorsqu'il y avait un stress sévère dans la vie de la femme, le risque de récidive du cancer du sein était beaucoup plus élevé.

Cette découverte était très importante. Si cela s'avérait, si le stress dans la vie permettait au cancer de récidiver plus facilement, on pourrait en conclure qu'en réduisant le stress dans la vie d'une femme, on réduirait le risque de récidive du cancer du sein.

Les chercheurs ont donc préparé une seconde étude pour examiner cette conclusion.

La première étude comportait une erreur de conception majeure. Les enquêteurs avaient demandé aux femmes d'évaluer leur niveau de stress au moment de la récidive. On peut donc penser que le trouble provoqué par la récidive a pu influencer l'évaluation de leur niveau de stress à la hausse. Si c'était le cas, une étude rétrospective pourrait montrer que la corrélation n'existait pas.

Dans la seconde étude, les chercheurs ont demandé aux femmes d'évaluer leur niveau de stress avant la récidive.

Ils ont suivi un groupe de femmes entre 1991 et 1998, et leurs résultats furent publiés en 2002. Leur étude montrait qu'il n'y avait *aucune corrélation entre le stress et la récidive d'un cancer du sein.*

La persévérance des chercheurs a produit des résultats fiables et précieux. Après avoir découvert des données qui auraient pu être d'une grande importance, ils ont mené une seconde étude pour vérifier si c'était bien le cas. Leur seconde étude, parfaitement élaborée et conduite d'une manière irréprochable, a montré qu'il n'y avait pas finalement d'effet véritable. Le stress n'accroît pas le risque de récidive du cancer du sein.

C'est la catégorisation qui a éveillé l'intérêt des chercheurs et du reste du monde, ce n'était pas un indicateur d'une mystérieuse relation entre le stress et le cancer du sein.

De nombreuses autres études ont été menées sur le sujet. Des études sur de grands groupes de personnes ont été effectuées pour tenter de prouver ou de réfuter l'idée que l'humeur d'une personne ou les événements qui surviennent dans sa vie peuvent contribuer à l'apparition d'un cancer. Jusqu'à maintenant, aucune d'elles n'a démontré une relation de cause à effet.

La dépression

Il n'y a aucune preuve que la dépression contribue à l'apparition d'un cancer. Dans une étude majeure (*Journal of the American Medical Association*, 1990), on a suivi des collectivités dans cinq villes et comparé l'incidence du cancer après une période de dix ans. Même si la dépression n'était qu'une cause contributive mineure au cancer, cette étude avait un grand potentiel pour démontrer un tel lien. En vérité, il n'y avait aucun lien, et les gens qui souffraient de dépression présentaient les mêmes risques de développer un cancer que le reste de la population.

En termes de stress psychologique, on sait depuis longtemps que le deuil est l'un des événements de la vie les plus stressants. Une étude en Israël a tenté de voir s'il y avait une augmentation du nombre de cancers chez les parents qui avaient perdu un enfant. On n'a relevé aucune augmentation du nombre de cancers.

En assemblant toutes ces preuves, je crois qu'on peut être sûr du verdict qui s'en dégage.

Le verdict : le stress ne cause pas les cancers

Il n'y a aucune preuve crédible que le stress en lui-même, contrairement à des comportements comme le tabagisme, contribue à l'apparition des cancers ou même affecte le cours d'un cancer. En fait, cette croyance est une facette de l'attitude « blâmons le patient », qui est un moyen qu'emploie la société pour composer avec toutes sortes de maladies jusqu'à ce qu'on en ait percé tous les mystères. Le stress peut s'avérer désagréable et affecter un grand nombre de choses, y compris nos relations avec les autres, comme notre capacité à conduire une voiture ou à prendre des décisions. Mais il n'a jamais été, et ne l'est pas plus maintenant, un facteur contributif à l'apparition du cancer.

« Est-ce que mon esprit peut changer l'issue du cancer ? »

Donc, le stress et l'humeur, intrinsèquement, ne causent pas les cancers.

Mais il y a également une croyance très répandue qui veut que lorsqu'on est atteint d'un cancer, une attitude positive et un bon état mental influencent favorablement l'issue de la maladie.

Cette idée est attirante sur le plan intellectuel : elle laisse entendre qu'on peut faire une différence. Mais est-elle fondée ?

De nombreuses études ont été menées sur ce sujet délicat. Elles sont souvent mentionnées, mais tout aussi souvent mal interprétées !

En 1979, une étude menée par deux chercheurs londoniens (les docteurs Greer et Morris) qui s'intéressaient aux aspects psychologiques du cancer a produit des résultats assez remarquables.

Leur étude a été effectuée sur un groupe de patientes atteintes d'un cancer du sein. Au cours d'entrevues plus ou moins structurées, les médecins ont évalué les attitudes que les patientes manifestaient face à leur maladie après qu'on eut posé le diagnostic. Ils ont ensuite mis ces attitudes en corrélation avec leur survie. Fait extraordinaire, ils ont découvert que les patientes qui étaient extrêmement fâchées et celles qui refusaient leur maladie s'en sortaient bien. En revanche, les patientes qui composaient simplement avec la maladie et qui continuaient en faisant leur possible, tout comme les patientes qui se sentaient impuissantes et désespérées, n'avaient pas autant de chance.

Cette étude était très significative, et sa *méthodologie* pour classer les réactions des patients a été utilisée dans de nombreux centres depuis sa parution. Cependant, on n'a jamais réussi à réitérer ces *résultats* dans une autre étude. C'est assez inattendu, car l'étude a été menée sur un petit groupe de patientes et ne devrait pas être difficile à répéter. Cette étude de 1979 demeure une observation intéressante, mais unique.

Le Bristol Cancer Help Centre est l'un des centres de médecine complémentaire pour les patients atteints du cancer les plus connus de Grande-Bretagne. Les traitements qu'on y offre incluent une grande diversité de techniques psychologiques et spirituelles, ainsi que des diètes rigoureuses.

Dans leurs premières publications, les dirigeants du centre affirmaient que leurs traitements pouvaient prolonger la vie. Plus tard, ils ont collaboré avec des médecins conventionnels dans une étude sur des patientes atteintes d'un cancer du sein à un stade avancé. Les patientes du Bristol ont été comparées à environ le double de patientes soignées dans des cliniques conventionnelles.

Les résultats ont montré que le risque de mourir était en fait plus élevé au centre Bristol que dans un centre conventionnel. La publication de cette étude a causé un immense scandale politique.

Néanmoins, les données n'ont pas prouvé que les patientes vivaient plus longtemps au centre Bristol. Les conclusions de cette étude sont similaires à celles d'une étude (*New England Journal of Medicine*, 1991) qui compara les patients d'une clinique de médecine complémentaire aux États-Unis et ceux d'un centre d'oncologie traditionnel. La même conclusion se dégage des deux études suivantes.

> Le docteur Bernie Siegel est un chirurgien diplômé de Yale qui s'est spécialisé dans le traitement du cancer et s'est penché plus particulièrement sur les aspects psychologiques des maladies graves comme le cancer. À la fin des années 1980, il a formulé l'hypothèse qu'une attitude positive pouvait changer le cours des cancers, ce qui a alimenté un grand débat public au cours duquel il s'est gagné littéralement des millions de supporteurs.
>
> Ce n'est pas un événement récent, mais il peut être utile de l'examiner plus attentivement, car je crois qu'il va se répéter. J'ai le sentiment que nous verrons paraître de nouveaux livres et de nouvelles théories laissant entendre que les patients peuvent guérir (ou du moins stabiliser) leur cancer s'ils le veulent de toutes leurs forces et s'ils font ce qu'il faut. Selon moi, et j'y ai déjà fait allusion (je le mentionnerai à nouveau dans la conclusion de cette section), il y a ici une question cruciale qui explique la propagation de cette croyance.
>
> Bernie Siegel (il aime mieux se faire appeler « Bernie » que « Docteur Siegel ») a remarqué que chez certains patients, quelques traits psychologiques et quelques comportements semblaient associés à une survie prolongée. Il a qualifié ces personnes de *patients exceptionnels*. Il a mis sur pied des groupes de thérapie et des rencontres avec ces patients exceptionnels et ceux qui voulaient le devenir.
>
> Il a aussi publié de nombreux livres grand public sur le sujet de l'influence de l'esprit sur les maladies graves (surtout le cancer). Dans ces livres, au moyen d'histoires et d'exemples, Bernie laisse entendre que les attitudes psychologiques sont un facteur déterminant dans la survie.

Autrement dit, il insinue que l'état d'esprit du patient influence la progression du cancer.

Il a ensuite collaboré à deux études : d'abord à une étude pilote, puis à une étude plus étoffée. Les résultats des deux études ont démontré que le fait d'être un patient exceptionnel ne prolonge pas la survie. Autrement dit, par ces études, Bernie a testé son hypothèse, qui a été réfutée.

Comme je l'ai dit à Bernie lors d'une entrevue pour une série télévisée, sa participation à ce type de recherche est tout à fait admirable. Son honnêteté et sa curiosité intellectuelle le distinguent de la majorité des personnalités connues dans ce domaine. C'est tout à son honneur d'avoir délibérément et soigneusement testé l'idée que les patients exceptionnels s'en sortent mieux que les autres patients atteints du cancer. Le fait qu'il n'y ait aucun bénéfice démontrable en termes de *prolongement de la vie* ne diminue pas la valeur que les groupes de rencontre avaient pour ceux qui s'y rassemblaient, mais montre bien que ces rencontres de patients exceptionnels ne prolongent pas la vie.

De son côté, le docteur David Spiegel est un psychiatre qui pratique dans un hôpital universitaire à Stanford, en Californie. À la fin des années 1970 et au début des années 1980, il a mis sur pied des groupes de soutien qui offraient une psychothérapie aux femmes atteintes du cancer du sein. Ces rencontres de groupe étaient conçues avec soin et ne se limitaient pas à encourager les participantes à adopter une attitude positive ou à espérer qu'elles s'en sortent mieux ce faisant. En fait, ces groupes proposaient plusieurs idées étonnantes. D'abord, les participantes étaient fortement encouragées à faire face à tous les aspects de leur situation et à affronter — puis à composer avec — la possibilité de mourir du cancer du sein. Deuxièmement, on encourageait vivement les participantes à développer un réseau social entre elles à l'extérieur des rencontres du groupe. Cette étude originale a été élaborée pour déterminer si de telles rencontres pouvaient améliorer la qualité de vie des patientes. Les résultats ont démontré hors de tout doute que ces techniques amélioraient *effectivement* la qualité de vie.

Plusieurs années plus tard, le concept d'espoir comme agent thérapeutique de Bernie Siegel est devenu populaire. Le docteur Spiegel a alors décidé d'évaluer si ces rencontres de groupe faisaient une différence en termes de survie, tout en étant convaincu qu'il n'y avait aucun effet. À sa grande surprise, le suivi à long terme des femmes qui avaient assisté à ces rencontres de groupe montrait qu'elles vivaient plus longtemps que celles qui ne l'avaient pas fait.

Cette découverte était d'une grande importance, parce que c'était la première et la seule preuve tirée d'une étude prospective qui montrait que la survie pouvait être affectée par des facteurs psychologiques et sociaux.

J'ai interviewé le docteur Spiegel pour la même série télévisée. J'ai rencontré un chercheur réfléchi, sérieux et original. L'aspect le plus déterminant de son travail, c'est que tout de suite après avoir obtenu les résultats de 1989, il a insisté pour que cette étude soit reprise dans différentes villes afin de vérifier si ses résultats étaient valides et reproductibles.

Pertinemment, ce processus a duré plusieurs années. Lorsque les données des recherches ont été analysées, on a découvert qu'il n'y avait aucun effet. La participation à des groupes de thérapie, bien que bénéfique pour la qualité de vie, ne prolongea pas la survie et n'affecte pas le cours du cancer du sein en aucune manière.

Cela peut s'expliquer de deux manières. Soit les conclusions de 1989 étaient un résultat du hasard ; il y avait peut-être des différences entre les deux groupes que l'on ignorait, comme un aspect de la tumeur. Soit il y avait des facteurs en jeu à Stanford en 1989 qui ne pouvaient être reproduits ou transférés à d'autres centres.

Le docteur Spiegel a aussi partagé avec les téléspectateurs des idées intéressantes sur la signification de cette recherche, ainsi que sur la valeur évidente et palpable du soutien pour composer avec le cancer et son traitement.

Voici une analogie de son cru. Pensons à une personne seule qui traverse Central Park, à New York, à deux heures du matin. Imaginons ensuite cette même personne entourée de vingt autres personnes. L'effet de la compagnie, de la communauté, du soutien de la part des amis comme de la famille est extraordinaire. Le sentiment de solitude et d'isolement est terrible. Ainsi, avoir un cercle d'amis qui nous soutiennent et à qui l'on peut se confier facilite beaucoup les choses lorsqu'on doit faire face à n'importe quelle épreuve.

Le fond du problème : la tendance à blâmer le patient

Comme je l'ai dit au début de cette section, dans l'histoire de l'humanité, on a souvent blâmé le patient, et il est possible que les attitudes contemporaines à propos des rapports entre l'esprit et le cancer ne fassent que perpétuer cette vieille tradition. Bien sûr, il y a certains cancers pour lesquels les *actes* du patient sont un facteur contributif connu : le tabagisme pour les cancers du poumon, de la bouche, de la vessie et du pancréas, par exemple, ou le soleil pour les cancers de la peau. Cependant, la plupart des cancers apparaissent mystérieusement et apparemment par hasard.

Or, comme on n'aime pas le hasard, on attribue une structure méthodique aux événements, qu'elle existe ou non.

Dans le cas des cancers, on blâme le patient.

Oui, il est possible à la limite que l'esprit joue *effectivement* un rôle important et que le patient *soit* à blâmer en partie. Mais jusqu'à maintenant, cela semble peu vraisemblable.

Je crois qu'une bonne partie de la croyance que le cancer est causé par le patient d'une façon ou d'une autre est le moyen consacré par le genre humain pour composer avec le malaise que suscite l'inconnu.

En blâmant le patient, les gens qui ne souffrent pas de la maladie se sentent en sécurité, et peut-être même supérieurs. Si on peut déceler un comportement du patient qu'il a délibérément *choisi* d'adopter et qui a causé le cancer, alors, selon toute logique, le cancer nous épargnera peut-être si l'on fait attention. C'est ce qui explique notre désir de trouver des détails dans la vie des patients qui les distinguent des gens en santé. De nombreux exemples du passé illustrent ce trait fondamental du comportement humain.

Cela nous réconforte aux dépens du patient, mais ne reflète nullement la réalité.

6

« Qu'est-ce que je peux faire par moi-même ? »

Reprendre le contrôle

Pour faire face à une maladie potentiellement grave dont le pronostic comporte des incertitudes, on a besoin de deux éléments : une compréhension juste de la situation, pour atténuer la peur et l'impuissance, et le sentiment d'appartenir à une communauté, de ne pas être seul, pour atténuer l'impression de solitude et d'isolement. J'espère que ce livre fournira ces deux éléments aux patients atteints du cancer et à leur famille pour qu'ils en retirent la motivation et la détermination nécessaires.

Vous êtes sur la bonne voie

Encore une fois, pour qu'on ne l'oublie jamais, le mot *cancer* est probablement le mot le plus craint de la langue française. Ce seul mot suscite des sentiments profondément enracinés de peur et d'effroi, qui à leur tour provoquent une sensation d'impuissance, de quasi-paralysie et d'absence totale de contrôle sur les événements.

Plusieurs de ces sentiments sont associés au fait qu'on voit tous les cancers comme une seule maladie terrible. J'espère sincèrement que ce livre aura changé cette perception des choses. Arriver à une compréhension approfondie de votre situation — votre cancer particulier, son stade, le plan de traitement, etc. — est le moyen le plus efficace de composer avec ces peurs persistantes.

C'est ce que j'ai essayé de faire avec ce livre. J'espère que grâce à cette lecture, vous avez pu retrouver en partie votre équilibre, un certain sentiment de contrôle et un peu de votre sens de l'orientation.

L'inscription « Vous êtes ici »

Le retour du sens de l'orientation aide beaucoup à recouvrer l'équilibre, et pour y parvenir, vous avez besoin d'une vue d'ensemble — une carte de la forêt, pas seulement un répertoire d'arbres. Bien souvent, vous devez trouver vous-même cette carte à partir d'ouvrages comme celui-ci parce que votre équipe soignante n'a pas le temps d'expliquer tout le contexte.

J'espère que ce livre vous aura apporté cela, et que vous possédez maintenant une carte — de ce qui était jusque-là un territoire inconnu — avec l'inscription « Vous êtes ici » bien en vue, qui vous permet de vous situer et de voir les options et les avenues qui s'offrent à vous.

Le sentiment d'être dépassé et perdu vous isole de vos amis et de votre famille. Si vous ne savez pas vraiment comment vous allez, il vous sera difficile d'en parler avec vos proches. Ils posent des questions parce qu'ils veulent savoir ce qui se passe pour vous aider. Si vous n'arrivez pas à répondre, vous pourriez être tenté de mettre un terme à la conversation. Certaines personnes (et les médecins font souvent partie de ce groupe lorsque c'est à leur tour d'être patients !) éprouvent même une sorte de culpabilité lorsqu'elles ne comprennent pas leur état. Elles ont l'impression qu'elles devraient savoir ou encore que tout le monde sauf elles comprend leur situation. Ce genre de sentiment est souvent amplifié dans les centres d'oncologie où tous les intervenants travaillent le plus efficacement possible et semblent avoir la situation bien en main. Vous devez absolument savoir où se trouve l'inscription « Vous êtes ici » sur la carte à tout moment.

Lorsque vous aurez une vue d'ensemble sur votre cas, il vous sera plus facile d'obtenir du soutien de vos proches, ce qui est probablement le facteur le plus déterminant en ce qui a trait à votre qualité de vie au quotidien.

Les amis

Le sentiment de rapprochement — d'amitié, de rapports véritables — avec les autres dans une conversation naît lorsque les deux interlocuteurs sont capables de s'ouvrir suffisamment à l'autre pour parler de ce qu'ils ressentent vraiment. C'est pourquoi les sections sur la communication dans ce livre sont si profitables. Si vous pouvez nommer et reconnaître un sentiment profond qui vous habite — la peur, la tristesse, la gêne, la culpabilité, la colère, la frustration ou la déception —, vous accomplirez beaucoup. C'est ainsi que vous établissez un contact réel avec l'autre, que vous devenez de vrais amis. Certains sont même d'avis que les amitiés vraies sont la seule chose qui compte. Ces moments de relations profondes et mémorables durent pour l'éternité et, contrairement à tout le reste, ne déclinent pas, ne se démodent pas et ne se rident pas !

Les groupes d'entraide

Vous envisagez peut-être de vous joindre à un groupe d'entraide. C'est un choix très personnel. Certaines personnes retirent un grand réconfort et beaucoup de soutien lorsque d'autres patients partagent leurs histoires, leurs suggestions pratiques et leurs trucs. (Certains de ces trucs sont inédits et très utiles, comme le découvrent les médecins lorsqu'ils en entendent parler!) D'autres n'aiment pas l'idée d'être en groupe. Je vous suggère de l'essayer. L'atmosphère de chacun de ces groupes est unique, et de belles et longues amitiés s'y créent souvent. Plusieurs personnes qui ne se voyaient pas dans de tels groupes ont été agréablement surprises lorsqu'elles ont tenté l'expérience. Ce n'était pas du tout comme elles se l'étaient imaginé; le soutien est palpable et les peurs d'être jugé ou embarrassé se révèlent sans fondement. Renseignez-vous au sujet des groupes d'entraide de votre région, pensez-y et tentez votre chance. Vous pourriez être bien surpris.

Internet

Il ne faut pas oublier Internet. Le nombre de sites qui apparaissent si vous faites une recherche avec le mot *cancer* s'élève à plusieurs millions.

Il y a deux secrets lorsque vous faites des recherches sur Internet pour éviter les crises de panique et d'anxiété. Premièrement, choisissez bien les questions auxquelles vous voulez des réponses; deuxièmement, rappelez-vous que ce que vous cherchez, ce sont des informations *générales*, vous ne voulez pas devenir un spécialiste de votre maladie. En tant que tel, il n'y a rien de mal à faire des recherches exhaustives et à lire des douzaines d'études sur les traitements ou la maladie, mais cela peut accentuer votre détresse et votre angoisse. Il vaut souvent mieux se limiter à quelques sites dignes de confiance mis sur pied par des hôpitaux importants ou des organismes pour la lutte contre le cancer et le soutien aux patients.

Le problème avec Internet, c'est que n'importe qui peut y écrire n'importe quoi. Il peut y avoir un site qui affirme, avec une autorité qui paraît tout à fait scientifique, que tous les cancers peuvent être guéris soit en suivant une diète de pelures de pamplemousse et de noix de coco, soit en respirant d'une certaine manière ou encore en portant des aimants ou des ampoules contenant du liquide électrisé.

Bien souvent, ce type d'affirmation est mis en ligne par une personne seule ou un petit groupe de personnes qui ont le cœur à la bonne place, mais qui ne connaissent rien aux cancers et n'ont aucun contact avec des chercheurs dans le domaine ou avec des centres de traitement. En fait, une bonne part des informations extravagantes que l'on retrouve sur Internet résultent de bonnes intentions, mais ne sont soutenues par aucun fait ou aucune expérience. Ce sont des pensées magiques et des suppositions déguisées en faits. Le problème, c'est qu'on ne peut pas toujours faire la part des choses à la première visite sur ces sites.

Pour y voir plus clair, vous pouvez consulter la liste des sites Internet fiables de l'annexe B, à la page 245. Ils présentent les approches les plus récentes en termes de traitement, mais aussi les recherches en cours. Commencez par consulter l'un de ces sites. Cela vous donnera une base solide, et vous serez ainsi moins enclin à croire les affirmations les plus extravagantes, aussi optimistes et séduisantes soient-elles.

« Y aura-t-il un jour un remède contre le cancer ? »

La question « Y aura-t-il un jour un remède contre le cancer ? » est certainement celle qu'on pose le plus souvent aux médecins et aux chercheurs.

Depuis au moins quatre-vingts ans, on a l'impression qu'un remède contre le cancer est sur le point d'être découvert. Cette impression (et j'exprime ici une opinion personnelle) a été provoquée autant par le grand public, qui veut voir disparaître ce qu'il considère comme une seule maladie affreuse, que par les professionnels de la santé, qui désirent être ceux qui y parviendraient. Depuis le début du vingtième siècle, la presse et les autres médias par la suite ont beaucoup insisté sur ce sujet et ont associé toutes les percées dans la recherche sur le cancer ou le traitement du cancer à l'apparition imminente d'un remède.

Ce n'est que récemment qu'on a pu observer de la modération dans les attitudes. Depuis quelques années, on entend plus souvent des oncologues dire : « Nous devons faire plus de tests, mais le traitement pourrait s'avérer utile pour certaines patientes qui développent un cancer du sein après la ménopause. » Aujourd'hui, les chercheurs ont moins tendance à dire que leurs travaux sont une percée majeure ; ils disent plutôt qu'ils ouvrent de nouveaux domaines de recherche ou que tel médicament agit sur les souris, mais qu'on ne sait pas encore s'il agira de façon similaire chez les humains.

En résumé, comme il n'existe pas de maladie unique appelée cancer, il n'y aura pas de remède unique pour guérir tous les cancers. Ce qu'on verra à l'avenir, c'est ce qui se passe maintenant : des progrès modestes dans l'un ou l'autre des cancers. Malheureusement, il est illusoire de penser qu'une seule substance, qu'on découvrirait ou inventerait, aurait le pouvoir de renverser le processus des deux cents cancers. Les patients comme les professionnels de la santé souhaiteraient ardemment qu'une telle substance existe, mais il n'y aura jamais « un remède. »

À la place, nous verrons des avancées régulières dans la capacité de faire régresser certains cancers, d'en contrôler d'autres, et dans l'amélioration des traitements par le renforcement de l'efficacité des médicaments et l'atténuation de leurs effets secondaires. Nous verrons, comme c'est le cas depuis un demi-siècle, un grand nombre de petites percées qui stimuleront de nouvelles recherches et de nouvelles découvertes.

L'espoir est grand — l'espoir de contrôler la maladie, de composer avec elle plus facilement et plus longtemps si elle ne peut être guérie —, mais comme il existe une grande diversité de cancers, il y a et il y aura une grande diversité de traitements et d'approches.

La recherche se porte plutôt bien, mais la « quête d'un remède unique » est un élément de comparaison qui nous empêche d'apprécier les progrès réels que nous réalisons.

Vous n'êtes pas seul

J'espère que ce livre vous a donné une bonne vue d'ensemble, une carte bien balisée pour explorer ce nouveau territoire. J'espère surtout que vous avez retrouvé votre équilibre et que vous comprenez maintenant que les cancers constituent un groupe de maladies qui ont des effets divers et auxquelles sont associées des options de traitement différentes.

Ce qu'il faut se rappeler, c'est que les cancers — comme la grande majorité des maladies — sont des problèmes médicaux dont on devrait pouvoir parler ouvertement, sans peur ni gêne.

Depuis des décennies, les connotations associées au mot cancer ont amené bien des gens à parler tout bas ou à se taire. Cette atmosphère de menace silencieuse rendait presque toujours difficiles, voire impossibles, les conversations rationnelles et bénéfiques.

Mais les temps changent, heureusement, car lorsqu'on y pense un peu, le cancer, ce n'est qu'un mot, ce n'est pas une condamnation.

ANNEXE A

Tableau 1. Caractéristiques d'un cancer évaluées par les pathologistes

Les tableaux 1 et 2 présentent de manière générale et approximative les centaines (littéralement) de caractéristiques que les pathologistes évaluent. Bien entendu, il s'agit d'une grande simplification, mais vous aurez quand même une meilleure idée de la manière dont l'apparence du cancer au microscope peut aider à prédire comment le cancer se comportera et de l'importance de ces données dans la planification du traitement.

Caractéristique	Ce que le pathologiste évalue	Signification possible
Le grade de la tumeur (= son degré d'agressivité apparent)		
La taille	Cela peut sembler évident, mais pour certaines tumeurs, la taille du cancer peut faire une différence, et les petits cancers se comportent différemment des cancers plus gros. Pour plusieurs cancers, l'évaluation de la taille exacte se fait pour le cancer primitif et constitue un facteur important à considérer.	
Le type de tumeur	Il y a plusieurs sous-types dans cette caractéristique: on évalue si le cancer forme des glandes, s'il produit du mucus, s'il contient du liquide transparent (séreux) ; si les cellules sont petites (facteur très important pour les cancers du poumon et les lymphomes) ou si elles sont plates comme des cellules cutanées (squameuses).	Parfois (mais pas toujours), le sous-type du cancer influence son comportement ou peut aider à prédire comment il devrait être traité (p. ex., sa réponse à la chimiothérapie).

Caractéristique	Ce que le pathologiste évalue	Signification possible
Le grade de la tumeur (= son degré d'agressivité apparent)		
Le tissu d'origine: d'où provient-il (du sein, du poumon, de l'intestin, etc.)?	C'est une donnée cruciale, et dans bien des cas, l'origine du cancer est évidente. Mais il arrive qu'il soit difficile de déterminer dans quel tissu le cancer est apparu, parce que les cellules sont très indifférenciées ou que l'échantillon prélevé lors de la biopsie est trop endommagé. Cela arrive plus particulièrement lorsqu'on examine des tumeurs secondaires provenant d'un ganglion lymphatique ou d'un poumon.	Il est primordial de connaître le tissu d'origine. Par exemple, si un cancer du sein s'est propagé aux poumons, il se comportera toujours comme un cancer du sein (et non pas comme un cancer du poumon) et répondra mieux aux médicaments utilisés pour traiter le cancer du sein. Si c'est un cancer du poumon qui s'est propagé aux os ou au foie, alors il réagira comme un cancer du poumon. Donc, l'opinion du pathologiste sur l'origine du cancer est d'une grande importance.
La différenciation: dans quelle mesure les cellules cancéreuses ressemblent-elles aux cellules normales de ce tissu?	Combien de caractéristiques des cellules normales originales sont-elles encore présentes dans les cellules cancéreuses? Si la plupart y sont encore, la tumeur est *bien différenciée* ou *de faible degré de malignité*. S'il y en a peu, on parlera de tumeur *peu différenciée* ou *de haut degré de malignité*.	Les tumeurs de faible degré de malignité ont une croissance plus lente et ont moins tendance à se propager. Les tumeurs à haut degré de malignité sont généralement plus agressives et manifestent une tendance plus prononcée à se propager à des régions distantes dans le corps.
Les caractéristiques à l'intérieur des cellules cancéreuses: le noyau et le rapport noyau/cytoplasme	Les très gros noyaux à l'intérieur des cellules — particulièrement s'il y a peu de cytoplasme (la substance gélatineuse qui constitue le reste de la cellule) — suggèrent un comportement agressif. Dans certaines tumeurs, il peut y avoir plusieurs noyaux par cellule, ce qui constitue aussi un signe d'agressivité.	Ces caractéristiques sont quasi universelles dans tous les cancers. Plus le noyau est petit et paraît normal, mieux c'est.

Caractéristique	Ce que le pathologiste évalue	Signification possible
Le grade de la tumeur (= son degré d'agressivité apparent)		
Les figures mitotiques : combien de cellules sont-elles en train de se diviser actuellement ?	Lorsqu'une cellule se divise, le processus (la mitose) provoque un changement visible dans l'apparence de la cellule. Si plusieurs cellules se divisent à un moment précis, cela signifie que la tumeur grossit rapidement.	Plus le nombre de figures mitotiques est bas, mieux c'est. C'est une donnée très utile pour certaines tumeurs, dont les sarcomes et les tumeurs ovariennes.
L'architecture (la formation de glandes, etc.)	Dans les tissus sains, les cellules se présentent de façon caractéristique (en glandes et en conduits dans le tissu mammaire ; en glandes et en excroissances ressemblant à des doigts dans le tissu intestinal, etc.). Le degré de préservation (ou de perte) de ces caractéristiques indique également le degré d'agressivité.	Plus «l'architecture normale» est préservée dans un cancer, mieux c'est.
Envahissement des régions avoisinantes et des ganglions		
La profondeur de l'envahissement	Dans plusieurs tissus, il est important de savoir à quelle profondeur la tumeur a pénétré (par exemple, pour le cancer de l'utérus et les mélanomes).	La profondeur de l'envahissement peut faire une grande différence sur le plan de la stadification et de l'approche thérapeutique (les cancers de l'utérus, de la vulve et les mélanomes en sont de bons exemples).
La membrane basale	Plusieurs tissus (l'intestin, par exemple) ont une frontière très claire entre leurs couches externes et leurs couches internes. C'est ce qu'on appelle la membrane basale, et la façon dont le cancer la pénètre ainsi que la profondeur qu'il atteint sont souvent importants.	La pénétration ou non du cancer dans la membrane basale influencera la stadification du cancer (de l'intestin, par exemple) et la planification du traitement.

Caractéristique	Ce que le pathologiste évalue	Signification possible
Les ganglions lymphatiques	Les ganglions lymphatiques sont des espèces de stations de filtrage. Dans la plupart des cancers (mais pas tous), c'est d'abord là que le cancer se propage. Pour plusieurs tumeurs, l'étendue de l'envahissement constitue une caractéristique importante.	Dans la plupart des cas, l'envahissement ou non des ganglions lymphatiques avoisinants est un facteur déterminant dans l'évaluation de l'agressivité probable du cancer.
L'envahissement vasculaire	Dans de nombreux cas, le pathologiste peut voir si les cellules cancéreuses ont envahi les petits vaisseaux sanguins, les capillaires ou les vaisseaux lymphatiques avoisinants.	Dans certains cancers, celui du sein, en particulier, l'envahissement des vaisseaux lymphatiques ou des capillaires constitue une caractéristique très importante qui indique un risque de propagation, même si le cancer n'a pas encore atteint les ganglions lymphatiques avoisinants.
Les marges : le cancer a-t-il été entièrement extirpé par la chirurgie ? Les marges du prélèvement chirurgical ou de la biopsie sont-elles exemptes de cancer ?	Parfois, un cancer peut s'étendre d'une manière qu'il n'est pas facile de déceler visuellement par le chirurgien. Si le cancer est présent sur les marges du spécimen prélevé par le médecin, alors une autre chirurgie peut s'avérer nécessaire.	Des *marges positives* peuvent entraîner une autre intervention chirurgicale ou un traitement local supplémentaire, comme la radiothérapie, selon la tumeur et l'état de la région touchée.

Tableau 2. Colorations pouvant être effectuées sur certains cancers

Avec la technique de la coloration, le pathologiste peut découvrir si les cellules cancéreuses présentent certaines molécules à leur surface, qui peuvent fournir des informations sur le type ou le sous-type de cellule.		
Récepteurs	Les récepteurs sont des molécules complexes qui se lient à (reçoivent) des hormones ou à d'autres molécules messagères. Ils peuvent se trouver à la surface de la cellule ou dans le cytoplasme, comme c'est le cas des récepteurs des œstrogènes et des récepteurs de la progestérone.	Dans le cas du cancer du sein, si des récepteurs des œstrogènes sont présents, alors il y a des chances élevées que des hormones comme le tamoxifène soient efficaces. S'il n'y a pas ces récepteurs, l'hormonothérapie n'agira pas.
Autres cibles moléculaires : EGF, VEGF, etc.	Lorsqu'on trouve certains groupes moléculaires à la surface des cellules cancéreuses, cela peut indiquer un comportement divergent de la moyenne ou que des agents biologiques seraient probablement efficaces.	Les récepteurs peuvent prédire aussi des caractéristiques propres aux cellules cancéreuses (par exemple, le récepteur *her2/neu* dans le cancer du sein indique une croissance plus rapide) ou leur sensibilité à un agent (les récepteurs des œstrogènes signalent qu'un cancer présente des chances élevées de réagir aux hormones, les récepteurs *her2/neu* signalent que l'Herceptine, un médicament, a de bonnes chances de provoquer une réponse).
Autres marqueurs couramment utilisés		
Mucine	Lorsqu'il y a production de mucine dans un cancer, ont peut distinguer certains types de cancer de l'intestin et de l'estomac, ainsi qu'un sous-type particulier de cancer de l'ovaire.	

Cytokératine 7, cytokératine 20	Exemples de marqueurs moléculaires qu'on retrouve souvent sur les cellules des cancers du côlon et de l'ovaire.	
ACE	Marqueur moléculaire qu'on retrouve dans un grand nombre de cellules des cancers du côlon et du sein.	
Calrétinine	Marqueur qu'on retrouve fréquemment dans un cancer rare, le mésothéliome.	
Melan-A	Marqueur qu'on retrouve seulement dans les mélanomes.	

Tableau 3. Les types d'examens les plus courants et leur utilité

Examen	Définition	Déroulement	Utilité
I. Analyses sanguines			
A. Analyses sanguines pour déterminer si un tissu ou un organe fonctionne normalement			
Hémogramme (incluant l'hémoglobine, les globules blancs et les plaquettes)	La formule sanguine complète est l'examen de routine auquel on procède le plus fréquemment. Les résultats sont généralement disponibles rapidement.	Analyse à partir d'un échantillon de sang.	Les composants sanguins sont produits dans la moelle osseuse : s'il n'y a pas de raison évidente pour expliquer des anomalies, le prélèvement d'un échantillon de la moelle osseuse s'avère parfois nécessaire.
Hémoglobine (Hb)	L'hémoglobine est le pigment rouge qui transporte l'oxygène.	Analyse à partir d'un échantillon de sang.	Si le taux d'hémoglobine est bas (anémie), vous pouvez vous sentir fatigué ou essoufflé. Parfois, il faut procéder à une transfusion.

Examen	Définition	Déroulement	Utilité
	I. Analyses sanguines		
	A. Analyses sanguines pour déterminer si un tissu ou un organe fonctionne normalement		
Globules blancs (GB)	La numération des globules blancs, et particulièrement celle du type de globules blancs appelé *neutrophiles*, est importante au moment où il faut décider si on procédera ou non à la chimiothérapie.	Analyse à partir d'un échantillon de sang.	Si le taux de globules blancs (surtout des neutrophiles) est bas, vous pouvez être prédisposé aux infections et à la fièvre, ce qui demanderait un traitement aux antibiotiques. On pourrait alors retarder la chimiothérapie ou envisager une thérapie biologique au Neupogen pour faire augmenter le taux de globules blancs.
Plaquettes	Les plaquettes, un composant du sang, jouent un rôle important dans la coagulation.	Analyse à partir d'un échantillon de sang.	Si le nombre de plaquettes est bas (thrombocytopénie), vous pouvez être prédisposé aux ecchymoses et aux saignements (p. ex. : saignements des gencives ou du rectum).
Créatinine	Substance produite par le métabolisme du corps et excrétée par les reins.	Analyse à partir d'un échantillon de sang.	Si le taux de créatine est élevé, cela peut signifier que les reins ne fonctionnent pas normalement ou qu'il y a déshydratation.
Électrolytes	Les taux de sodium, de potassium et de chlorure se déséquilibrent en présence de plusieurs anomalies liées au contrôle des fluides et des reins.	Analyse à partir d'un échantillon de sang.	Des anomalies peuvent indiquer divers problèmes sous-jacents ainsi que suggérer toute une gamme d'approches thérapeutiques.

Examen	Définition	Déroulement	Utilité
I. Analyses sanguines			
A. Analyses sanguines pour déterminer si un tissu ou un organe fonctionne normalement			
Test de la fonction hépatique	Le taux de trois enzymes appelées *transaminases* et d'une autre, la *phosphatase alcaline*, s'élève s'il y a une anomalie au foie.	Analyse à partir d'un échantillon de sang.	Le taux de transaminases s'élève s'il y a une inflammation des cellules du foie, et le taux de phosphatases alcalines s'élève si une partie du canal cholédoque (biliaire) est bloquée.
Tests de coagulation	Groupe de tests effectués pour évaluer si la coagulation se déroule normalement. On y retrouve le *Test de Quick* et un autre pour comparer ce dernier au RIN (rapport international normalisé).	Analyse à partir d'un échantillon de sang.	Ils servent à évaluer l'effet des anticoagulants et à détecter d'autres anomalies dans la coagulation.
Albumine	Substance principale des protéines dans le sang produite par le foie.	Analyse à partir d'un échantillon de sang.	Son niveau peut baisser lorsqu'il y a n'importe quelle maladie pendant un long moment. C'est un guide utile pour déterminer votre état nutritionnel.
B. Marqueurs tumoraux : analyses sanguines pour évaluer la taille de la tumeur			
ACE	L'antigène carcino-embryonnaire est une protéine sécrétée par certaines cellules cancéreuses (particulièrement celles des cancers du sein, colorectal et de certains cancers du poumon).	Analyse à partir d'un échantillon de sang.	S'il est anormal, le dosage de l'ACE est utile pour évaluer les effets du traitement sur le cancer.

Examen	Définition	Déroulement	Utilité
I. Analyses sanguines			
B. Marqueurs tumoraux : analyses sanguines pour évaluer la taille de la tumeur			
CA 125	Protéine secrétée par les cellules du cancer de l'ovaire (et par d'autres affections non cancéreuses à l'abdomen à l'occasion).	Analyse à partir d'un échantillon de sang.	S'il est anormal, le dosage de la CA125 est utile pour évaluer les effets du traitement sur le cancer.
APS	L'antigène prostatique spécifique est sécrété par les cellules de la prostate et ne se propage pas au sang à moins que l'enveloppe de la prostate ne soit endommagée (habituellement par le cancer, parfois par une inflammation).	Analyse à partir d'un échantillon de sang.	Si le dosage est anormal et qu'il y a un cancer de la prostate connu et diagnostiqué, le test de l'APS est très utile pour surveiller les effets du traitement sur le cancer.
HCG	Hormone sécrétée par les cancers du testicule et du placenta et quelques autres.	Analyse à partir d'un échantillon de sang.	Les dosages d'HCG sont des indicateurs fiables pour surveiller les effets du traitement sur le cancer, ainsi que des indicateurs précoces de récidive.
AFP	Protéine sécrétée par les cellules cancéreuses des cancers du testicule et du foie.	Analyse à partir d'un échantillon de sang.	Les dosages d'AFP sont des indicateurs fiables pour surveiller les effets du traitement sur le cancer, ainsi que des indicateurs précoces de récidive.

Examen	Définition	Déroulement	Utilité
2. Examens radiographiques et techniques d'imagerie			
Radiographies du thorax	Permettent de voir les poumons, la taille du cœur, les côtes et (dans une certaine mesure) la colonne vertébrale.	S'effectuent généralement debout (de face, puis de côté).	Peuvent dévoiler diverses anomalies des poumons, la présence de liquide à l'extérieur des poumons (épanchement pleural), une hypertrophie du cœur, la présence de liquide autour du cœur ainsi que des anomalies au niveau des côtes et, parfois, de la colonne vertébrale.
Radiographies des os	Les radiographies du tissu osseux peuvent montrer des fractures, bien entendu, et des zones de cancer si le cancer est en train de dissoudre l'os (lytique) ou s'il est en train de provoquer un épaississement des os (scléreux). Les radiographies sont importantes pour déterminer s'il y a un risque de fracture.	Les radiographies d'os douloureux peuvent s'avérer désagréables. Le positionnement d'un bras ou d'une jambe relève parfois de l'exploit, mais c'est habituellement pour un court moment.	Si les lésions sont relativement importantes, elles apparaîtront sur les radiographies, tout comme les fractures.
Scintigraphie osseuse	On injecte une petite dose d'un isotope radioactif inoffensif appelé *technétium*; ensuite, une scintigraphie de votre corps est effectuée à l'aide d'une caméra spéciale qui détecte le technétium.	On vous fait une petite injection intraveineuse. Ensuite, vous vous étendez sur une table pendant que la gamma-caméra (sur un support mobile au-dessus de vous) effectue un balayage de tout votre corps.	C'est un indicateur fiable de métastases dans certains cancers (comme celui du sein), mais pas tous.

Examen	Définition	Déroulement	Utilité
2. Examens radiographiques et techniques d'imagerie			
Échographie	Examen des organes internes à l'aide d'ultrasons.	Vous vous étendez pendant qu'on vous passe une sonde sur l'abdomen (ou à l'intérieur du vagin pour examiner certaines affections au niveau du bassin).	Très utile pour détecter des anomalies à l'intérieur du foie, des ganglions lymphatiques de l'abdomen, de l'utérus et des ovaires, ainsi qu'à l'intérieur de plusieurs autres structures dans l'abdomen ou le bassin (mais pas aussi efficace pour détecter des petites anomalies à l'intérieur du côlon).
TDM (tomodensitométrie)	Reconstitution sophistiquée par ordinateur à partir de «tranches» de radiographie prises tout le long du corps.	Vous êtes étendu sur une plateforme mobile qui glisse à l'intérieur d'un gros appareil en forme de beignet. Absolument indolore!	Méthode courante pour examiner un grand nombre de parties du corps.
IRM	L'imagerie par résonance magnétique permet de détecter des changements dans les champs magnétiques du corps après qu'ils ont été soumis à un aimant puissant. Elle est très utile pour déceler des tissus contenant de l'eau et est particulièrement efficace pour les examens du cerveau et de la moelle épinière.	C'est un examen sans douleur, mais peu prisé par les claustrophobes. Vous êtes couché dans un cylindre de plastique pendant que le générateur de champ magnétique envoie des impulsions que vous ne sentez pas! L'appareil est très bruyant, mais l'examen, qui dure environ une demi-heure, est indolore.	Cet examen peut s'avérer important lorsque la TDM n'est pas très efficace, comme pour le cerveau, la moelle épinière et d'autres situations.
Scintigraphie au gallium	Le *gallium* est un isotope qui a la propriété d'être absorbé par certaines cellules dites lymphoïdes. On l'utilise pour la maladie de Hodgkin, certains lymphomes et d'autres affections.	Se déroule comme pour une scintigraphie osseuse, sauf qu'on injecte une substance différente.	Peut être utile pour évaluer la taille et le site de n'importe quel lymphome hodgkinien et de certains autres lymphomes.

Examen	Définition	Déroulement	Utilité
2. Examens radiographiques et techniques d'imagerie			
Mammographie	Radiographie du tissu mammaire.	On la qualifie presque toujours de désagréable! Le tissu mammaire doit être comprimé entre deux plaques de verre pour être radiographié correctement.	Plusieurs affections bénignes peuvent donner des clichés mammaires anormaux, et, à l'occasion, certains cancers ne sont pas visibles aux rayons X.
Tomographie par émission de positrons (TEP)	(Ce n'est pas un examen de routine) Cette technique d'imagerie enregistre un signal électrique particulier.	Similaire à la scintigraphie osseuse de votre point de vue.	Peut être très utile de concert avec la TDM pour produire une image des tumeurs.
Lavement baryté	Radiographie effectuée après qu'on a rempli le côlon d'un liquide sensible aux rayons X.	Examen désagréable. Le liquide est injecté dans le côlon par un petit tube, puis on prend la radiographie alors que vous êtes étendu sur le dos, puis sur les côtés.	
3. Techniques utilisées pour examiner une tumeur ou un organe directement			
Coloscopie	Un long tube souple est introduit par l'anus et parcourt toute la longueur du côlon.	Vous serez sous sédation, ce qui habituellement élimine tout inconfort. Vous aurez à boire une grande quantité d'un liquide spécial la veille.	C'est un test de routine (et aussi de dépistage) pour les tumeurs (cancers et polypes) du côlon et du rectum.
Bronchoscopie	Un petit tube souple est introduit par la trachée jusqu'à la partie supérieure des poumons.	L'intervention s'effectue généralement sous sédation ou anesthésie générale.	Méthode utilisée pour évaluer les cancers du poumon et des voies aériennes.
Laryngoscopie	Un petit tube souple est introduit à l'arrière de la gorge pour examiner le larynx et l'arrière des voies nasales.	On vaporise la bouche et la gorge avec un anesthésique local. Généralement, l'intervention est quelque peu désagréable.	C'est un examen très important pour évaluer les cancers de la gorge, du larynx, de la bouche ou des voies nasales, ainsi que pour surveiller les effets du traitement.

Examen	Définition	Déroulement	Utilité
3. Techniques utilisées pour examiner une tumeur ou un organe directement			
Gastroscopie/ Endoscopie	Un tube souple est introduit par l'œsophage (gosier) jusqu'à l'estomac et à la partie supérieure du duodénum.	L'intervention s'effectue généralement sous sédation ou anesthésie générale.	C'est un examen important pour évaluer des anomalies dans l'œsophage et l'estomac.
Cystoscopie	Un tube souple très fin est introduit par l'urètre jusqu'à la vessie.	L'intervention s'effectue généralement sous sédation ou anesthésie générale.	C'est un examen de routine pour évaluer les tumeurs de la vessie (et pour en traiter un grand nombre).
Laparoscopie	Un mince tube est introduit par une petite incision (habituellement près du nombril) dans la cavité abdominale pour examiner l'abdomen et le bassin. On effectue souvent des biopsies à cette occasion.	L'intervention s'effectue habituellement sous anesthésie générale.	C'est un examen important pour évaluer plusieurs cancers, dont celui de l'ovaire.
Médiastinoscopie	Un tube mince est introduit par une petite incision à la base du cou pour examiner les ganglions lymphatiques et d'autres structures au milieu du thorax (entre les poumons).	L'intervention s'effectue habituellement sous anesthésie générale.	C'est un examen souvent important pour la stadification du cancer du poumon et de certaines autres tumeurs.
4. Autres examens de routine			
ECG (électrocardiogramme)	Tracé de routine de l'activité électrique du cœur.	Indolore. De petits coussinets sont appliqués sur votre poitrine, vos poignets et vos chevilles.	Cet examen est souvent effectué comme référence avant le début du traitement (surtout si le traitement risque d'affecter le cœur).

Examen	Définition	Déroulement	Utilité
4. Autres examens de routine			
EEG (électroencéphalogramme)	Tracé de routine de l'activité électrique du cerveau.	Indolore. De petits coussinets sont appliqués à divers endroits sur votre crâne.	On procède parfois à cet examen s'il y a des évanouissements qui pourraient être des crises épileptiques.
Ventriculographie isotopique à l'équilibre	Cet examen mesure le pourcentage de sang dans le cœur éjecté après chaque battement cardiaque, ce qui donne (approximativement) la force du rythme cardiaque.	On vous fait une petite injection, et vous vous allongez sous une caméra qui fait une scanographie.	Quelques médicaments chimiothérapeutiques (et certains autres éléments) peuvent affaiblir le rythme cardiaque. Cet examen permet un dépistage précoce de ce problème. Souvent, une ventriculographie de référence est effectuée pour connaître la force de votre rythme cardiaque avant le début du traitement.

Tableau 4. Quelques exemples de cancers pour lesquels on recommande souvent une chirurgie de stadification

Partie du corps	Type d'intervention	Importance
Sein	Évidement ganglionnaire axillaire (ou dissection axillaire ou biopsie du ganglion sentinelle); on retire certains ganglions lymphatiques de l'aisselle pour vérifier si le cancer s'y est propagé.	Les plans de traitement seront différents si les ganglions de l'aisselle ont été touchés par le cancer; on recommandera fort probablement de la chimiothérapie dans ce cas.
Intestin	Ablation et examen approfondi de la tumeur primitive et évidement ganglionnaire dans plusieurs régions autour de l'intestin ainsi qu'ailleurs dans le corps.	Les plans de traitement sont différents si les ganglions sont touchés. Dans plusieurs situations, on a démontré que la chimiothérapie pouvait être bénéfique.

Partie du corps	Type d'intervention	Importance
Poumon	(Dans certains types de cancer du poumon) Ablation de la tumeur primitive et évidement ganglionnaire au centre du thorax (médiastin).	Le traitement (y compris la chimiothérapie et/ou la radiothérapie) sera différent selon la grosseur de la tumeur primitive et si les ganglions sont touchés.
Ovaire	Ablation des deux ovaires, des trompes de Fallope et de l'utérus, biopsies de plusieurs autres régions, dont la paroi de l'abdomen (le péritoine), et prélèvement de liquide dans l'abdomen (ascite).	Une évaluation précise de la stadification ne peut se faire sans cette opération, et les plans de traitement dépendent de l'évaluation précise de la propagation de la tumeur.
Testicule	Dans certains cas, un prélèvement par chirurgie des ganglions lymphatiques de la région pelvienne s'avère important. Dans plusieurs cas, ce n'est pas nécessaire, car le plan de traitement n'en serait pas affecté.	Les plans de traitement dépendent parfois d'une évaluation précise des ganglions. Dans bien des cas, cependant, ce n'est pas nécessaire ; les analyses sanguines pour déterminer les marqueurs tumoraux sont suffisantes.

Tableau 5. Quelques exemples pour les sept stratégies de traitement de base

I. Biopsie seulement	2. Tumeur encore présente : nouvelle chirurgie requise	3. Tumeur encore présente : radiothérapie et/ou chimiothérapie requises	4. Absence de tumeur, mais radiothérapie adjuvante utile
Col de l'utérus (précoce)	Col de l'utérus (certains)	Anus	Cerveau
Lèvre (certains)	Endomètre	Cerveau	Côlon (certains)
Mélanome (certains)	Estomac	Choriocarcinome	Endomètre (certains)
Peau (courants)	Foie	Côlon, rectum	Estomac
Pénis	Non-séminome	Endomètre, ovaire	Œsophage
Thyroïde	Œsophage	Estomac	Ovaire (certains)
Vessie	Ovaire	Leucémie	Pancréas (certains)
Vulve (certains)	Pénis	Lymphome	Poumon
	Poumon (non à petites cellules)	Myélome	Prostate (certains)
	Sarcome	Œsophage	Rectum
	Tête et cou (la plupart)	Pancréas, canal cholédoque	Sarcome
	Vagin	Poumon	Sein
	Vulve	Prostate, pénis	Tête et cou (la plupart)
		Sarcome (tissu mou et os)	Vulve, vagin, pénis (certains)
		Tête et cou (certains)	
		Thyroïde (certains)	
		Urètre, uretère, rein	
		Vessie	

5. Absence de tumeur, mais pharmacothérapie adjuvante utile (chimiothérapie, hormonothérapie, thérapie biologique)	6. Attente sous surveillance étroite	7. Traitement pour contrôler les symptômes
Côlon (la plupart)	Leucémie lymphoïde chronique	(A) Symptômes provenant d'une tumeur locale impossible à exciser
Estomac (certains)	Prostate	
Mélanome	Tumeurs cérébrales (certaines)	La plupart des sièges de cancer
Œsophage, pancréas	Tumeurs oculaires (certaines)	(B) Symptômes des sièges de propagation à distance
Ovaire (la plupart)		Tous les sièges de cancer
Poumon (non à petites cellules)		
Prostate (certains)		
Rectum (la plupart)		
Rein		
Sarcomes		
Sein (la plupart)		
Testicule		
Tête et cou (certains)		
Urètre, uretère		
Vessie (certains)		

Tableau 6. Médicaments courants et voies d'administration

Médicaments administrés par voie orale	Médicaments administrés par injection	Médicaments pouvant être administrés par voie orale ou par injection
Capécitabine	Amsacrine	Busulfan
Chlorambucil	Asparaginase	Cyclophosphamide
Erlotinib	Bléomycine	Étoposide (VP-16)
Géfitinib	Bortézomib	Fludarabine
Hydroxyurée	Carmustine	Melphalan
Imatinib	Cisplatine, Carboplatine	Méthotrexate
Procarbazine	Cladribine	
Témozolamide	Cytarabine	
Thalidomide*	Dacarbazine	
Trétinoïne	Doxorubicine, Épirubicine	
	Fluorouracile	
	Gemcitabine	
	Ifosfamide	
	Interféron alfa	
	Interleukine 2	
	Irinotécan	
	Mitomycine	
	Mitoxantrone	
	Oxaliplatine	
	Paclitaxel, Docetaxel	
	Pentostatine	
	Pemetrexed	
	Rituximab	
	Topotécan	
	Trastuzumab	
	Vincristine, Vinblastine	
	Vinorelbine	
	Bevacizumab*	
	Alemtuzumab*	
	Cétuximab*	

Hormonothérapie	Autres
Tamoxifène	Acétate de goséréline (Zoladex), Leuprolide (Lupron), Buséréline (Suprefact) : injection mensuelle sous la peau de l'abdomen
Inhibiteurs de l'aromatase (Létrozole, Anastrozole, etc.)	
Flutamide	BCG, Mitomycine : injections dans la vessie pour traitement local
Bicalutamide	
Mégestrol	

Les médicaments marqués d'un astérisque ne sont pas vendus au Canada, mais peuvent être obtenus grâce à un programme d'accès spécial.

Tableau 7. Degré de nausées causées par les médicaments chimiothérapeutiques les plus courants

Cause peu ou pas de nausées	Cause des nausées et/ou des vomissements modérés à sévères	
	Modérés ⟶	Sévères
Anastrozole	Alemtuzumab	Carboplatine ($\geqslant 1$ g/m^2)*
Bicalutamide	Altrétamine	Carmustine ($\geqslant 200$ mg/m^2)*
Bléomycine	Amsacrine	Cisplatine ($\geqslant 70$ mg/m^2)*
Busulfan	Asparaginase	Cyclophosphamide IV (>1000 mg/m^2)*
Capécitabine	Bevacizumab	Cytarabine (>1000 mg/m^2)*
Cétuximab	Carboplatine (<1000 mg/m^2)*	Dacarbazine ($\geqslant 500$ mg/m^2)*
Chlorambucil (PO)	Carmustine (<200 mg/m^2)*	Dactinomycine
Cladribine	Cisplatine (<70 mg/m^2)*	Doxorubicine ($\geqslant 60$ mg/m^2)*
Cyclophosphamide (PO)	Cyclophosphamide IV ($\leqslant 1000$ mg/m2)*	Doxorubicine IV bolus
Cytarabine (<200 mg/m^2)*	Cytarabine (200–1000 mg/m^2)*	Épirubicine ($\geqslant 90$ mg/m^2)*
Docetaxel	Dacarbazine (<500 mg/m^2)*	Interleukine 2 (Perfusion)
Erlotinib	Daunorubicine	Lomustine ($\geqslant 60$ mg/m^2)*
Estramustine	Doxorubicine (<60 mg/m^2)*	Méchloréthamine

Cause peu ou pas de nausées	Cause des nausées et/ou des vomissements modérés à sévères	
	Modérés ————▶	Sévères
Étoposide (<150 mg/m² IV et tous les PO)*	Épirubicine (<90 mg/m²)*	Méthotrexate (>1000 mg/m2)*
Fludarabine	Étoposide (≥150 mg/m²)*	Pemetrexed
Fluorouracile	Idarubicine	Streptozocine
Flutamide	Imatinib	Thiotépa (fortes doses utilisées pour les effes allogéniques de cellules souches)
Géfitinib	Ifosfamide	Gemcitabine
Irinotécan (CPT-11)	Goséréline	Lomustine (<60 mg/m²)*
Hydroxyurée	Melphalan	Interféron
Méthotrexate (250–1000 mg/m²)*	Interleukine 2 (SC)	Mitomycine
Létrozole	Mitoxantrone	Leuprolide
Pentostatine	Lévamisole	Procarbazine
Mercaptopurine	Témozolamide	
Méthotrexate (<250 mg/m²)*	Topotécan	
Oxaliplatine		
Paclitaxel		
Raltitrexed		
Rituximab		
Téniposide		
Thioguanine		
Trétinoïne		
Trastuzumab (Herceptine)		
Vinblastine		
Vincristine		
Vinorelbine		
Vindésine		

* Le symbole «/m²» signifie que la dose est ajustée à la surface du corps (en mètres carrés). Comme la moyenne est d'environ 1,75 m², ces doses seront multipliées en conséquence.

Tableau 8. Les antinauséeux (antiémétiques)

Nom ou type de médicament	Exemples de nom commercial	Administré généralement par...	Notes
Métoclopramide	Maxeran	COMPRIMÉ OU INJECTION	Inhibe la zone de déclenchement des chimiorécepteurs et facilite l'évacuation du contenu de l'estomac.
Prochlorpérazine	Stémétil	COMPRIMÉ, SUPPOSITOIRE OU INJECTION	Agit sur une zone du cerveau pour réduire la nausée.
Métoclopramide	Maxeran	COMPRIMÉ OU INJECTION	Inhibe la zone de déclenchement des chimiorécepteurs et facilite l'évacuation du contenu de l'estomac.
Dompéridone	S'appelait auparavant « Motilium », mais seuls des génériques sont disponibles aujourd'hui (Apo-Domperidone, Novo-Domperidone, par exemple).	COMPRIMÉ OU INJECTION	Facilite l'évacuation du contenu de l'estomac.
Antagonistes 5HT3 (p. ex. : ondansétron, granisétron)	Zofran Kytril	COMPRIMÉ OU INJECTION	Très efficaces lors des chimiothérapies qui causent beaucoup de nausées ou si les autres antinauséeux n'agissent pas. Efficaces seulement lors des deux, trois premiers jours; inutiles par la suite.

Nom ou type de médicament	Exemples de nom commercial	Administré généralement par...	Notes
Stéroïdes (p. ex.: Dexaméthasone)	Decadron	COMPRIMÉ OU INJECTION	Son mécanisme est inconnu; plus efficace chez les patients qui ont des nausées tardives (plusieurs jours après la chimiothérapie).
Nabilone	Cesamet	COMPRIMÉ	Substance synthétique analogue à un composant du cannabis agit dans certains cas.
Scopolamine	Transderm-V	TIMBRE CUTANÉ	Agit sur une zone du cerveau pour réduire la nausée.
Antinauséeux en vente libre	Gravol	COMPRIMÉ OU SUPPOSITOIRE	N'agissent pas normalement lorsque les autres n'agissent pas non plus, mais peuvent faire des merveilles à l'occasion!
Traitement «anti-effets secondaires»	Benadryl	COMPRIMÉ OU INJECTION	Ce n'est pas un antinauséeux, mais il peut être prescrit pour réduire le risque de réactions à certains médicaments chimiothérapeutiques (le Paclitaxel, par exemple) telles que les éruptions et les baisses graves de tension sanguine ou de rythme cardiaque.

Nom ou type de médicament	Exemples de nom commercial	Administré généralement par...	Notes
Lorazépam	Ativan	COMPRIMÉ	Peut être prescrit la veille du traitement pour calmer les patients angoissés par la chimiothérapie. C'est également un sédatif. Il peut aussi atténuer les souvenirs de nausée.

Tableau 9. Perte de cheveux et de poils (alopécie) selon les médicaments chimiothérapeutiques les plus courants

Médicaments causant presque toujours l'alopécie	Médicaments pouvant causer l'alopécie	Médicaments causant rarement l'alopécie
Adriamycin	Cyclophosphamide	Platinum
Épirubicine	5-Fluorouracile	Vincristine
VP-16	Vinblastine	Bléomycine
Mustine		Méthotrexate
Procarbazine		Mitomycine
Actinomycin-D		Mitoxantrone
Taxol		Melphalan

Tableau 10. Autres effets de certains médicaments chimiothérapeutiques

Goût	Goût bizarre ou métallique des aliments	Un grand nombre de médicaments peuvent causer cette altération.
Ouïe	Perte des fréquences élevées, bourdonnement dans les oreilles	Médicaments contenant du platine (cisplatine, carboplatine)

Tableau 10. (suite)

Nerfs	Engourdissement ou picotement dans les orteils et les doigts (parfois accompagné de faiblesse)	Vincristine, Bortézomib, Cisplatine, Docetaxel, Oxaliplatine, Paclitaxel
Transit intestinal	Ballonnements et absence de transit intestinal	Vincristine, Busulfan, Pemetrexed, Temozolamide, Thalidomide, Vinorelbine
Reins	Généralement, les effets ne causent pas de symptômes, mais les analyses sanguines révèlent de la toxicité.	Cisplatine, Carboplatine
Pigmentation de la peau	Assombrissement des replis cutanés et parfois de la bouche	Bléomycine, Doxorubicine, Hydroxyurée, Cyclophosphamide, Procarbazine
Fertilité	Incapacité à devenir enceinte	Plusieurs médicaments (et plusieurs tumeurs) peuvent entraver la fertilité, parlez-en à votre médecin.
Fœtus	Malformations du fœtus lors de son développement	Comme plusieurs médicaments peuvent causer des malformations, si vous désirez concevoir (ou si vous êtes déjà enceinte), il est primordial d'en parler à votre médecin.
Globules blancs	Signes d'infection/fièvre, frissons, toux	La plupart des médicaments chimiothérapeutiques
Cheveux et poils	Perte des cheveux et des poils	Voir le tableau 9 sur l'alopécie
Bouche	Irritation de la bouche	La plupart des médicaments chimiothérapeutiques
Mains et pieds	Rougeur, sensibilité, engourdissement, picotement, ainsi que paumes et plantes des pieds qui pèlent	Capécitabine, Liposomal Daunorubicine, Fluorouracile, Oxaliplatine, Docetaxel

Tableau 11. Quelques agents biologiques de la génération actuelle

Nom générique ou «chimique»	Nom commercial (marque)	Cible moléculaire visée	Situations dans lesquelles on peut l'utiliser	Effets secondaires les plus courants
bévacizumab	Avastin	Anti-VEGF	Colorectal, (à l'essai pour d'autres)	Les plus courants : hypertension, nausées et vomissements, maux de tête, fatigue, diarrhée, irritation de la bouche, perte d'appétit
alemtuzumab	Campath	CD52	LLC à lymphocytes B, greffe	Les plus courants : risque accru d'infection (fièvre, frissons, toux), fatigue, étourdissement, nausées et vomissements
cétuximab	Erbitux	R-EGF	Colorectal, foie	Les plus courants : éruption cutanée, fatigue, diarrhée, irritation de la bouche, toux et difficultés respiratoires
imatinib	Gleevec	Inhibiteur de la tyrosine kinase	Tumeur stromale gastro-intestinale, LMC, gliome	Les plus courants : nausées et vomissements, diarrhée, indigestion, maux de tête, crampes musculaires, éruption cutanée.
trastuzumab	Herceptine	R-EGF	Sein (HER2 positif)	Les plus courants : risque accru d'infection (fièvre, frissons, toux), diarrhée, nausées et vomissements.

Nom générique ou «chimique»	Nom commercial (marque)	Cible moléculaire visée	Situations dans lesquelles on peut l'utiliser	Effets secondaires les plus courants
géfitinib	Iressa	R-EGF	Poumon (certains)	Les plus courants: diarrhée, éruption cutanée, peau sèche, démangeaisons; moins courants: bouche sèche, fatigue, vomissements, problèmes oculaires
pertuzumab	Omnitarg	HER2	Essais cliniques en cours	Données non disponibles
rituximab	Rituxan	CD20	Lymphome	Les plus courants: risque accru d'infection (fièvre, frissons, toux), nausées et vomissements, fatigue, étourdissements.
erlotinib	Tarceva	EGF- Tyrosine kinase	Poumon (certains) Pancréas	Les plus courants: diarrhée, éruption cutanée, peau sèche, démangeaisons, nausées et vomissements; moins courants: irritation et sécheresse de la bouche, fatigue, problèmes oculaires (vision trouble, rougeur ou douleur), perte d'appétit.

bortézomib	Velcade	Inhibiteur du protéasome	Myélome	Les plus courants : fatigue, risque accru d'infection (fièvre, frissons, toux), nausées, diarrhée, constipation, éruption cutanée, insomnie/somnolence, engourdissement/picotement des doigts et des orteils.
ibritumomab	Zevalin	CD20	Certains lymphomes	Les plus courants : risque accru d'infection (fièvre, frissons, toux), fatigue, nausée, baisse de la tension artérielle.

ANNEXE B

Organismes, sites Internet et ressources

Sites Internet fiables sur le cancer

Société canadienne du cancer

http://www.cancer.ca/

La Société canadienne du cancer est un organisme bénévole national, à caractère communautaire. Son site Web bilingue offre de l'information sur les types de cancer, les traitements et les services de soutien, ainsi qu'une encyclopédie sur le sujet.

Fondation québécoise du cancer

http://www.fqc.qc.ca/

La Fondation québécoise du cancer est un organisme sans but lucratif qui offre aux personnes atteintes de cancer information, soutien, documentation et hébergement pendant la durée de leurs traitements.

Leucan

http://www.leucan.qc.ca/

Leucan est un organisme sans but lucratif dont la mission est de favoriser le mieux-être et la guérison des enfants atteints de cancer et d'assurer un soutien à leur famille.

Fédération Nationale des Centres de Lutte Contre le Cancer

http://www.fnclcc.fr/index.php

Ce site français est destiné à fournir aux professionnels de la santé et aux personnes atteintes d'un cancer une information validée sur la prise en charge globale du cancer.

Cancer Care Ontario (CCO)

http://www.cancercare.on.ca/

Cancer Care Ontario/Action Cancer Ontario est le principal conseiller du gouvernement ontarien sur les questions qui touchent le cancer. Son site offre de l'information sur la prévention et le dépistage, les publications, les traitements, le soutien, etc.

American Cancer Society

http://www.cancer.org/

Le site Web de cet organisme non gouvernemental américain présente les actualités dans le développement de nouveaux traitements ainsi que des informations détaillées sur de nombreux cancers.

American Institute for Cancer Research Online

http://www.aicr.org/

Cette institution caritative est un chef de file national sur la nutrition et la prévention du cancer. Les informations qui s'y trouvent pourraient vous aider à réduire le risque de cancer pour vous et votre famille.

Ouvrages généraux sur le cancer

Buchholz, Susie and William Buchholz. *Live Longer, Live Larger: A Holistic Approach for Cancer Patients and Their Families*. Sebastopol: O'Reilly & Associates, 2001.

Brisson J, Major D, Pelletier E. *Évaluation de l'exhaustivité du fichier des tumeurs du Québec*. Institut national de la santé publique du Québec, 2003.

Cukier, Daniel and Virginia E. McCullough. *Coping with Radiation Therapy*. Los Angeles: Lowell House, 2001.

Dorfman, Elena and Heidi Schultz Adams. *Here and Now: Inspirational Stories of Cancer Survivors*. New York: Marlowe & Company, 2001.

Gaudette LA, Gao RN, Wysockei M et coll. *Le point sur la maortalité par concer du sein, 1995*. Rapports sur la santé 1997;9(1):33-6

Harpham, Wendy Schlessel. *Diagnostic: Cancer: Your Guide to the First Months of Healthy Survivorship*. New York: W.W. Norton & Company, 2003.

Hunter, Brenda. *Staying Alive: Life-Changing Strategies for Surviving Cancer*. Colorado Springs: WaterBrook Press, 2004.

Jevne, Ronna. *Hoping, Coping & Moping: Handling Life When Illness Makes It Tough*. Los Angeles: Health Information Press, 2000.

Kelvin, Joanne F. and Leslie B. Tyson. *100 Questions & Answers about Cancer Symptoms and Cancer Treatment sides effects*. Sudbury, MA: Jones and Bartlett Publishers, 2005.

Le ND, Marrett LD, Robson DL. Semenciw RM et coll. *Répartition géographique de l'incidence du cancer au Canada*. Ottawa : Ministère des Approvisionnements et services Canada, 1995. Catalogue H49-6/1-1996, 1995.

McGinn, Kerry Anne and Pamela J. Haylock. *Women's Cancers: How to Prevent Them, How to Treat Them, How to Beat Them*. Alameda, CA : Hunter House, 2003.

Peron Y, Stromenger C. *Indices démographiques et indicateurs de santé des populations*. Ottawa : Statistique Canada, n°82-543F au catalogue, 1985:182-189, 155-157.

Stephens M, Siroonian J. *L'habitude de fumer et les tentatives pour s'en défaire*. Rapports sur la santé 1998;9:31-8.

Thomas, Lucy, Nancy Oster, and Darol Joseff. *Making Informed Medical Decisions*. Sebastopol : O'Reilly & Associates, 2000.

Statistique Canada. *Les statistiques sur le cancer*. Ottawa : Division de la statistique de la santé, n° Catalogue 82-601-XIF, 2003.

Statistique Canada. *Causes de décès*. Ottawa : Division de la statistique de la santé, n° Catalogue 84-208-XIE, 2000.

Statistique Canada. *Estimations postcensitaires révisées sur la population et les familles, 1er juillet, 1971-1991*, Ottawa : Division de la démographie, n°91-537 au catalogue, hors-série, 1994.

Statistique Canada. *Statistiques démographiques annuelles, 2002*. Ottawa : Division de la démographie, n°91-213-XPB au catalogue, annuel, 2003.

Statistique Canada. *Classification géographique (CGT) supplément - Nunavut*. Ottawa : Division de la géographie, 1997.

Statistique Canada. *Enquête sociale générale, cycle 11*. Ottawa, 1996.

Remerciements

L'idée originale de ce livre revient à la docteure Pam Catton.

Pam est radio-oncologue à l'hôpital Princess Margaret où elle dirige le service d'éducation des patients. La perspective de collaborer avec elle sur des projets comme celui-ci est l'une des raisons principales qui ont motivé ma venue à cet hôpital il y a quelques années.

Pam voulait qu'on écrive un guide pratique et axé sur la réalité pour le patient atteint du cancer et sa famille. Elle a participé à chaque étape de l'écriture, des notes préliminaires au manuscrit final. Je ne peux dire à quel point sa contribution a été importante pour ce livre dès le début du projet.

Anna Porter, la fondatrice de la maison d'édition Key Porter Books, a défendu ce livre dès le début. C'est elle qui a pensé que le sous-titre original du livre ferait un bien meilleur titre. (Comme nous avons suivi son conseil, nous espérons qu'elle avait raison.)

C'est Linda Pruessen de Key Porter Books qui a suggéré qu'on limite notre accompagnement du lecteur aux premières semaines.

Clare McKeon — avec qui j'ai travaillé à de nombreux livres pour Key Porter Books — est la meilleure éditrice dont peut rêver un auteur. Elle est tout simplement merveilleuse, imaginative, patiente et généreuse (surtout lorsque l'auteur prend du retard sur l'échéancier).

À la pharmacie de l'hôpital Princess Margaret, j'ai pu compter sur l'aide précieuse de Pamela Ng et Caroline Como.

Ma femme, la docteure Patricia Shaw, est une pathologiste de renommée internationale (également à l'hôpital Princess Margaret). C'est une spécialiste du cancer de l'ovaire, domaine où elle fait également de la recherche. Pat m'a éclairé sur de nombreux détails concernant la pathologie et les marqueurs moléculaires. C'est en grande partie grâce à la clarté de ses idées sur la relation entre la manière dont un cancer peut être identifié (par son apparence et ses marqueurs moléculaires) et la façon dont il est le plus probable qu'il se comporte que j'ai découvert que je n'étais pas aussi mauvais en pathologie que je le craignais (bien que je ne sois pas encore aussi bon que je le souhaiterais).